ちくま学芸文庫

キリスト教美術シンボル事典

ジェニファー・スピーク

中山 理 訳

筑摩書房

The Dent Dictionary of Symbols in Christian Art
by Jennifer Speake

Copyright © 1994 by Jennifer Speake
Japanese translation rights arranged
through Meike MARX

【目次】

キリスト教美術シンボル事典

著者まえがき　7

凡例　13

A 15 / B 58 / C 84 / D 126 /
E 152 / F 167 / G 188 / H 210 /
I 230 / J 236 / K 259 / L 262 /
M 284/ N 309 / O 316 / P 323/
Q 350 / R 351 / S 362 / T 400/
U 436 / V 440 / W 456 / Y 465 / Z 466

聖人名表記対照表　469
建築部位名称　476
参考文献　478
訳者あとがき　483
文庫版訳者あとがき　488
項目索引　496

キリスト教美術シンボル事典

著者まえがき

芸術作品を鑑賞する人々の4分の3は，本来なら正当に作品を評価できる力量があるはずなのに，十分な知識を与えられていないため，絵画の主題を理解することができない．彼らにとって絵画とは，その美貌で目を楽しませても，まったく理解できない言葉を話し続ける麗人である．しばらくすると見飽きてしまう．というのも理解が何の役割も演じなければ，快楽の持続はすこぶる短いからである．

　　　　　　　J・B・デュボス『詩と絵画に関する批評的考察』

キリスト教シンボリズムという古代の国際言語は，幾世紀にもわたりヨーロッパ全土で通用してきた共通語であった．今日でも，中世やルネッサンス期の美術作品が展示された場所へ行けば，どこでもそのような語彙を目にすることだろう．しかしその語彙も，20世紀の多くの鑑賞者に対しては，もはやかつてのような平明な言葉で語りかけてくることはない．それは幾分かけ離れた，よそよそしいものとなり，美術作品にその独自性と意図を直接に語らしめんとする芸術家たちの期待を裏切るかのように，不可解という障壁を設けている．

　本事典の意図は，そのようなシンボリズムの扉を開く鍵を提供することにある．シンボル解読の手がかりを見つけられれば，明らかに無関係で，奇妙で，取るに足らないと思える美術作品の細部描写にも，非常に重要な意味が潜んでいるこ

とを理解できるだろう．中世の教会を飾る祭壇画やステンド
グラスに描かれた人物や物体は，美しいがゆえに私たちの心
の琴線に触れ，風変わりでおもしろいがゆえに私たちの目を
楽しませ，見事な色彩や形態で称賛の念を呼び起こす．しか
しそのような側面は，偉大な芸術家だろうが，無名の職人だ
ろうが，ほぼ2000年もの長きにわたりキリスト教美術を創
造してきた人々のもくろみの一部分に過ぎないのである．

　15世紀の英詩，『農夫ピアズの夢』の作者は，教会美術に
ついて「これらの絵画や聖像は，貧者の書物である」ともら
している．したがって現代の美術鑑賞者がこの「書物」の視
覚的語彙を基本的に把握できれば，キリスト教信仰の有無に
かかわらず，美術に対する理解を深め，それを堪能する喜び
を増すことができるであろう．

　本事典の目的は，教会や画廊を訪れるとき，誰もが抱く単
純な疑問に答えることである．「これは誰か」，「手に何を持
っているのか」，「どうしてあのような服装なのか」，「あのネ
ズミ・ブタ・ヘビは何なのか」．ひとたびこのシンボリズム
の存在に注目すれば，絵画や彫刻のような大作のみならず，
ステンドグラス，教会関係の刺繍，金属細工，写本装飾のよ
うな比較的小さな美術作品においても，それがいかに深く浸
透しているかに気づくようになる．

　本事典の見出し語は，簡潔にアルファベット順に配列し
た．そして想定される読者の質問を2つの主要な範疇に分類
し，その質問への解答をできるだけ簡単に検索できるように
した．

　まず第1は，読者が興味を持っている聖人の名は知ってい
るが，どうしてそのような特別な描写法が採られ，特定の持

物を持つのか理解できない場合を想定した質問の範疇である.

　第2は，美術作品で明確な意味を持つ細部描写，シンボル，物体が何かは知っているが，描かれた人物名がわからない場合，あるいは，芸術家が特定の物体に付与した意味，そして実際に何が描かれているのかが分からない場合の質問の範疇である.

　本書は包括的な聖人の伝記事典を意図したものではなく，むしろ美術作品に登場しそうな聖人を取り上げた入門書である. このような観点からすれば，どれもが実証された，粛然たる伝記的事実よりも，しばしば大幅に粉飾されることのある「伝説」のほうが重要となろう. 聖人伝といえば，13世紀にヤコブス・デ・ウォラギネが完成した『黄金伝説』（Legenda aurea）がその典型的な代表例であるが，世俗的な騎士道物語にはそぐわない奇跡的な要素も組み込まれている. 新約聖書の登場人物の場合は，4つの正典福音書を補足するために多くの聖書外典が活用された. この聖書外典は，中世の時代に相当量にのぼる詳細な伝記的資料を提供したが，中でも，『ヤコブ原福音書』（Protevangelium）は，新約聖書の題材をかなり詳しく述べた聖母マリアの伝記を提供した点で，もっとも重要な外典といえるであろう.

　中世の注釈者や図像解説者は，このような聖書以外の資料を自由自在に活用できた. しかし現代では，そのような資料は全く無視され，ほとんど顧みられない. よしんば大学図書館に収蔵されていたとしても，学術書の片隅に押しやられ，埃をかぶっていることだろう. しかし，これらの資料を発掘すれば，20世紀の読者にとって一見したところ根拠のないような細部描写でも，その創作意図を説明することができる

のである．たとえば『ヤコブ原福音書』には，聖母がエルサレムの神殿で育ったという記述があり，紫色（あるいは緋色）の糸を紡いで神殿に奉納する織物を織っていた様子が記されている．ここからビザンティン美術でもっとも一般的な受胎告知の表現様式が生まれたのであり，糸巻き棒で糸を紡ぎながら忙しく手仕事をする聖母とその聖母に近づく天使が描かれるようになったのである．

したがって本事典では，聖人や聖書の登場人物の伝記を，すこぶる短い概説程度のものにまで簡略化し，同人物が重要な役割を演ずる物語の場面や絵画群の大まかな内容だけを提示するにとどめた．主に注意を向けたのは，むしろ個人の図像学的な特質である．また聖人崇拝の通俗性や地域性についてもある程度の補足がなされている．これらの2つの要素は人物が誰で物体が何かを特定する際の有益な鍵となりうるからである．たとえば，北フランスあるいはオランダの絵画で，角の間に十字架を掲げるシカが描かれていたら，おそらく聖フベルトゥスの伝記を題材としたものに違いない．しかし，これが南欧の絵画となると，聖エウスタキウスの伝説を題材とした可能性が高い．

人名と物体の見出し語以外に，第3の範疇として，キリスト教美術に広く見られる物語の場面を示す見出し語群を加えた．これらの見出し語は，登場人物が誰であるかを明らかにし，同種の場面の描写法が時代と場所によってどのように異なるかを示すためのものである．大雑把ではあるが，単一の場面が登場する頻度は，教会暦でその場面が果たす役割の重要性と，それが担う象徴としての重みの意義に対応するといってよいだろう．個々の見出し語以外に，十二使徒や受難具

など，もっとも頻繁に遭遇する人物群や品目群の見出し語も加えた．

　本書で扱う中心的領域は西欧美術である．しかし近年，東欧への旅行や，東方正教会の美術鑑賞の機会が西欧の人々の間で増加するに伴い，西欧美術とは性質を異にするものの，極めて密接な関係にある東方の芸術的伝統に接する機会もますます増えつつある．したがって西欧からの訪問者が，東方正教会の装飾体系を「読み解き」，聖障（イコノス，タシス，聖所と至聖所との界壁）に描かれた最重要人物が誰かを認識できるように，東方正教会の美術に関する基本的な情報を本文と図版で提示した．必要に応じ，復活のような中心的祝祭に代表される主要行事や人物の描写手法が，2つの伝統においてどのような相違を見せているかということにも注目した．

　東方のキリスト教世界の図像学的伝統は，典礼と教会暦にしっかりと錨を降ろし，長い間極めて安定した状態を保ってきた．ロシアのストロガノフの伝統を受け継ぐイコン画家に関連のある16世紀後期から17世紀初期にかけての図案本や，フルナの修道士ディオニュシオスが18世紀初期に著した『画家の手引き』は，後期ビザンティン時代にまで遡りうる伝統的手法をまとめたものである．8世紀中頃から843年までは，偶像破壊論争の大動乱と破壊活動が続いたが，上述した伝統の中には，作例のイコンはほとんど残っていないものの，そのような偶像破壊以前の時代から継承されているものもある．

　西欧美術でも，驚くべき独創性と個性の追究が盛んになるのは，ロマン主義および後期ロマン主義の時代を迎えてからである．これ以前の芸術家は，すでに試みられた，信頼のお

ける条件の枠内で明らかにそれとわかる図像を描いたし，パトロンもそのような作品を期待した．キリスト教の物語に登場するもっとも有名な人物の顔の描写でも，初期キリスト教時代にまで遡る伝統を継承している．4世紀のローマの石棺に描かれた聖ペトロの肖像を例にとると，東方正教会，コプト教会，ローマ・カトリック教会のいかなる伝統を継承しようと，その表現手法は，キリスト教美術の全時代を通してその描き方にさして本質的な相違はない．

凡　例

1.　聖書の直接引用および聖書中に登場する固有名詞の表記は、『聖書　新共同訳—旧約聖書続編つき』（日本聖書協会，1989）に準拠した。また外典・偽典（「旧約聖書続編」収録のものを除く）については『聖書外典偽典』（日本聖書学研究所編，1975-1982）に従った。また聖書の引用章数・節数も原書ではなく、『聖書　新共同訳』に準拠した。

2.　ギリシア・ローマ神話の人名に関しては、一般に行われているギリシア語・ラテン語の表記に従ったが、音引きは原則として用いていない。なお、ギリシア語の φ [ph] は「フ」、ラテン語の v は「ウ」とした。

3.　聖書以外の人名については原則として 14 世紀を境に、それ以前をラテン語読み、それ以後を各国語読み（出身地あるいは主な活動地）としたが、慣用的呼称によった場合も少なくない（例：フランチェスコ）。またラテン語読みの後の（　）内にギリシア語読み、あるいは各国語読みを併記したものもある。

4.　地名は現代の各国語読みを基準としたが、慣用と思われる歴史的表記に従っている場合もある（例：コンスタンティノープル）。

5.　主題名に関しては、もっとも広く用いられていると思われるものを採用するように心がけたが、聖職名、位階、祭儀など、東方正教会とローマ・カトリック教会で異なる場合があるので、項目で取りあげた聖人の宗派に準拠した。ただし必要に応じ、両方を併記した場合もある。［カ］はカトリックを、［正］は正教会を、［プ］はプロテスタントを意味する。

6.　動植物名に関しては、英語名に該当する日本名が見出せない場合がある。その場合は近縁種であっても「オーク」を「樫」とはしなかった。聖書やその他の引用文以外の動植物名は、慣例的に定着しているものを除き、すべてカタカナ表記とした。

7.　美術作品は「　」で、著作は『　』でそれぞれ表わしている。文中の記号で、⇨は「〜の項目を見よ」、cf. は「〜と比較せよ」の意である。また〈慈愛〉〈希望〉

など，〈 〉で括った語は抽象概念を表わした擬人像であることを示す.

8. 本文の引用文において聖書を出典とするもので書名の長いものに関しては，下記の書名略語を用いたものもある.

新約聖書

マタイ福音書	マタイによる福音書
マルコ福音書	マルコによる福音書
ルカ福音書	ルカによる福音書
ヨハネ福音書	ヨハネによる福音書
ローマ手紙	ローマの信徒への手紙
コリント手紙一	コリントの信徒への手紙一
コリント手紙二	コリントの信徒への手紙二
ガラテヤ手紙	ガラテヤの信徒への手紙
エフェソ手紙	エフェソの信徒への手紙
フィリピ手紙	フィリピの信徒への手紙
コロサイ手紙	コロサイの信徒への手紙
テサロニケ手紙一	テサロニケの信徒への手紙一
テサロニケ手紙二	テサロニケの信徒への手紙二
テモテ手紙一	テモテへの手紙一
テモテ手紙二	テモテへの手紙二
テトス手紙	テトスへの手紙
フィレモン手紙	フィレモンへの手紙
ヘブライ手紙	ヘブライ人への手紙
ヤコブ手紙	ヤコブの手紙
ペトロ手紙一	ペトロの手紙一
ペトロ手紙二	ペトロの手紙二
ヨハネ手紙一	ヨハネの手紙一
ヨハネ手紙二	ヨハネの手紙二
ユダ手紙	ユダの手紙
黙示録	ヨハネの黙示録

9. 原著には巻末に図版索引があるだけで，本文中には図版がない. 本訳書では，本文解説中に述べられている有名絵画など，図版を多数補った. その際，絵画の一部分のみを使うこともあるが，一々明記しない. また，原著巻末の図版索引の図版類は，本文の対応する項目の中に収めた.

A

コラ，ダタン，アビラムが企てた反逆を打ち破る劇的な場面でも，アロンはこの身なりで登場する（『民数記』16）．彼らがアロンから祭司の職を奪おうとしたとき，大

Aaron　アロン

モーセ（Moses*）の兄で代弁者．イスラエル人の出エジプトへ至るまでの一連の出来事で（『出エジプト記』7-12），アロンとモーセは，アロンの杖で奇跡を行ったり，エジプト人に災いをもたらしたりして，ともにファラオやエジプトの魔術師と対決した．

出エジプトに続いてイスラエルの民が荒れ野をさ迷った際，アロンが大祭司だったことから，中世やルネッサンスの芸術家は，旧約時代の衣装ではなく当時の祭服をまとい，香炉（censer*）を持ったアロン，あるいは旧約聖書のアロンとは似ても似つかない教皇の三重冠（tiara*，テイアラ）をかぶったアロン像をよく描いた．

アロンと花の咲いた杖，12世紀，オータン，ロラン美術館

地が口を開いて彼らを飲み込み，疫病が彼らの支持者たちを襲った．

旧約聖書ではこの挿話の直後に，イスラエルの12部族のうち，どの部族が宗教的儀式で優先権を持つかという問題の解決に迫られる．神はモーセに命じてそれぞれの部族の指導者に杖を持ってこさせ，その杖に各々の名前を書いて幕屋の中の掟の箱の前に置くよう命じた．そして「わたしの選ぶ者の杖は芽を吹くであろう」（『民数記』17, 5）と仰せになった．つぎの日，レビ族を代表するアロンの杖が芽を吹き，つぼみをつけ，花を咲かせ，アーモンドの実を結んだ．

聖母マリアの夫にヨセフ（Joseph, St*）が選ばれたことを伝える外典福音書の物語は，このアロンの杖の一節にもとづいている．ヨセフとアロンは花の咲いた杖を持って描かれることがある．
⇨Golden Calf.

Abel　アベル

⇨Cain and Abel.

Abraham　アブラハム

ユダヤ人の族長で，『創世記』（12-25）にその生涯が詳述されている．神は，アブラハムが75歳になるまで，故郷のハランを離れてカナンの地へ赴くよう命じなかったので（『創世記』12, 4），美術では老人として描かれる．アブラハムの生涯の出来事で芸術家をもっとも惹きつけたのは，マムレで3人の天使（あるいは人）を歓待したこと（⇨Philoxenia, Trinity）と自ら

マムレのアブラハムと3人の訪問者，5世紀，ローマ，サンタ・マリア・マジョーレ聖堂

の意志で息子のイサクを神に捧げようとしたことである.

Acacius (Acatius), St　聖アカキオス（アカキウス）

　初期キリスト教時代の年代不詳の殉教者. 一般には, アルメニアのアララト山で異教徒の軍隊に磔刑に処された1万人のキリスト教徒の指導者であったと信じられている. 聖アカキウス崇拝は, どうも近東から帰還した十字軍によってもたらされたらしく, 特にスイスとドイツで盛んであった. アカキオスは頭に茨の冠（crown of thorns*）をかぶることもある. ⇨Fourteen Holy Helpers.

Accidie (or Sloth)　怠惰

　七つの大罪（Seven Deadly Sins*）の1つ.

acheiropoietos　アケイロポイエトス

　（アヒロピイトス, ギリシア語で「人の手で造ったものでない」の意）

　東方正教会では, 通例, 頭部と光輪と首の部分だけからなるキリストのイコンをいう. 6世紀にまでさかのぼるビザンティンの伝統によれば, このイコンの原型は, イエスが自分の顔に押しあてて, その顔形を残した一片の亜麻織物, 「自印画像」（Mandylion, マンディリオン）である. このイコン類型に残された顔の造作や髭は本物の自印画像と考えられていて, 中世の全キリスト・イコンの基礎となった. ⇨Pantocrator.

　エデッサの国王アブガル五世が重病をいやしてもらうためにイエスのもとへ使者を遣わしたところ, イエスは上述のマンディリオンを使者に与えたと伝えられている. 944年にマンディリオンがコンスタンティノープルへ遷移されてから, 救世主のアケイロポイエトスのイコン類型が広く普及するようになった. ロシアには, 特に有名な12世紀の作品がある. エデッサのマンディリオン自体は, 1247

年にフランスの国王ルイ九世によって買い求められたが，フランス革命時，サント・シャペルで略奪行為があった際に破壊されたともいわれている．現在知られている最古の複製は，シナイ半島のハギア・エカテリーニ修道院に納められている 10 世紀のイコンである．西方でこれに匹敵する画像は聖顔布（ウェロ（ニカ），聖顔像）として発達した． ⇨Veronica, St.

初期キリスト教時代の著述家たちが述べている，もう 1 つのアケイロポイエトスは，柱あるいは円柱に残されたイエスの体の跡である．イエスは，磔刑に処せられる前，柱に体を縛りつけられ鞭打たれた．その時に体の跡が柱に印された．また聖母マリアのアケイロポイエトスがあったことも知られている．

Adam and Eve　アダムとエバ

最初の男と女．神への不従順によって破滅がもたらされるまで，エデン（Eden*）の園の住人だった（⇨Fall of Man）．アダムとエバの創造に関しては，聖書に 2 つの異なった説明がある（『創世記』1, 26-28; 2, 6-7; 2, 21-23）．芸術家や作家たちは，双方の箇所から，作品の構成要素を引き出し，特に堕落以前の無垢な裸体（前者は，裸体を隠そうとする堕落後の行為と対照的に描かれている）と人間による他の生き物の支配を取り上げた．最初に神が課した軽労働をこなすアダム，すなわちエデンの園の手入れや世話をするアダムの姿は，額に汗して土を耕すアダム，および糸紡ぎや子守りをするエバの姿と対照的である．後者は，楽園追放後の堕落した人間の状態を示すアレゴリーである．

キリスト教の著作でキリストがしばしば第 2 のアダムと言及されるのは，第 1 のアダムの過失が原因で生じた罪から世界を救済するために，キリストが降臨したからである．同様に聖母マリアも第 2

のエバと称されることがある。受胎告知やキリスト降誕の場面のつぎに人間の堕落の場面が配置されることが珍しくないのは、以上のような概念が根底にあるからであり、第1のエバの罪は第2のエバこと聖母マリアの無罪性によって贖われるという思想を表現している。⇨Harrowing of Hell.

adder　毒蛇

毒蛇は、神の御言葉に耳を傾けようとしない、かたくなな罪人を象徴することがある。このようなイメージは『詩編』(58, 5-6) の「耳の聞こえないコブラのように耳をふさいで／蛇使いの声にも／巧みに呪文を唱える者の呪文にも従おうとしない」という一節から生まれたものである。

エデンの園のヘビは、サタン (Satan*) の欺瞞にみちた悪意を表現するために毒蛇のような姿でよく登場することがあるが、毒蛇を悪のシンボルと見なすことのほうがより

一般的であった。したがって「あなたは獅子と毒蛇を踏みにじり」という『詩編』(91, 13) の言葉は、死と地獄の諸

マザッチョ、楽園追放、15世紀、フィレンツェ、サンタ・マリア・デル・カルミネ聖堂

力に対するキリストの勝利を予言するものと解釈されている。ラヴェンナの大司教館付属礼拝堂を飾る6世紀初頭のモザイクには，文字どおりライオンと毒蛇を踏みつけるキリストの姿が描かれている。⇨snake.

Ad majorem dei gloriam 「神のより大いなる栄光のために」(アド・マヨレム・デイ・グロリアム，ラテン語)

この銘文が，黒い修道服をまとった修道士の持つ本に記されている場合は，聖イグナチオ・デ・ロヨラ（Ignatius of Loyola, St*）を象徴するものである。

Adoration of the Lamb 小羊の礼拝

天上での小羊の姿をしたキリストの賛美（⇨Lamb of God）。「七つの角と七つの目」を持ち，栄光を称えられ，勝ち誇った小羊像は，『ヨハネの黙示録』の描写にもとづくものである。聖杯の置かれた祭壇の上に立ち，礼拝する天使に囲まれた小羊

ヒューベルト＆ヤン・ファン・エイク，小羊の礼拝，15世紀，ヘント，シント・バーフ大聖堂

が，ヘントのシント・バーフ大聖堂の祭壇画に描かれている．この祭壇画は，1432年にヤン・ファン・エイクとヒューベルト・ファン・エイクの兄弟が描いた多翼式祭壇画（ポリプティク）で，小羊の礼拝の図は中央下部のパネル画の中心を占める．

Adoration of the Magi　東方三博士（マギ）の礼拝

⇨Three Magi.

Adoration of the Name of Jesus　イエスの御名の礼拝

⇨IHS.

Adoration of the Shepherds　羊飼いの礼拝

中世後期にのみ人気を博するようになった降誕（Nativity*）の場面の下位ジャンル．福音書の中で，野宿をしていた羊飼い（Shepherds*）が，通常ガブリエル（Gabriel*）といわれる天使からイエスの誕生を告げられ，この新生の乳飲み子を見るために

ベツレヘムに急いだと記されているのは『ルカによる福音書』（2, 8-20）のみである．福音書には羊飼いの数や彼らが持参した贈り物については何も述べられていないが，17世紀にホセ（フセペ）・デ・リベーラやスルバランらのスペイン画家が描いた「降誕」のように，東方の三博士（Three Magi*）と釣り合いをとるために，3人の羊飼いが登場する場合がよくある．また，献げ物の中でもっとも人目を引くのは，いけにえというイエスの将来の役割を示唆する縛られたヒツジあるいは小羊である．

野宿をする羊飼いへのお告げは，上述した礼拝の背景画として描かれることがあるだけで，独立した場面として取り上げられる場合は少ない．降臨の背景画としては，羊飼いへのお告げのほうが，羊飼いの礼拝よりもはるかに古い主題である．1例をあげれば，パレルモのマルトラーナ聖堂のモザイク（12世紀中

頃）に描かれた降臨の場面は，このような形式で表現されている．

Adoration of the Virgin 聖母マリアの礼拝

降誕（Nativity*）の場面の下位ジャンル．まばゆい光の中に横たわる新生のキリストの傍らで，ひざまずいて礼拝を捧げる聖母マリア像が中心に描かれている．御子を取り巻く超自然的な光については，2世紀の外典福音書『ヤコブ原福音書』（*Protevangelium*）に述べられているが，

ギルランダイオ，羊飼いの礼拝，15世紀，フィレンツェ，サンタ・トリニタ聖堂

ひざまずく聖母マリアは，スウェーデンの聖ビルギッタ（Bridget of Sweden, St*）が体験した幻視の物語にもとづいている．

Adrian, St 聖ハドリアヌス（アドリアヌス）（304 年没？）

殉教者．ハドリアヌスの物語の詳細には曖昧なところがあるが，キリスト教団が発展を遂げていた小アジアのニコメディア（現在のイズミル）で，ローマ軍将校として任務に就いていたようである．当時のニコメディアでは，キリスト教徒が迫害を受けていた．ハドリアヌスは，拷問や差し迫る死をものともしない勇敢なキリスト教徒にすこぶる感動し，キリスト教に改宗した．彼自身も投獄され，鞭打たれ，死を宣告された．妻のナタリアはキリスト教徒だった．ナタリアは少年に変装して牢獄の夫のもとを訪れ，秘密裏にキリスト教の信仰を伝授する手筈を整えたという．彼女はまた，夫の処刑も目撃した．ハドリアヌスは両手と両足を鉄床（かなとこ）の上で切断されたのち火刑に処されたが，ナタリアは夫の遺灰と切断された片手を取り戻した．後にそれらは聖遺物となった．

美術では，ローマ軍兵士のハドリアヌスがナタリアとともに描かれることがある．特にフランス，ドイツ，フランドル地方の美術には頻繁に登場し，ちょうど地中海沿岸の国々で聖セバスティアヌス（Sebastian, St*）が崇敬されたように，兵士の守護聖人として崇敬された．彼のエンブレムは鉄床である．ナタリア自身は実際に殉教の苦難を味わったわけではないが，その不動の信仰心ゆえに殉教者の称号が与えられ，東方正教会ではハドリアヌスとともに8月26日が祭日とされている．

Aegidius, St 聖アエギディウス

⇨Giles, St.

Agatha, St　聖アガタ
（3世紀？）

　シチリア島の童貞聖女殉教者．真実性のすこぶる乏しい殉教伝説によれば，キリスト教の信仰を捨てなかったため

スルバラン，聖アガタ，17世紀，モンペリエ，ファーブル美術館

に，乳房（breasts*）の切断を含む数多くの拷問を受けたといわれている．最後は，それらの苦難がもとで死を迎えた．

　聖アガタ崇拝はイタリアやその他の地域で広まった．またマルタ島の守護聖人でもある．しかし，イングランドで同聖女名を冠した古い教会は4つしかない．地震，火山噴火，火事（⇨veil）などから帰依者を守護する聖女と信じられていたので，燃える建物を持つアガタ像が描かれることがある．

Agnes, St　聖アグネス
（4世紀初頭）

　ローマの童貞聖女殉教者．12〜13歳のうら若い乙女の頃から，自らをキリストの婚約者と考え，強制的に結婚を迫ろうとする者たちをことごとく退けた．最後は喉を突き刺されて殺害された．

　処刑後しばらくして，アグネスが埋葬されたローマの地下墓地（カタコンベ）の上にバシリ

カ聖堂（サン・タニェーゼ・フォーリ・レ・ムーラ聖堂）が建立された．アグネスとほぼ同時代のキリスト教徒であり，有名な著述家でもある聖アンブロシウス（Ambrose, St*）は，アグネスの献身ぶりと不動の信仰の賛美者の1人であった．聖アグネス崇拝は，アグネスが守護聖人として崇敬されたローマからヨーロッパ全土へと広がった．ア

グネスは処女と婚約者の守護聖人でもある．キーツの詩『聖アグネス祭の前夜』で歌われているように，聖アグネス前夜祭の1月20日，少女が床につく前にある種のおまじないを行えば，将来の夫の夢を見ることができるという民間の迷信があった．

すでに6世紀から，ラヴェンナのサン・タポリナーレ・ヌオーヴォ聖堂のモザイクに描かれているように，アグネスのエンブレムは小羊であった．それは殉教時の年齢の若さを示唆するだけでなく，「アグネス」という名前が小羊を意味するラテン語「アグヌス」（agnus）と似た言葉であることから，語呂合せ的な意味合いも兼ねている．

アリアン・コーラルト，聖アグネス，17世紀，パリ，国立図書館

Agnus Dei　神の小羊 （アグヌス・ディ）

⇨Lamb of God.

Agony in the Garden　園での苦悩

⇨Gethsemane, Garden of.

alb　長白衣（アルバ）

　袖口が狭く，足首に届くほど丈の長い白色の祭服．ミサ聖祭を捧げるときに聖職者が着用する．祭服の白色は，祭儀の執行者に要求される純潔を意味する．

Alban, St　聖アルバヌス
（？209 年頃没）

　英国最初の殉教者．ウェルラミウム（Verulamium，現在のハートフォードシャーのセント・オルバンズ）で処刑された．アルバヌスはブリタニア（古代ローマの属州であった英国）の兵士だったが，迫害されていた司祭を匿い，この司祭からキリスト教の教えを受けて改宗した．アルバヌスは自分の着ている衣服を司祭のそれと交換し，司祭の逃亡を助けた．その後，捕らえられ，拷問を受けた後，処刑された．

　アルバヌスの殉教を 4 世紀初頭とした英国の歴史家ビードは，アルバヌスの死に伴う奇跡的な出来事を詳しく伝えている．その中には，アルバヌスに致命的な一撃を与えた男の両眼がこぼれ落ちたという逸話も含まれている．オーセールの聖ゲルマヌス（Germanus of Auxerre, St*）は 429 年にアルバヌスの聖堂を訪れ，そこの土を聖遺物として持ち帰ったという．聖アルバヌス崇拝はイングランド全土はいうに及ばず，フランスの一部の地域にも広がった．イースト・アングリアの教会では，アルバヌスともう 1 人の地元の聖人，エドムンド（Edmund*）とを一緒に描いた作品がよく飾られている．

Aldhelm, St　聖アルドヘルム（オールドヘルム，639 年-709 年）

　イギリスの聖職者で著述家．670 年代中頃からマームズベリーの修道院長を務め，多くの教会を設立した．705 年にはセルボーンの初代司教となった．また多作の著述家でもあったアルドヘルムは，

古英語とラテン語の著作で賞賛を博した。ただし古英語で書かれた英詩は残存していない。アルドヘルムを偲ばせる物語の1つに、説教をしていたとき、手に持っていた司教杖（staff*）から一斉に芽が出て葉が茂ったという逸話がある。アルドヘルムはマームズベリーに埋葬された。その10世紀の墓には、同聖人の生涯の場面が描かれている。より有名な聖アルバヌス（Alban, St*）と混同されることがある。

Alexis, St　聖アレクシウス
（430年頃没）

乞食に身を落としたにもかかわらず「神の人」と呼ばれたローマの貴族。中世になると、アレクシウスの伝説はスラブ諸国を含めたヨーロッパ全土に広まった。しかし他の諸聖人の生涯の出来事をもとにして粉飾された作り話である可能性が高く、アレクシウス本人が実在の人物であったかどうかも疑わしい。伝記をはしょって要約すると、アレクシウスは結婚式の当日に新妻を捨てただけでなく、すべての世俗的な地位や富も捨て、一介の貧しい巡礼者となった。後に帰郷したものの、父親の家で身分を明かすことなく、17年間も乞食に身をやつしたままの生活を送った。死後、アレクシウスの手もとにあった1枚の書状から身元が判明した。

美術では、乞食が着るような短いぼろ布をまとい、髪と髭をぼさぼさに長く伸ばして描かれている。教会暦によると、東方教会の祭日は3月17日、西方教会の祝日は7月17日である。アレクシウスは父親の家の階段の下で暮らしていたが、同階段の一部は、ローマのサン・タレッシオ教会に保存されている。ローマのサン・クレメンテ聖堂には、アレクシウスの物語を描いたロマネスク様式の壁画（1100年頃）が残っている。

All Hallows　諸聖人

英語の「諸聖人」（All Saints*）の古い形.

All Saints　諸聖人

天で祝福された全ての者.『ヨハネの黙示録』（7, 9）には「白い衣を身に着け，手になつめやしの枝を持ち，玉座の前と小羊の前」に立つ「あらゆる国民，種族，民族，言葉の違う民の中から集まった，だれにも数えきれないほどの大群集」と記されている．この群集を描いた諸聖人の画像には，正式に列聖された有名な聖人はもちろんのこと無名の聖人まで含まれていて，祭壇背後の衝立を飾る「小羊の礼拝」（Adoration of the Lamb*）や「最後の審判」（Last Judgement*）と同様に主要なテーマの1つとされていた.

イングランドでは諸聖人（オール
セインツ）の名を冠する教会が2番目に多く，宗教改革以前には，そのような教会が1250以上もあった．731年11月1日，教皇グレゴリウス三世はローマで諸聖人のために礼拝堂を奉献した．これを受けて西方教会は，有名無名を問わず，キリスト教の全聖人の記念祭を同日に行うようになった．東方教会では聖霊降誕祭後の最初の日曜日を諸聖人の祭日とする.

All Souls　諸死者

諸死者の日は，10世紀から続く教会の記念祭で，諸聖人（All Saints*）の祭日の翌日にあたる．しかし諸聖人（オール
セインツ）とは異なり，諸死者（オール・
ソウルズ）はイングランドの教会名として普及せず，宗教改革以前でも，同名を冠した教会はほんのわずかしか知られていない．1438年にオックスフォードで創立されたオール・ソウルズ・コリッジに同名称がつけられたのは，創立者の大司教ヘンリー・チチェル（Henry Chichele）が，全キリスト教徒の死者の魂の冥福，特にヘンリー五世の対仏百年戦争で戦死した人々の魂

の冥福を関係者で祈りたいと
願ったからであった.

Alpha and Omega　アルファとオメガ

　ギリシア語のアルファベットの最初と最後の文字で, 神の永遠性を象徴する. 『ヨハネの黙示録』(1, 8) には, 「神である主, 今おられ, かつておられ, やがて来られる方, 全能者がこう言われる, わたしはアルファであり, オメガである」と記されている. この表現はキリストに対しても用いられる (『ヨハネの黙示録』(22, 13)). アルファとオメガの文字は, 父なる神や子なる神の頭部の背後や光背, あるいは両者の持つ書物に描かれることがある. ビザンティン美術のパントクラトール (Pantocrator*) のイコンやモザイクにも同文字が頻繁に用いられている.

アルファとオメガ

Alphege, St　聖アルフェジ
(954 年-1012 年)

　イギリスの司教で殉教者. 1005 年にカンタベリーの司教となる. しかし, 当時イングランドを荒らしまわっていたデーン人に捕らえられる. デーン人はアルフェジの身を拘束して身代金を要求したが, アルフェジがびた 1 文たりとも支払うことを禁じたため, 失望し, 酒宴で飲んだくれたデーン人たちに雄ウシの骨で殴り殺された.

Ambrose, St　聖アンブロシウス (339 年-397 年)

　374 年からミラノの司教. ラテン教会四大博士 (Four Latin Doctors*) の 1 人. 法律を学び, 卓越した世俗的経歴を積んだ. その後, 洗礼さえ受けていないのに司教に選出され, ミラノの人々から拍手喝采を受けた. 司教という新しい役職でも瞬く間に頭角を現わし, 精神的指導者および行政顧問として多大の尊敬

を受けるようになった．人生の転機にあった聖アウグスティヌス（Augustine, St*）に感化を与えた人物でもある．美術でのアンブロシウス像は正式の司教服をまとっているが，開かれた本（book*）や鞭（scourge*）を持つこともある．

ampulla　アンプラ

（ラテン語で「祭瓶」の意）

液体を入れたり，持ち運んだりするための土器製，ガラス製，金属製の小容器．一般には聖地巡礼を象徴するが，特にイングランドではカンタベリー巡礼を連想させる．1170 年，トマス・ベケット（Thomas Becket*）はカンタベリー大聖堂で暗殺されたが，その後しばらくすると，巡礼者たちは，ベケットの殉教の場面が刻印された金属製の小容器を持参して同地を訪れ，奇跡を起こす聖堂の水を家まで持ち帰るようになった．この水には殉教者ベケットの血がかすかに混入してい

ると信じられていた．

Anargyroi　アナルジロイ

（ギリシア語で文字どおり「銀貨を取らない者たち」の意）

東方教会の医師，聖コスマスと聖ダミアヌス（Cosmas and Damian, SS），聖パンタレオン（Panteleimon, St*）に対し付与された称号．彼らが治療代を受け取らなかったことから．

Anastasis　キリストの地獄への降下（アナスタシス）

⇨Harrowing of Hell.

Anchor　錨

希望のエンブレム．航海に関係する数人の聖人のエンブレム．三対神徳（Three

錨

Theological Virtues*）の1つ
である希望（望徳）は，錨に
寄り掛かる女性，あるいは足
元に錨をおく女性として擬人
化される.

　錨はまた，水夫の守護聖
人，ミュラの聖ニコラウス
（Nicholas of Myra, St*）や，
首に錨を巻きつけられたまま
海中に投げ込まれて溺死した
ローマの聖クレメンス（Clem-
ent, St*）のエンブレムでも
ある.

Andrew, St　聖アンデレ（60
年頃没）

　使徒で殉教者. 福音書では
シモン・ペトロの兄弟と呼ば
れている. ヨハネによると
（『ヨハネ福音書』1, 35-42），
イエスを最初にメシアと認
め，ペトロをイエスのもとへ
連れていった人物がアンデレ
であった. アンデレの行状を
伝えるものとしては3世紀の
外典福音書が残っているが，
完全な形では残っておらず梗
概でしか伝わってこない. そ
れには，伝道の旅に出かけた

アンデレが，ギリシア南西
部，ペロポネソス半島のパト
ラスで十字架刑に処せられる
までの記録が収められてい
る. カンブリアのグレースト
ーク教会のステンドグラス
は，カリヌス（Charinus）と
いう名の語り手が伝える物
語，すなわち「犬の町」，ロ
ンドン（Wrondon）でアンデ
レが体験した奇想天外な冒険
物語が描かれている. このス
テンドグラスは，聖アンデレ
の名を中世の一般民衆の目に
焼き付ける上で一役買ったこ
とだろう. もっとも，この冒
険物語よりも注目に値するの
は，イエスから最初にお召し
を受けた弟子，ペトロの兄弟
としてのアンデレのほうであ
るが.

　漁師のアンデレは，魚を捕
る網（fishing net*）を持って
描かれることがあるが，それ
より親しまれているシンボル
は，X型十字架（cross*）で
ある. しかし，アンデレを描
いた初期の絵画では，シチリ
アのチェファルー聖堂を飾る

12世紀中頃のモザイクのように，ラテン十字架がアンデレの持物となっている．X型十字架がアンデレ伝説と結び付くのは14世紀になってからにすぎない．少なくとも6世紀にまで遡る美術の伝統では，アンデレはペトロのように白髪であるが，ラヴェンナのサン・アンドレーア聖堂の大司教館付属礼拝堂を飾るモザイクの肖像画のように，頭髪がもっとふさふさと乱れている場合もある．使徒たち

使徒の聖アンデレ，15世紀，ウィリアム・キャックストン版『黄金伝説』

を描いた肖像画で，ペトロに対応する人物は，大抵の場合，史実には合致しない聖パウロ（Paul, St*）である．しかし，シチリア島のモンレアーレ聖堂の聖霊降誕を題材にしたモザイクのように，アンデレがパウロに相当する役を担う場合もある．

聖アンデレ崇拝は中世初頭に急速に広がった．パトラスにある同聖人名を冠した近代的な教会は，アンデレが磔刑に処された場所に建立されたものと一般に信じられている．教会堂内には，同使徒の頭蓋骨を納めた黄金の聖骨箱が安置されている．この聖骨箱は，トルコ人がペロポネソス半島を荒らし回った1460年に，ローマのサン・ピエトロ大聖堂に移されたもので，パトラスの教会に返還されたのは1964年になってからのことである．

4世紀にレグルス（ルール）という名のパトラスの司教が，アンデレの聖遺物の一部をギリシアからスコットラン

ドまで運んだとする伝説が古くから残っている．この司教は，止まれと命じられるまで聖遺物を持って北西の方角へ旅をせよという天使のお告げを聞いた．その命令を待ちつつ旅を続けていたレグルスは，いつのまにかスコットランドのとある場所まで辿り着いていた．その到達地が，後にセント・アンドルーズと呼ばれるようになったファイフの町である．その後，アンデレはスコットランドの守護聖人となった．スコットランドの国旗にX型十字架が用いられているのはこのためである．

イングランドでは同聖人名を冠する古い教会が630以上もあり，教会に付けられた聖人名を多いものから順に列挙すると，アンデレは上位から5番目を占める．アンデレが英国で人気を博した原因としては，カンタベリーの聖アウグスティヌスが，英国人教化のために派遣される以前，ローマのサン・タンドレア修道院の院長を務めていたという歴史的な偶然があったこと，そしてその結果として，2つの重要な初期の教会，ロチェスター大聖堂とヘクサム修道院が聖アンデレに奉献されたことがあげられよう．ギリシアとの関連に加えて，アンデレはロシアの守護聖人の1人でもある．東西とも祝祭日は11月30日である．

聖アンデレ
（左＝西方，右＝東方）

Angels　天使

ユダヤ教とキリスト教の伝統において，神への奉仕と崇拝を役目とする霊的存在．通

常，天使は有翼の人間の姿で描かれる.

地下墓地（カタコ）の画家たちは，翼も光輪もない若者姿の天使像を描いた. しかし5世紀に入ると，徐々に翼と光輪の2つを構成要素とする標準的な天使像が描かれるようになった. ラヴェンナのサン・ヴィターレ聖堂後陣を飾る6世紀のモザイクには，キリストの両脇に控える天使像が描かれている. この天使像は，翼，光輪，白衣，頭部に巻かれた細いバンド，巻毛など，近代で一般に認められている天使の図像（アイラインズライフ）と共通要素を持つ初期の実例である. 一対あるいはそれ以上の場合もある天使の翼には，通常，鳥の翼のような羽が生えている. 中世の芸術家の中には，体が完全に羽根で覆われた天使像を描く者もいた.

「天使」という言葉は，ギリシア語の「使者」から生まれたもので，神と人間の仲介者として働くことを特別の使命とした. キリスト教の権威者の中には，どの個人にも誕生時に守護天使が授けられると信じる者もいた. そして個人が肉体的・精神的危害をこうむらないように見守り，個人の祈りを神の玉座の御前へ届けてくれる霊的存在が守護天使だと考えた. この信仰はユダヤ教に由来しており，旧約聖書外典の『トビト記』では，大天使ラファエルが，若いトビアの守護天使役を任命されている.

「天使」という言葉はまた，特に天の霊的存在における9つの「階級」の最下位，すなわち天使を序列化する伝統的な階級制度の最下位の階級を示すために用いられる. すなわち熾天使（seraphim*），智天使（cherubim*），座天使（thrones*），主天使（dominations*），力天使（virtues*），能天使（powers*），権天使（principalities*），大天使（archangels*），天使（angels*）である. この階級分類の成立は，6世紀の（偽）ディオニシウス・アレオパギタ

という哲学者の業績によるところが大きい．中世には，このような天使観が広く普及した．

中世のステンドグラスにも天使の九階級を題材にした作例が多く見られるが，ほとんどが補助的な小天使像である．モルヴァンの教会の15世紀の窓のように，中央区切りに大きな天使像を描いたものもあるが，これは異例の部類に入る．予想されるように，不完全な天使群のほうが完全な天使群よりも一般的である．しかし建築上の均整を保つため，偶数の天使が必要となる場合には，同一の天使をもう1人加えることにより，9階級を10階級にした独創的な天使群もある．天使像の芸術上の様式や流儀の中には，時の経過とともに発展したものもあるが，必ずしもそのような伝統が守られたわけではなく，個々の芸術家の想像力を働かす余地もある程度は残されていた．そのような天使群では，大天使以上の

階級の天使と区別するために天使（アブサング）がコイフ（coif*）をまとうこともある．

美術における天使は，あくまでも補助的な「エキストラ」としての役割を果たすだけである．すなわち，天国の歓喜と美を具現化することを主たる役割とする．また，天使に備わる特性の1つに音楽演奏がある．受胎告知や降誕のような喜びに満ちた場面には，天使が音楽家として登場することもある．香炉を揺らす守護天使も，同じ構図でよく用いられる．

これ以外で天使の存在を示す理論的根拠を求めるとすれば，聖書の物語であろう．たとえば旧約聖書では，「先端が天まで達する階段が地に向かって伸びており，しかも，神の御使いたちがそれを上がったり下がったりしている」夢をヤコブが見たと記されている（『創世記』28，12）．またヤコブが夜明けまで格闘した相手は天使であったといわれているし（『創世記』32，24），

マムレでアブラハムのもとを訪れた3人の人も，天使と解釈されている（『創世記』18，1-22，⇨Philoxenia, Trinity）。単独の天使像としては，イサクのいけにえのような場面で，神の命令を遂行する天使が描かれることがある（『創世記』22，11）。アブラハムがまさにイサクをいけにえに捧げようとしたとき，天使が介入してそれを止めさせた。あるいは1人の天使が砂漠でハガルを絶望から救ったように，神の代弁者として行動することもある（21，14-19）。

天使は新約聖書の物語にも登場する。特にイエスが洗礼と荒れ野での誘惑（Temptation*）を終えてから（『マタイ福音書』4，11）地上での生をまっとうするまでの間，天使たちはたえずイエスを見守り，イエスに仕える。中世の磔刑（Crucifixion*）を描いた作品では，まさに息絶えんとする救世主の傷口から噴き出る血を聖杯（カリス）で受け止める天使を題材としたものが多

い。悔い改めた強盗の魂を受け入れるために天使が登場することもある（⇨souls）。

4人の福音書記者（Four Evangelists*）とシンボルとの関係では，天使と区別のつかない有翼の人（man*）が聖マタイ（Matthew, St*）を表わす。洗礼者のヨハネ（John the Baptist*）も，天使のような翼を持って描かれることがある。

Anger　憤怒

七つの大罪（Seven Deadly Sins*）の1つ。

animals　動物

動物は多くの隠修士伝説で重要な役割を演じている（⇨Giles, St*）。野生動物が隠修士たちと接すると，動物たちから獰猛性や恐怖感が消失してゆき，これが隠修士の聖者たる証しとなる。たとえば，獣たちが聖ブラシウス（Blaise, St*）のお供をする姿は，ブラシウスのいやしの業が人間の病人だけにとどまら

ず動物にまで及ぶことを想起させる.

動物は，特に中世のケルト聖人伝説で顕著である．たとえば，5世紀のアイルランドの聖人，ゴブネット（Gobnet）は熟練した養蜂家だった．クロンマクノイズのキアラン（Ciaran [Kiaran] of Clonmacnoise）と6世紀初頭のアイルランドの聖人，ブリギッド（Bridget of Ireland, St*）はウシを飼っていた．5世紀あるいは6世紀のアイルランドの長老，セアーのキアラン（Ciaran of Saighir）が修道士たちとともに小屋を建てるとき，野生動物が彼らの手伝いをしたという．7世紀のスコットランド人，ロナン（Ronan）は，クジラによってノース・ロナ島へ運ばれた．年代不詳のコーンウォールの聖人，グウィニア（Gwinear）は，自分自身だけでなくウマとイヌの飲み水を確保するために地下の泉を掘り当てた．年代不詳で後にブルターニュの司教となったコランタン（Corentin）は，魚（fish*）か

ティントレット，動物の創造，16世紀，ヴェネツィア，アカデミア美術館

ら食べ物を与えられた. 6世紀のブルターニュの聖人で盲目の大修道院長, エルヴェ (Hervé) はオオカミに助けられた.

聖書の場面では, エデンの園で動物が重要な役割を果たしている. 神による動物の創造 (『創世記』1, 24-25) とアダムによる動物の命名 (『創世記』2, 19) は, 「天地創造」と「人間の堕落」を描いた中世の絵画群の標準的な構成要素である. 異なった種の間の調和, 捕食動物と被捕食動物との間の調和は, 堕落以前のエデンにおける至福の状態を物語るものである. ノアの箱船 (Ark, Noah's*) への動物の乗船も, 中世の芸術家が好んで取りあげた画題である. ⇨deer, sheep, stag.

Anne (Anna), St 聖アンナ
(1世紀)

聖母マリアの母親, アンナと夫のヨアキムに関するすべての物語は, 両者の名前も含めて, 2世紀の外典『ヤコブ原福音書』に基づくものである.

聖アンナ崇拝は, 徐々に広まりつつあった聖母マリア崇敬の後を追って, 12世紀以降に広がりを見せた. 特にフランス, 中でもブルターニュ, イングランド, アイルランドが聖アンナ崇拝の中心地となり, その後はカナダにまで普及した. イングランドでは, 同聖女名を冠した古い教会が40以上もあった. また, 信心深い同業者組合 (ギルド) の守護聖人でもある. その生涯については, 中英語で書かれた異説がいくつか伝えられている. コヴェントリー聖史劇群には, 子供のない夫婦の絶望と屈辱, そして奇跡的な娘の誕生がもたらす歓喜を題材とした演劇群がある. その中のもっとも感動的な物語の1つでは, アンナとヨアキムが聖書正典の登場人物たちと肩を並べるくらい重要な役割を演じている. 聖母マリアの誕生や幼少の頃の物語は, 旧約聖書のサムエルの

物語と非常に似通った点がある. 同じように年老いた母親のもとに生まれたサムエルも, エルサレムの神殿で献身的に奉仕した.

美術のアンナ像は, 落ち着きと威厳を備えた女性として描かれ, 不死の色といわれる緑のマントを身にまとうこともある. 中世の芸術家が好んで取り上げた場面は, アンナが, マリアの誕生を告知する天使の幻視を体験した後, エルサレムの金門の前でヨアヒムと出会う場面である. ジョットはこの主題をパドヴァのアレーナ礼拝堂のフレスコ画で感動的に描いている. 美術様式の洗練性の尺度からしてジョットのフレスコ画と対照的な作品が, ノーサンプトンシャー, ハイアム・フェレズの教会で見ることができる. 教会西扉のティンパヌムにはめ込まれた石製の小丸窓は, 同場面を題材にした簡素な浮彫で飾られている. ステンドグラスにも多くの作例がある. この主題が人目を惹くのは, アンナとヨアキムの出会いが, アンナにおけるマリア懐妊の瞬間, すなわち無原罪の御宿り (Immaculate Conception*) を表わすという考え方が背後にあるからであろう. ただし, この見解には難色を示す謹厳な神学者もいる. 東方の芸術家たちは, アンナのマリア懐妊を, 庭のアンナと山のヨアキムのもとに天使が別々に出現したことによるものとして描いている. 東西の美術作品における同主題の扱い方や表現手法を見ると, 双方とも『ヤコブ原福音書』を典拠としていることが分かる.

特にイングランドで好んで取り上げられる主題で, フランスでも見られるものといえば, マリアに読み書きを教える聖アンナである. たとえばノーサンプトンシャー, スタンフォードにある聖ニコラウスの教会のステンドグラス (1330年–1340年頃) や, 同州クロウトンの教会の壁画にも, 同場面が描かれている.

聖アンナ，聖母マリア，御子キリストの3世代を描く彫刻群も，特に中世後期のオランダやドイツで広く普及した．この主題を絵画で表現したものとしては，マザッチョの高度に様式化された作品（フィレンツェ，ウフィツィ美術館）とレオナルド・ダ・ヴィンチの様式化されていない作品（パリ，ルーヴル美術館）がある．⇨Holy Family.

Annunciation　受胎告知

　大天使ガブリエル（Gabriel*）が聖母マリアにイエスの母となることを知らせたお告げ（『ルカ福音書』1, 26-38）．東方正教会の十二大祭日の1つであるが，東西とも3月25日を祝日とする．受胎告知は芸術家がもっとも好んで取り上げた主題の1つで，その作品例は，ステンドグラスの小丸窓ガラスのような単純なものから，ルネッサンスの巨匠による手の込んだ構図まで多種多様である．受胎告知を描いた絵画はまた，祭壇背後の衝立装飾としても

ギルランダイオ，受胎告知，15世紀，サン・ジミニャーノ教会

よく用いられた. というのも, 祭壇の背後に受胎告知図を配置すれば, 教会に集う人々に下の祭壇で起こる全実体変化の神秘 (パンとブドウ酒の実体がキリストの体と血に変えられる神秘) に対応する受肉の神秘 (神の子が人間の肉体と霊魂をとる神秘) を想起させることが可能だからである.

受胎告知の場面の基本的な構成要素は天使と聖母マリアである. 前者は白いユリを持つ有翼の若者の姿で描かれることがある. 後者は家の中で祈りを捧げているか, 読書をしているか, あるいは囲まれた庭 (garden*) に座している. ビザンティン美術で好まれた変型としては, 錘と糸巻き棒で忙しそうに手仕事をする聖母像がある. この聖母像は外典の『ヤコブ原福音書』の物語を典拠とする. 同福音書には, マリアが神殿の垂れ幕の糸を紡ぐために選ばれた乙女の 1 人であったことが記されている. さらに『ヤコブ原福音書』を典拠とする作品として, ギリシア北部, カストリアのアギイ・アナルギリ聖堂を飾る 12 世紀後期のフレスコ画のように, 水を汲みに来た聖母が井戸 (well*) の傍らで受胎告知を受ける光景を描いたものもある.

芸術家は, 受胎告知の場面に家庭の家具ではない備品を加え, 同場面の神聖性を明確に表現しようとした. たとえば, 祭壇, 大蓋 (ｷﾋﾞﾘ), ゴシックのアーチといった教会建築の構成要素や, 洗礼用の水盤, 祈禱台などである. また大天使ガブリエルが, ミサを執行する助祭 ([正], deacon 輔祭*) の祭服をまとうこともある.

聖母マリアにゆかりのある花々もしばしば描かれる (⇨iris, violet). 白ユリは, 天使が手に持たない場合, 目立つ場所に置かれた花瓶に生けられる. これとは異なる中世後期の作品として, 小さなキリストの磔刑像がユリの間に配置され, キリストの地上で

の生涯の始まりと終わりを連想させるものがある。このユリ十字架と呼ばれるモチーフは、おそらくイギリスの芸術家による独創的な考案であろう。1333年、シモーネ・マルティーニがシエナ大聖堂に描いた「受胎告知」には、オリーヴ（olive*）の小枝を持つ天使像が登場するが、このような作例は前述のものよりもさらに数が少ない。

もっと手の込んだ構図の作品としては、聖母のもとへ降るか、あるいは聖母の頭上を舞うハト（dove*）の形をした聖霊と、天より地上を見下ろす父なる神を描いたものがある。これ以外では、特にヨーロッパ北部の美術で見られる装飾に、『ルカによる福音書』の物語を典拠とするラテン語の銘文を書き込んだ巻軸模様がある。たとえば「おめでとう、恵まれた方、主があなたと共におられる」（AVE GRATIA PLENA DOMINUS TECUM）、あるいは単に「おめでとう、マリア」（AVE MARIA）という天使ガブリエルの祝辞や、「そら、主のはしため」（ECCE ANCILLA DOMINI）という聖母マリアの言葉が書き込まれている（新共同訳では「わたしは主のはしためです」）。聖母が読書をしている場合は、その本に書かれた言葉が読み取れることもある。「おとめがみごもりて……」（VIRGO CONCIPIET……）というイザヤの預言の一節が一般的である（『イザヤ書』7, 14）。

Annunciation of the Shepherds　羊飼いのお告げ

⇨Adoration of the Shepherds.

Ansanus, St　聖アンサヌス（303年没？）

殉教者。シエナの守護聖人。ローマ貴族の出身で、乳母のマクシマから密かに洗礼を受けた。公然とキリスト教信仰を告白したため、ローマ皇帝ディオクレティアヌスの命により鞭打ちの刑に処さ

れ，シエナへ送られた．しかし，そこでも多くの人々を改宗させたので，遂には斬首刑に処されて殉教した．アンサヌスのエンブレムは，赤十字の旗（banner*），および宣教活動を通して広めた洗礼の儀式を記念する杯と油壺である．シエナ市庁舎であるプブリコ宮殿（パラッツオ・プブリコ）に納められているシモーネ・マルティーニの「荘厳の聖母マエスタ」（1315年）には，アンサヌスが他のシエナの聖人とともに描かれている．

Antony of Egypt, St　エジプトの聖アントニオス

（356年没）

　キリスト教修道院制度の創始者の1人．人生の大半を砂漠で孤独に過ごした．砂漠で奇想天外な幻視や悪魔の誘惑を体験したアントニオスの生涯は，テニールス，グリューネヴァルト，ボスのような芸術家の奇妙奇天烈な想像力をかきたてる題材となった．孤独な生活を送ったことから，「隠修士の聖アントニオス」とも呼ばれている．キリスト教史上最初の隠修士の栄誉をアントニオスと争うのは，隠修士の聖パウロス（Paul the Hermit, St*）である．またアントニオスに付けられた「修道院長の聖アントニオス」という別名は，修道生活の創立において果した同聖人の役割の大きさを物語るものである．東方正教会，コプト教会，そして西方キリスト教会の美術におけるアントニオス像は，必ずといってよいほど白髭を生やし，黒の修道服をまとい，頭に頭巾をすっぽりとかぶった老修道士として描かれている．ナイル河を越えた東部の砂漠にある聖アントニオスの修道院は，没後10年もたたないうちに創設されたものである．

　アントニオスの西洋美術におけるエンブレムは，ブタ（pig*）と鐘（bell*）である．東方美術でも西欧美術でも，アントニオスは松葉杖あるいは英語のT文字を細長くし

たような杖を携えていることが多い．12世紀初頭に入ると，聖アントニオス慈善修道会が創設され，その活動範囲は西欧の大部分の地域へと広げられた．修道士たちは黒い修道服をまとい，胸には青いT型十字（cross*）をつけ，街角で振鈴を鳴らして慈善を呼びかけた．特に麦角中毒者の救済が彼らの仕事であった．麦角病とは，麦角菌に汚染されたライ麦を食べることによって発病し，悪化させると痙攣などの知覚障害や壊疽を併発する痛ましい皮膚病のことであるが，この病気は別名「聖アントニオスの火」（St Antony's Fire）という名でも知られている．同修道会ではブタを放し飼いにしていたからか，中世期，聖アントニオスはブタ飼いの守護聖人であった．

マルティン・ショーンガウアー，聖アントニオスの誘惑，15世紀，メトロポリタン美術館

Antony of Padua, St パドヴァの聖アントニウス（アントニオ）（1195年-1231年）

ポルトガル生まれのフランシスコ会修道士で，特に雄弁な説教者として有名であった．魚（fish*）にまで説教をしたといわれている．美術では，フランシスコ会の修道服をまとい，御子キリスト（Christ Child*）と本（book*），あるいは本とユリ（lily*）を携えるアントニウス像が描かれる．芸術家がよく描いたアントニウスの生涯の場面は，貧者へ食べ物を与える慈善行為とアントニウスが体験した聖家族の幻視であ

る．この貧者のための慈善活動はずっと後になって組織化され，「聖アントニウスのパン」という慈善基金が設立された．また紛失物を探す時，この聖人の庇護を乞う．パドヴァにある聖アントニウスの聖堂（サン・アントニオ聖堂）は，この聖人の起こした奇跡の力で有名になった．

anvil 鉄床 (かなとこ)

鍛冶屋の道具であることから，時々鉄床を持物とする聖エリギウス（Eloi, St*）伝説の出来事を連想させる（⇨horseshoe）．聖ハドリアヌス（Adrian, St*）の鉄床は，フランドルのグラモンにある聖ハドリアヌスの修道会の有名な聖遺物であった．

鉄床

Apollonia, St 聖アポロニア
（249 年没）

女輔祭で殉教者．エジプトのアレクサンドリアで反キリスト教の暴動が起こった時，暴徒に攻撃され，歯を全て抜き取られた後，生きたまま火焙りにすると脅された．しかしアポロニアは脅迫に屈するどころか，自ら進んで炎の中に身を投じた．歯をはさむペンチあるいはやっとこを持物とし，歯痛を癒すときに加護を求められる．

apostles 使徒
⇨Twelve Apostles.

apple リンゴ

キリスト教の古い物語によれば，善悪の知識の木の実で，アダムとエバはこれを食したがために堕落した（『創世記』3）．リンゴが聖母子画に描かれるときは，御子の手に握られることがある．この場合のリンゴは，キリストの受肉の目的，すなわち堕落の

罪の贖いを想起させる．中世にイングランドで広く流布したキャロルでは，「林檎がもがれなかったならば／……／我らの聖母様が／天后でなかったならば」(Ne hadde the appel také been/……/Ne haddé never our Lady/ A been hevene-queen.) と歌われ，上述の2つの出来事がはっきりと結びつけられている．

aquilegia　アクイレギア
　⇨columbine.

archangels　大天使
　天使 (angels*) の階級で，天使のすぐ上に位置する霊的存在．聖書で名があげられている天使のガブリエル (Gabriel*)，ミカエル (Michael*)，ラファエル (Raphael*) は，キリスト教の伝統において大天使の地位が与えられている．ガブリエルは受胎告知 (Annunciation*) の天使であり，洗礼者ヨハネ (John the Baptist, St*) の誕生も予告した（『ルカ福音書』1, 5-38）．

ミカエルは天軍の隊長である（『黙示録』12, 7）．ラファエルは外典の『トビト記』で重要な役割を演じている．4番目の大天使であるウリエルは，ユダヤ教の外典書に登場する．パレルモのマルトラーナ教会を飾る12世紀中頃のドーム・モザイクには，パントクラトール（全能のキリストPantocrator*）の座像を取り囲み，平伏してキリストを礼拝する4人の天使像が描かれている．

　1467年頃に描かれたボッティチェッリの絵画では，3人の若者に扮して少年トビアの旅の供をする聖書の大天使たちが描かれている．鎧をまとい完全武装のミカエルは手に剣を持ち，ラファエルはトビアの手を引いて導き，ガブリエルは受胎告知のユリを持つ．東方教会では大天使が「タクシアルクス」(taxiarchs)，すなわち「(天) 軍の隊長たち」と呼ばれている．この役割を担う天使は鎧をまとい，十字架の載った球

体（globe*）を持つ.

Ark of the Covenant　契約の箱

　表面が黄金で覆われた木の櫃. 中にはモーセ（Moses*）がシナイ山から持ち帰った十戒の石板が納められていた. 出エジプトの時代から, ユダヤ人が約束の地へ旅するときに持ち運んだ箱で, もっとも貴重なユダヤ教の祭具である. ダビデは国王になってから, 契約の箱をエルサレムに運び上げた（『サムエル記下』6）. エルサレムに移された契約の箱は, ソロモン神殿の至聖所, すなわち最奥の聖所に永遠に安置された. 箱自体は人々の目から隠されていたが, 常にイスラエルの民とともにある神を表していた.

　中世の教会の権威者たちは, 『ヘブライ人への手紙』（9, 1-5）の記述にもとづき, 契約の箱をキリストの象徴と解釈した. たとえば聖トマス・アクィナスは, 箱を覆う黄金をキリストの知恵および慈愛と解釈した. その他の注釈者は, ユダヤ人の箱に古い律法が納められていたように, 聖母マリアも体内に新しい律法たるキリストを宿したと考えて, 契約の箱を聖母マリアの象徴と見た. フランス, オルレアン近郊のジェルミニ・デ・プレ村の聖堂では, 契約の箱を題材にしたモザイクが東側後陣を飾っているが, これは9世紀にラヴェンナ派のモザイク師たちによって作成されたものである. この時代の教会では, 契約の箱の図が配置される場所に聖母画を飾るのが一般的であったことから, 同図は聖母マリアを象徴的に表現したものと解釈してよいだろう.

Ark, Noah's　ノアの箱船

　ノアが, 自分の家族と全ての生き物を洪水から救えという神の命を受けて造った船（『創世記』6, 14-22）. ヒッポの聖アウグスティヌスや聖テルトゥリアヌスらの司教は, ノアの箱船を救済の寓意と

箱船から出るノアと動物たち，15世紀，『ベッドフォード時禱書』

見，全人類救済の唯一の手段である教会と同一視した．中世キリスト教美術においてノアの箱船，あるいは少なくとも箱船の上部構造が，航海用の船というよりも建物のように見えることがある理由の一端は，以上のような解釈で説明されよう．

armour 鎧

大天使ガブリエルや数多くの戦士（soldier*）聖人の武具．一般に鎧は戦うキリスト教徒一般を象徴する．戦うキリスト教徒とは，聖パウロが「悪魔の策略に対抗して立つことができるように，神の武具を身に着けなさい」（『エフェソ手紙』6, 11）と訓戒しているように，戦う教会の真の戦士たちをいう．

芸術家は，当時の軍事活動でよく目にしたものを題材にして作品を描いたため，鎧の型に対する時代考証はほとんど，あるいは全くなされていない．したがって復活（Ressurection*）を主題とした，

15世紀初頭のイングランドの雪花石膏（アラバ スター）パネルを飾るローマ軍兵士とおぼしき浮彫像は，典型的な中世の鎧をまとっている．そのような場合，武具の細部が彫刻の年代を知る手掛かりとなる．ローマ軍兵士やビザンティン帝国の兵士の鎧は，東方正教会の戦士聖人のイコンで頻繁に見られるし，西欧でも3世紀から4世紀の殉教者像で，上述した鎧を着用させたものがある．特に聖ゲオルギウス（George, St*），テッサロニキの聖デメトリオス（Demetrius, St*），聖マウリキウス（Maurice, St*），聖ウィクトル（Victor, St*）を題材とした聖人画はその典型的な作例であろう．これらの聖人の着用する騎士（knight*）の板金鎧は中世後期に造られた武具であり，その主流は西欧にある．東方正教会イコンの聖ゲオルギウス像は，ローマ軍の鎧を身につけることがあるが，中世・ルネッサンス期の西欧美術では，板金鎧をまと

って描かれる.

arrow　矢

聖クリスティナ (Christina, St*), 聖エドムンド (Edmund, St*), 聖アエギディウス (Giles, St*), 聖セバスティアヌス (Sebastian, St*), アヴィラの聖テレサ (Theresa of Avila, St*) といった聖人たちのエンブレム. クリスティナ, セバスティアヌス, エドムンドゥスは3人とも矢を射られ殺された. 出生不詳の童貞殉教聖女である聖クリスティナ崇拝の中心地は, イタリアのボルセナである. セバスティアヌス伝説の核心もクリスティナ伝説と同じく不詳であるが, セバスティアヌスの殉教は, 宗教的に容認された事情によって男性の裸体画を描く機会を提供する主題であったため, 15世紀のルネッサンスの画家たちによって好んで取り上げられた. エドムンドは紛れもなく歴史上の人物である. 9世紀に英国を荒らし回ったデーン人との戦いに破れたイングランド国王で, キリスト教の信仰を捨ててデーン人の支配下に屈することを拒絶したため, 矢を射られて殉教した. 美術では通常, 王冠をかぶり, 矢を持つエドムンドの姿が描かれる. たとえばウィルトン二連板(ディプティカ)では, リチャード2世の守護聖人の1人として, 若き国王を聖母と御子に拝謁させるエドムンドの姿が描かれている.

聖アエギディウスとの関連で矢といえば, 同聖人とペットのシカにまつわる物語が思い出される. その物語によると, ある日, 西ゴート族のウォンバ国王が, アエギディウスの隠遁所近くの森で狩りをしていたところ, 聖人のシカが狩りの獲物となった. 国王はシカの逃げ込んだ藪に矢を放った後, 獲物の潜んでいるとおぼしき所へウマを進めてみると, 驚いたことに, 矢で傷ついていたのはアエギディウス本人であった. アエギディウスは, 追い詰める猟犬か

らシカを守るため腕の中に抱きしめていたのだった.

尾を引く炎の矢は, アビラの聖テレサのエンブレムでもある. 1640 年代にベルニーニがローマのサンタ・マリア・デッラ・ヴィットリア聖堂のために作成した有名な彫刻群像では, 神の愛の矢が, 恍惚とした表情のテレサの傍らに立つ天使の手に握られている. テレサは, 自らの神秘的な体験を感極まった情緒的な言葉で表現している. 炎のような矢あるいは槍のイメージもその体験をふまえたものである.

Ascension　昇天

復活 (Ressurection*) から 40 日後にキリストが天に上げられること. 使徒たちはオリーヴ山でキリストの昇天を目撃したが, 古い伝説によれば聖母マリアも目撃者であったと伝えられている. 昇天を美術作品として表現する場合は,『使徒言行録』を典拠とし,「雲に覆われて彼らの目から見えなくなった」こと,「イエスが離れ去って行かれるとき, 彼らは天を見つめていた」(1, 9-10) ことの 2 点に焦点が当てられている. 中世のキリスト像では, 空の雲の中へ消え行く両足だけが描かれる場合が多い. 一見して同じような山頂での出来事, キリストの変容 (Transfiguration*) の場面と区別するため, キリスト昇天の場面には, 聖母マリアと主の昇天を注視する使徒が登場する.

主の昇天祭は, 東方正教会の十二大祭日の 1 つである. また昇天の場面は, 特に教会のドームによく映える. まず栄光に包まれたキリストがドーム中央に配置され, つぎにドームの円筒部 (ドラム) を囲む十二使徒が上を見上げ, さらに聖母マリアと天使が控えるという構成になっている. テッサロニキのアギア・ソフィア教会のドームを飾る 9 世紀のモザイクには,「ガリラヤの人たち, なぜ天を見上げて立っているのか. あなたがた

から離れて天に上げられたイエスは、天に行かれるのをあなたがたが見たのと同じ有様で、またおいでになる」（『使徒言行録』1, 11）という天使の使徒への言葉が書き込まれている。これと酷似した構図は、ヴェネツィアのサン・マルコ大聖堂の中央ドームを飾る12世紀後期のモザイクでも見ることができる。

aspergillum　灌水器 (アスペル
ギルム)

聖水を振り掛けるための刷毛で、特に悪魔祓いのために用いられる。⇨aspersorium.

aspersorium　聖水盤 (アスペル
ソリウム)

聖水を振り掛けるために使用される容器。守護天使が手に持つ祭具の1つ。聖水盤や灌水器（aspergillum*）は、悪霊の征服者の役目を担うマルタ（Martha*）のような一部の聖人たちの持物となる。

ass　ロバ

謙虚と忍耐のシンボル。イエスは受難を前にし、ロバに乗ってエルサレムに最後の入城をする（『ルカ』19, 28-40；『ヨハネ』12, 12-16）。それは「娘シオンよ、大いに踊れ。／……／見よ、あなたの王が来る。／彼は神に従い、勝利を与えられた者／高ぶることなく、ろばに乗って来る／雌ろばの子であるろばに乗って」という『ゼカリア書』（9, 9）のメシア到来の預言の成就である。

旧約聖書には、バラムのロバの物語がある（『民数記』22, 22-35）。バラムは、御者の目には見えない天使を避けようとして道をそれたロバを不当に叩く。そのときロバは、神から人間の言葉を話す力を授けられ、乱暴な行為をはたらいたバラムを逆に叱責する。

ロバはオセールの聖ゲルマヌス（Germanus of Auxerre*）のエンブレムでもある。13世紀に編纂された聖人伝、『黄金伝説』に収められた物語には、当時、古代ローマ帝国の属領であったガリアの一

地域，オセールの司教ゲルマヌスが，ローマ皇帝の前で同郷人の弁護を申し立てるためにラヴェンナを訪れたときの様子が記されている．ラヴェンナ滞在中，ゲルマヌスは皇妃プラッキディアから夕食に招待される．ゲルマヌスは宿泊先からロバに乗って宮殿へ向かったが，夕食をとっている間にロバは死ぬ．このことを知った皇妃はロバの代わりとして駿馬を与えたが，ゲルマヌスはこの贈り物を辞退し，来た時と同じようにロバに乗って宿泊先へ帰りたいと申し出る．宮殿から外へ出ると，死んだはずのロバが自らの足で飛び起きて，何事もなかったかのように同聖者を家まで運ぶ．⇨ox, ass.

Assumption　被昇天

聖母マリアの霊魂と肉体が天国へ上げられること（⇨Dormition）．被昇天を表現する常套的な方法としては，一方に聖母を天国へと運ばせる天使を，他方に聖母の死を追悼するために集まった使徒を配置した構図が選ばれる．使徒は驚いて昇天する聖母の姿を目で追うか，あるいは空となった聖母の墓を注視する．聖母と特にゆかりの深い花のバラとユリが，聖母の横たわっていた石棺を埋めることがある．15世紀のシエナの画家，マッテオ・ディ・ジョヴァンニの作品のように（ロンドン，ナショナル・ギャラリー），被昇天を題材とした中世後期の作品の中には，聖母が上空から不信のトマス（Thomas, St*）に腰帯（girdle*）を落とす光景を描いたものもある．

被昇天に続く出来事，天の元后としての聖母の戴冠は，別個に描かれる場合もあれば，事実上，被昇天図の中に包含される場合もある．したがってヴェネツィアのサンタ・マリア・デ・フラーリ聖堂を飾るティツィアーノの祭壇画では，プットという裸のキューピッドが聖母を天へと運び上げ，天上では天使たち

ティツィアーノ，聖母被昇天，16世紀，ヴェネツィア，サンタ・マリア・デ・フラーリ聖堂

が聖母に冠を差し出している光景が描かれる。キリストと聖母だけの聖母戴冠図は同じ主題をもっとも単純に表現したものであり、14世紀の美術作品で広く見られた。作例としては、聖母がキリストの前あるいは脇に座し、キリストの手による戴冠を受けるために頭を傾け、手を合わせて祈りを捧げる場面を描いたものがある。もっと手の込んだ作品では、父、子、そして両者の間にハトの形の聖霊を配置した三位一体（Trinity*）を前にし、聖母が祈りを捧げる構図が採用されている。ハトは嘴で聖母の冠の先端をくわえ、父と子が同時に冠を聖母の頭上に載せ、祝福する。

ただし東方正教会の美術では、別個に描かれようと同場面に描かれようと、被昇天と戴冠は伝統的な聖母の図像（イコノグラフィー）の一部とはなっていない。

Athanasius, St　聖アタナシオス（295年-373年）

328年にアレクサンドリアの主教となる。ギリシア教会四大教父（Four Greek Doctors*）の1人。西方教会でかつて広く用いられていた信仰宣言、アタナシオス信経は、アタナシオスの作といわれているが、これは誤りである。東方教会では、異端のアリウス派と真っ向から対立した人物として崇敬されている。

四大教父に混じって描かれるときは、白髪で、禿げかかり、長方形に近い形の髭を生やすアタナシオス像が伝統的である。それ以外の場合では、アレクサンドリアの聖キュリロス（Cyril, St. 378年-444年）としばしば一緒に登場することがある。キュリロスは先細りの黒々とした髭を生やし、アレクサンドリアの総主教であったことを連想させる、先の尖った帽子をかぶっている。また、アレクサンドリアのアタナシオスと、アトス山の聖アタナシオス（930年頃-1001年頃）とを混同してはならない。後者は修

道服をまとい，先が二股に分かれた白髭を生やしている．

Audrey, St　聖オードリ
　⇨Etheldreda, St.

Augustine of Canterbury, St カンタベリーの聖アウグスティヌス (604 年頃没)

　597 年，アングロサクソン人を教化するために英国に渡り，献身的に伝道活動を行ったイタリア生まれの司教．カンタベリーに司教区を設立した．同地には聖ペトロ・聖パウロ合同修道院があったが，後に聖アウグスティヌス（セント・オーガスティンズ）修道院と改称された．

Augustine of Hippo, St ヒッポの聖アウグスティヌス (354 年-430 年)

　司教で神学者．ラテン教会四大博士 (Four Latin Doctors*) の 1 人．北アフリカのタガステ（現在のアルジェリア）に生まれた．母親の聖モニカによってキリスト教信仰へ手ほどきを受けた．しかし最終的に神への奉仕に身を捧げる決意を固めたのは，ミラノを訪れた際に聖アンブロシウス（Ambrose, St*）の影響を受けたからである．『告白録』には，アウグスティヌスを奥深い回心へと導いた内面的あるいは外面的な出来事が語られている．396 年からヒッポ（現在のボーヌ）の司教となった．

　数多くの書物や論文を残した．その中には死の直前に著わしたという『神の国』も含まれている．アウグスティヌスの著作は翻訳されてヨーロッパ全土に知れわたり，その後のキリスト教思想に多大な影響を及ぼした．美術に登場するアウグスティヌスは，他のラテン教会博士と一緒か，あるいは司教 (bishop*) の祭服をまとい，司教杖 (staff*) を持って描かれている．修道服を着用していることもある．また，炎の心臓 (heart*) を同聖人の持物とする芸術家もいる．

aureole 後光

　⇨halo.

Auxiliary Saints 輔佐聖人

　⇨Fourteen Holy Helpers.

Avarice 貪欲

　七つの大罪 (Seven Deadly Sins*) の1つ.

axe 斧

　使徒マティヤ (Matthias, St*) のエンブレム. 裏切り者のイスカリオテのユダの代わりにくじで選ばれたマティヤは (『使徒言行録』1, 15-26), 初期の外典書や美術ではときどき聖マタイ (Matthew, St*) と混同されることがある. マタイのエンブレムは, 戈槍 (halberd*) であ

る. 北イタリアで手に斧を持つ聖人といえば, 特にボローニャで崇敬されている聖プロクロス (Proculus, St) である. 一般に初期の殉教者が無抵抗で殺害されているのに対し, プロクロスは迫害するローマの役人を斧で殺している. ⇨battleaxe.

　洗礼者ヨハネ (John the Baptist, St*) を題材とし東方正教会のイコンでは, その細部を構成する要素として斧を樹木の下に描く場合がある. それは, ヨハネがファリサイ派やサドカイ派の人々に述べた言葉, 「斧は既に木の根元に置かれている. 良い実を結ばない木はみな, 切り倒されて火に投げこまれる」 (『マタイ福音書』3, 10) に由来するものである.

B

Babel, Tower of バベルの
塔
⇨Tower of Babel.

babies 赤子
慈愛（愛徳）を連想させる
（⇨Three Theological Vir-
tues）. 慈愛は人間の女性と
して擬人化されることがあ
る.〈慈愛〉は, 赤子たちに
ぴったりと寄り添われ, その
中の1人を胸元に抱いている.

balance 秤
⇨scales.

baldness 禿
⇨hair.

ball 玉
トゥールの聖マルティヌス
（Martin of Tours, St*）がミサ
を執行するとき, 火の玉ある
いは球体が, 聖人の頭上に浮
かんだと伝えられている. こ
のことから火の玉が, マルテ
ィヌスのエンブレムとなるこ
とがある.

質屋の看板である3つの黄
金の玉は, ミュラの聖ニコラ
オス（Nicholas of Myra, St*）
のエンブレムである. ニコラ
オスと黄金の玉との結びつき
は, つぎのような物語に由来
している. 貧しい貴族の3人
娘に結婚持参金がないことを
知ったニコラオスは, 夜陰に
紛れて娘たちの家を訪れ, 窓
から3つの金袋を投げ込んだ
といわれている. このお陰で
娘たちは売春婦に身をやつす
ことなく, 立派な花嫁となる
ことができた. 後に, 3つの

玉

金袋が3つの玉と混同される
ようになった. ⇨globe.

banderol (e)　巻き物
　⇨scroll.

banner　旗
　勝利のシンボルで，幾人か
の殉教者を連想させる．その
中でもっとも有名なのは聖ゲ
オルギウス (George, St*)
で，白地に赤十字の旗を持つ
ことがある．聖アンサヌス
(Ansanus, St*) と聖ウルスラ
(Ursula, St*) も同じ模様の旗
を持つ場合がある．
　復活 (Resurrection*) を描

旗

いた作品では，復活したキリ
ストが墓の外へ出る際に，死
への勝利の印として，十字，
あるいはX (キ) とP (ロ) の
モノグラム (chi-rho*) の印
のついた旗を持つ場合が
多い．神の小羊 (Lamb of
God*) も，十字の印のつい
た旗を持つことがある．

Baptism of Christ　キリスト
の洗礼
　最初の3つの福音書，『マ
タイによる福音書』，『マルコ
による福音書』，『ルカによる
福音書』に記されている出来
事．『ヨハネによる福音書』
では，ヨハネの口を通して洗
礼の様子が語られている (1,
29-34). イエスは洗礼者ヨハ
ネ (John the Baptist, St*) か
ら洗礼を受けるためにヨルダ
ン川に向かった．そのとき
「天が開け，聖霊が鳩のよう
に目に見える姿でイエスの上
に降って来た．すると，『あ
なたはわたしの愛する子，わ
たしの心に適う者』という声
が，天から聞こえた」(『ルカ

ピエロ・デラ・フランチェスカ, キリストの洗礼, 15世紀, ロンドン, ナショナル・ギャラリー

福音書』3, 21-22）とある．東方正教会では，イエスの洗礼は顕現日（Epiphany*［カ］御公現の祝日）に祝われ，西欧よりも重要視されている．

洗礼を描いた場面を構成する要素としては，イエスとヨハネのような重要人物以外に，ハト（dove*），イエスの衣を持つ天使，川岸で自分の洗礼の順番を待ちながらイエスの洗礼を見物する者たちが描かれる．川の中の魚という写実的な描写がなされているだけでなく，神聖な洗礼の光景から顔を背ける，魚に乗った小さな男女が描かれる場合がある．2人はヨルダン川と海の化身であり，「海は見て，逃げ去った．ヨルダンの流れは退いた」という『詩編』の一節（114, 3）を具象的に表現したものである．この場面を描いた初期の作品の中には，ヨルダン川を異教的な川の神に見立てたものがある．川の神は葦を頭部に巻きつけ，魚の従者を従えている．その脇に水瓶が転がり，水瓶からは川の水が流れ出ている．

Barbara, St　聖バルバラ

国籍，出生不詳の童貞聖女殉教者．伝説は，バルバラが殉教死を遂げたとされる頃から約300年も経過した後に書かれたものであるが，多くの国々で人気を博した．クジャク（peacock*）の羽が持物となることもあるが，通常のエンブレムは，専制的な異教徒の父親がバルバラを閉じこめ

聖バルバラと塔，17世紀，パリ，国立図書館

た塔（tower*）である．バルバラがキリスト教へ回心したことに激怒した父親は，自分の娘を拷問にかけ，死刑を宣告するまでに至る．しかし，父親自身も稲妻に打たれて死亡する．このことから落雷から身を守る時に同聖女の守護が祈願される．また砲手，鉱夫，花火職人のような，爆発による突然死の危険を伴う職業に就く者の守護聖人でもある．十四救難聖人（Fourteen Holy Helpers*）の１人．

Barnabas, St　聖バルナバ
（？61年没）

使徒で殉教者．キプロス島出身のユダヤ人で，パウロ（Paul, St*）の最初の伝道の旅に随行した．歴史的な根拠はないが，バルナバはキプロス島のサラミスで殉教したといわれている．

Bartholomew, St　聖バルトロマイ（1世紀）

使徒で殉教者．通常，『ヨハネによる福音書』（1, 45-51）でナタナエルと呼ばれる弟子と同一視されている．伝道の旅の様子や死亡した日時について確かなことは何も知られていないが，伝説によると，カスピ海沿岸のデルベントで斬首刑に処される前，生きたまま生皮を剝がれたといわれている．この伝説は，芸術家にとって格好の主題を提供し，ここから皮剝刀（knife*）がバルトロマイのエンブレムとなった．またミケランジェロが描いたシスティ

聖バルトロマイ
（左＝西方，右＝東方）

ナ礼拝堂の「最後の審判」の
フレスコ画のように，バルト
ロマイが自分の生皮を持って
登場することもある．聖バル
トロマイ崇拝は広く普及し，
同聖人名を冠する教会も多い．

Basil (the Great), St 聖バ
シレイオス（バシリウス）
（330年頃-379年）

　司教（主教）で学者．三教
会大主教（Three Holy Hier-
archs*）の1人．ギリシア教
会四大教父（Four Greek Doc-
tors*）の1人でもある．小
アジア，カッパドキアのカイ
サリアで生まれ，370年に同
地の司教となった．著作のみ
ならずキリスト者の模範とし
ての実践を通して多大なる影
響力を発揮した．バシレイオ
スの定めた修道院共同生活の
行動指針は，今でも東方正教
会で修道士や修道女を指導す
るために用いられ，精神的な
感化力を与え続けている．西
欧の修道院制度の創始者，聖
ベネディクトゥス（Benedict,
St*）は，自らをバシレイオ

スの弟子と考えていた．この
ことは，1054年に東西教会
が決定的に分裂し，コンスタ
ンティノープルから西方教会
が分離した後でさえ，西欧で
バシレイオスが評価され続け
ている理由を説明する一助と
なるだろう．

　東方正教会の美術では主教
として描かれる．先の尖った
長い黒髭を生やしているの
で，他の教父と区別できる．

basket 籠

　もし籠の中に果物や花が入
っていれば，聖ドロテア
（Dorothy, St*）のエンブレ
ム．ロールパンが入っていれ
ば，トレンティーノの聖ニコ
ラウス（Nicholas of Tolentino,
St*）のエンブレム．伝説に
よると，ドロテアは4世紀初
頭にローマ皇帝ディオクレティ
アヌスから厳しく迫害され
た犠牲者の1人であったとい
われている．結婚を拒否した
ためか，あるいは異教の神々
へのいけにえを拒絶したため
に死刑を宣告された．処刑場

へ連れて行かれるドロテア
に，テオフィルス（Theophi-
lus）という若い法律学者
が，天国の楽園から果物を送
り届けてくれぬかと冷やかし
半分の依頼をした．首がはね
られる直前，法律学者の願い
を叶えよとドロテアが祈りを
捧げると，1人の天使がリン
ゴとバラの入った籠を持って
現われた．この光景を目の当
たりにしたテオフィルスは回
心したが，後に同じ殉教の道
を歩むことになる．

　アウグスティヌス会修道
士，トレンティーノの聖ニコ
ラウスは，病人や苦役に就く
女性のために「聖ニコラウス
のパン」と呼ばれる慈善事業
を創設した．絵画では，ニコ
ラウスが籠からパンを配る姿
が描かれる．

bath　入浴

　ルネッサンス期の芸術家に
人気を博した2つの物語のテ
ーマ．1つは，ダビデ（Da-
vid*）とバテシバの物語，も
う1つは，夫の庭での入浴姿

を2人の長老に覗かれた婦人
の物語，外典の『スザンナ物
語』である．

Bathild, St　聖バルドヒルド
（680年没）

　アングロサクソン人の女奴
隷で，649年に西フランク王
国の国王クローヴィス二世と
結婚した．クローヴィスの没
後，2人の若い息子たちの摂
政を務めたが，権力を喪失し
た665年，シェルに修道院を
創設して自ら修道女となっ
た．聖バルドヒルド崇拝の中
心地は北フランスである．美
術では王冠をかぶった修道女
として登場し，語呂合わせの
エンブレム，梯子を持って描
かれることがある．それは，
「梯子」を意味するフランス
語の「エシェル」（échelle）
と地名の「シェル」（Chelles）
とをかけた洒落である．

battleaxe　戦斧

　ノルウェーの聖オラフ
（Olaf of Norway, St*）のエン
ブレム．略奪と海賊行為を謳

歌する，もっとも典型的なヴァイキングの伝説で名声を轟かせた戦士だったが，異教徒の臣下を強制的にキリスト教へ改宗させることに情熱を傾けすぎたあまり，王国を失っただけでなく，最後には王国奪回の戦闘で死亡した．

bear　クマ

　聖ヴェダストゥス（Vedast, St*）のエンブレム．

beard　髭

　多くの場合，髭の形が聖人名を特定する鍵となる．古くから伝統的に伝えられている聖ペトロ（Peter, St*）像は，波打ち，丸みのある，短い白髭，あるいは白髪混じりの髭と，同様に短く刈り込まれた頭髪を特徴とする．聖パウロ（Paul St*）は禿げあがっているのが一般的で，ペトロより髭の先端が尖っている．ビザンティン美術の十二使徒（Twelve Apostles*）像では，フィリポ（ピリポ，Philip, St*）とトマス（Thomas, St*）

が髭を生やしていないので，他の使徒たちと見分けがつくことがある．カッパドキアの三教会大主教（Three Holy Hierarchs*）では，聖バシリウスのふさふさと伸びた黒髭が特徴的である．聖オヌフリウス（Onuphrius, St*）も，裸体を覆う衣装の代わりとなるほど長々と白髪と白髭を伸ばしている．伝説の童貞聖女殉教者の聖ウィルゴ・フォルティス（Wilgefortis, St*）は，求婚者を諦めさせるために醜くなるよう祈ると，奇跡的にも，ふさふさと髭が伸びたといわれている．

　中世以降の芸術におけるキリスト像は，アケイロポイエトス（*acheiropoietos**）の自印画像を根拠としているため，常に髭を生やしている．しかし，初期キリスト教の時代から6世紀頃までは，古代異教の理想的青年像にもとづく髭のないキリスト像のほうが一般的であった．

Becket, St Thomas　ベケッ

ト, 聖トマス

⇨Thomas Becket, St.

beehive／bees　ハチの巣箱／ハチ

聖アンブロシウス（Ambrose, St*）とクレルヴォーの聖ベルナルドゥス（Bernard of Clairvaux, St*）のエンブレム．ラテン教会四大博士（Four Latin Doctors*）の1人である聖アンブロシウスは，甘美で説得力のある散文体の持ち主であるがゆえに，「蜂蜜の流れるがごとく雄弁な学者」（*doctor mellifluus*, ドクトル・メリフルウス）といわれた．アンブロシウスが幼い頃，将来を約束された雄弁家になる印として，ハチの大群がその口の周りに群がったという逸話が残っている．

bell　鈴, 鐘

エジプトの聖アントニオス（Antony of Egypt, St*），聖ケヴィン（Kevin, St），ウィンワロー（Winwaloe, St）の持物．エジプトの聖アントニオスの持物は小さな鐘と一度に生まれた中で最小のブタ（pig*）である．以前は同聖人の英語名，セント・アントニーがなまってタントニーと省略されたために，小さな鈴を「タントニー・ベル」（tantony bell　振り鈴），一腹の子のうちで最初の子ブタを「タントニー・ピッグ」（tantony pig）と呼んでいた．エストニアのタリンには，受難の場面を題材にした16世紀初頭の祭壇画がある．これは無名のオランダ人画家が同業者組合（ギルド）のために作成したものである．この祭壇画には，首に鈴をつけたブタが，聖アントニオスの後をついてゆく姿も描かれている．一般的には，聖者が小さな振り鈴を持つ作品のほうが多い．

聖ケヴィン（ケムゲン, 608年没）は，アイルランド全土から人々が訪れる巡礼の中心地，ウィクロウ県のグレンダロウの修道院の創立者であり，修道院長でもあった．ケヴィンは，死の床にあったクロン

マクノイズの聖キアランを訪れ，この長老の聖者から鈴をもらい受けたといわれている．聖ウィンワロー（フランス名はゲノレ Guénolé）は，8世紀のブルターニュの修道院長であったが，同修道院がコーンウォールの修道院と関連していたことや，ウィンワローの聖遺物がイングランドの各中心地に分散されたことから，南イングランドでも聖ウィンワロー崇拝は知られていた．この聖人の鈴の音を聞くと，魚たちが後を追って群がったといわれている．

Benedict, St　聖ベネディクトゥス（480年頃-547年頃）

イタリア人の修道士．ベネディクトゥスの定めた『ベネディクト会会則』は，西欧の教会における修道院制度の礎を築いた．ベネディクトゥスは，モンテ・カッシーノの修道院を設立し，聖者としても奇跡を行う人としても非常な名声を博した．伝説にもベネディクトゥスの名前のついた

ものが多くある．その中には，悪魔がワタリガラスの姿を借りて聖人に近づいたという逸話や，毒入りの杯の上で十字をきって杯を砕いたという物語なども含まれている．美術でのベネディクトゥス像は，修道服をまとい，ベネディクト会の創始者と偉大な精神的指導者としての役割を暗示する司教杖および本を持つ．

Bernard of Clairvaux, St　クレルヴォーの聖ベルナルドゥス（1090年頃-1153年）

12世紀にシトー会を改革して同修道院の威光を高め，かつ拡大した修道士．ブルゴーニュのディジョン近郊で生まれ，1113年にシトーで修道士になった後，クレルヴォーの新しい大修道院長に推挙された．ベルナルドゥスの指導体制の下，シトー会はフランスやイングランドなどの国々に多くの姉妹修道院を創設した．ベルナルドゥスと聖アンブロシウス（Ambrose, St*）のエンブレムであるハ

チの巣箱（Beehive*）は，両者の雄弁を物語るものである．

Bernardino of Siena, St シエナの聖ベルナルディーノ
（1380年-1444年）

　説教者として名を馳せたフランシスコ会修道士．
　⇨IHS.

birds　鳥

　鳥に説教するアッシジの聖フランチェスコの有名な場面がある．その情景を描いた初期の作品例としては，アッシジの聖フランチェスコ聖堂の上堂を飾るジョットのフレスコ壁画があげられよう（1297年-1300年）．一般に鳥は，霊魂を象徴することがある．鳥が大地と天に生息するように，霊魂も肉体と精神世界を住みかとするからである．しかし，鳥それぞれの種が独自のシンボルを持つこともある．⇨blackbird, dove, eagle, goldfinch, owl, peacock, raven.

bishop　司教［カ］
（主教［正］）

　多くの男性聖者は司教職に就いているため，司教の指輪，司教冠，司教服を着用して描かれる場合がある．そのような聖人として真っ先に名をあげられるのが，使徒の指導者で，ローマの初代司教といわれる聖ペトロである．ペトロは鍵（keys*）を持っている場合が多いので，持物から他の聖人と区別することができる．ミラノの聖アンブロシウス（Ambrose, St*）は，

司教（西方）と主教（東方）

ジョット，聖フランチェスコ伝，小鳥への説教，13世紀，サン・フランチェスコ聖堂上堂

常に祭服姿で描かれる初期の司教である．東方正教会の主教も，祭服をまとう．もっとも特徴的な祭服は肩衣（オモフォル，omophorion*）であるが，サッコスという帷衣（上っ引い）も着用する．後者は，西方の帷衣（ダルマティカ，dalmatic*）にあたる．

　11世紀にキリスト教伝道のためにイングランドからスウェーデンへ遣わされた司教，聖シーグフリード（Sigfrid, St）は，3人の甥の首を持って描かれることがある．甥たちは宣教地でシーグフリードの助手を務めていたが，聖人が留守の間に殺害された．この他の司教としては，ヒッポの聖アウグスティヌスや聖ウィルフリッド（Wilfrid, St）などがあげられるが，ともに群れの羊飼い（shepherd*）という自らの役割を象徴する司教杖（crozier*）を持つ．聖パトリキウス（Patrick, St*）は，正装の祭服をまとい，ヘビ（snake*）を踏みつける姿で描かれることがある．

bit and bridle　馬銜（はみ）と馬勒（ばろく）

　四枢要徳（Four Cardinal Virtues*）の1つである節制のシンボル．節制は，抑制を象徴するために馬銜と馬勒を握る人間の女性として擬人化される．

blackbird　クロウタドリ

　6世紀のアイルランド人修道院長，聖ケヴィン（Kevin, St）の持物．ケヴィンが祈りを捧げて手を差し伸べたところ，クロウタドリが手の中に卵を生んだといわれている．聖者は卵がかえるまでずっとそのままの格好でいたという．

　これ以外では，13世紀の『黄金伝説』に収められた聖ベネディクトゥス（Benedict, St*）の物語のように，クロウタドリが悪魔の化身として登場し，邪悪な鳥となることもある．

Blaise, St　聖ブラシオス

　年代，出生地，活動場所と

も不詳の司教で，殉教者．一説には，4世紀初頭にアルメニアで殉教したセバステの司教ともいわれている．ブラシオス伝説は，同聖人が生きていたと推定される時代よりもかなり後になって成立したため，歴史的信憑性は薄いが，伝説によれば，人間と動物の双方をいやす奇跡を起こしたといわれており，十四救難聖人（Fourteen Holy Helpers*）の1人に列せられている．聖ブラシオス崇拝は西欧の広い地域で見られ，2月3日を祝日とする．東方教会では2月11日が同聖人の祭日である．またユーゴスラヴィアのドゥブロヴニクの守護聖人でもあり，当地では聖ヴラホ（Sv Vlaho）と呼ばれている．イングランドでは，同聖人名を冠した古い教会は5つしかない．その中でもっとも重要な教会は，ブラシオスと別の聖人と一緒に奉献された修道院で，ケントのボックスグローヴが所在地である．少年の喉に刺さった魚の骨を取り除いたことも，ブラシオスの行った奇跡の1つである．ここから喉の病気に対し同聖人の守護が祈願される．

ブラシオスが単独で描かれるときは，正装の司教服をまとい，喉に手をあてている場合もある．ビザンティン美術の伝統では，頭髪が波打ち，先の尖った髭を生やした老人姿のブラシオス像が描かれる．ロウソク（candle or candles*）と櫛（comb*）をエンブレムとする．フランス東部，クリュニー近郊のベルゼ・ラ・ヴィル修道院小聖堂を飾る12世紀初頭のフレスコ画には，ブラシオス伝説の一連の場面が描かれている．

blessing　祝福

⇨gesture.

blindfold　目隠し

公平無私な正義のシンボル．正義は，天秤と剣を持ち，目隠しをした女性として擬人化されるのが一般的である（⇨Four Cardinal Virtues）．

目隠し

中世・ルネッサンス期の教会美術では，目隠しをした女性が，新約聖書を拒絶するユダヤ人を象徴することもある．この場合，目隠しをした女性はユダヤ教の礼拝堂（シナゴーグ）を表し，落胆した表情で，ユダヤの律法を記した銘板と折れた杖を持つことが多い．スペイン北部のブルゴス大聖堂を飾るヒル・デ・シロエ作の彫刻のように（15世紀末），戴冠された聖母マリアの両脇に教会を擬人化した2人の人物像を配置し，そのうちの1人の女性に目隠しを施した作例も多い．

boar イノシシ

裸の子供が乗ったイノシシは，聖キリクス（Cyricus, St*）のエンブレムである．⇨pig.

boat 舟

使徒シモン（Simon, St*）や遠方まで旅をした聖人の持物．あるいは，水夫や海難に直面する者たちに対する守護聖人の加護を示すこともある．古い伝説によれば，聖シモンと聖ユダ（Juda, St*）はともにペルシャまで旅をし，同地で殉教したと伝えられている．西方教会が定めた両者の祝日は10月28日である．十二使徒群像では，この2人の聖人が隣接して描かれることもある．紛らわしいことに，ユダも舟を持つ場合がある．

使徒と舟との関連でいえば，ペトロ，アンデレ，ヤコブ，ヨハネはイエスの弟子として召喚される前に漁師だったことから，舟によって，彼

らが重要な役割を演じる逸話を連想させることがある．たとえば，イエスがこの4人を召喚し，最初の弟子とする場面では，その背景に漁舟が描かれることがある（『マタイ福音書』4, 18-22）．イタリアで「小舟」（Navicella, ナヴィチェエッラ）という画題で知られる場面では，イエスが湖上の波間を歩いて強風に揺れる舟へ向かう姿が描かれる（『マタイ福音書』14, 22-33）．

舟はまた，7世紀の宣教師，聖ベルティヌス（ベルタン，Bertin, St）の持物でもある．ベルティヌスは，フランス北部，現在のサントメールという町に修道院を創設した．その後，同修道院はベルティヌスの聖名を冠するようになった．修道院が建設された当初は周囲一帯が湿地帯であり，舟だけが唯一の交通手段であったといわれている．うら若き聖女の聖ウルスラ（Ursula, St*）も船の模型，あるいは舟を持つ場合がある．舟を持つ司教といえば，海の嵐から人々を加護する守護聖人，聖エラスムス（Erasmus, St*）であろう．あるいは舟が，神学者のノルマンディーのベック修道院長，カンタベリー大司教の聖アンセルムス（Anselm, St 1033年頃-1109年）の持物となる場合もある．ミュラの聖ニコラオス（Nicholas of Myra, St*）の伝説にも，舟にまつわる逸話がいくつか収められている．また看護者，聖ユリアヌス（Julian the Hospitaller, St*）を題材にした絵画の背景にも舟が描かれることがある．それはユリアヌスが渡し守だったことを暗示するものである．⇨Ark, Noah's.

Bona, St 聖ボナ
（1156年頃-1207年）

ピサ生まれ．若い時に巡礼の旅に出た．聖地を訪れた後，スペインのコンポステラにある聖ヤコブの聖堂まで旅をした．その後，険しい道を旅する人々の案内人となる．このことから，聖クリストフ

ォロス（Christopher, St*）とともに，旅人の守護聖人といわれるようになった．美術でのボナ像は，巡礼者（pilgrim*）の衣装をまとう．

Bonaventura, St 聖ボナヴェントゥラ（1221年-1274年）

イタリアの司教で神学者．研究と教育に従事しながらパリで長い年月を過ごした．1257年にはフランシスコ会の総会長となった．その多くの著作の中には，有名な聖フランチェスコ伝が含まれる．エンブレムは枢機卿の帽子（hat*）である．

bonds 束縛

サタンは，縛られた者，あるいは鎖につながれた者として描かれることがある．これは『ヨハネの黙示録』の一節，「わたしはまた，一人の天使が，底なしの淵の鍵と大きな鎖を手にして，天から降って来るのを見た．この天使は，悪魔でもサタンでもある，年を経たあの蛇，つまり竜を取り押さえ，千年の間縛っておき……」（20, 1-2）という言葉が成就されたものと考えられている．また敗北した悪魔が鎖に繋がれ，勝利者のキリストの足下に踏みつけられている図像が，地獄への降下（Harrowing of Hell*, Anastasis*）を題材とした種々の作品に数多く見ることができる．この作品例としては，アテネ近郊のダフニ修道院を飾る11世紀後期のモザイクがある．

bones 骨

聖アルフェジ（Alphege, St*）が奇妙な殺され方をした凶器．

エゼキエルの幻視に現われた枯れた骨の谷（『エゼキエル書』37, 1-14）は，死者の復活のアレゴリーと解釈されることがある．磔刑（Crucifixion*）の場面の骨については，⇨skull.

Boniface, St 聖ボニファティウス（755年没）

イングランドの修道士，宣教師，殉教者．ボニファティウスは，エクセターの修道院およびサウサンプトン近郊ナースリングの修道院で，長年にわたり教師兼学者として奉職した後，718年，ドイツの異教徒の部族にキリスト教を伝道するため祖国を後にした．ドイツではかなりの成功をおさめ，マインツにあるボニファティウスの司教区は宣教活動の中心地となった．この司教区へ派遣された者たちの大部分は，イングランドからやってきた人々であった．高齢を迎えてからのボニファティウスは，フリジア（オランダ）の異教徒へも注意を向けるようになったが，宣教旅行中，天幕にいたところを異教徒の一団に襲撃され殉教死した．そのなきがらは，ドイツのフルダにある修道院に運ばれて埋葬された．同修道院はボニファティウスが設立したものであり，今でも聖ボニファティウス崇拝の中心地である．

美術作品に登場するボニファティウスは，司教服を着用し，司教冠（ミトラ）をかぶり，司教杖を持ち，場合によっては剣で貫かれた本（book*）を持つこともある．異教の打破に成功したボニファティウスを題材とした作品としては，同聖人がゲルマン民族の雷神トールを祀る神木のオークを切り倒し，その木の傍らで改宗者に洗礼を施す場面を描いたものがある．

book 本

4人の福音書記者（Four Evangelists*）の持物．13世紀以前の十二使徒（Twelve Apostles*）の群像では，キリスト教の信仰を伝授する教師としての地位を示すために，本を持たせるのが一般的である．福音書記者と使徒が一緒に登場する場合は，福音書記者には本を持たせ，そうでない使徒には巻き物を持たせて区別している．この作品例としては，シチリア島のチェファルー大聖堂に12世紀

中頃のモザイクがある．その後の使徒群像では，本を持つという点では変化はないが，それぞれの使徒が誰であるかを明示するために，より個別的な持物を持たせることもある．たとえば，聖パウロ（Paul, St*）は，いつも本に加え剣を持って描かれている．

使徒以外でも，敬虔で学究的な生活を表わすシンボルとして本を抱きかかえる聖人像が数多く描かれている．著述家でもあった聖アンブロシウス（Ambrose, St*）のような司教も，本を持つ場合が多い．ヨーロッパ北部の美術で，剣で貫かれた本を持つ司教といえば，おそらく聖ボニファティウス（Boniface, St*）があげられよう．その場合，本はボニファティウスが布教した教義を，剣は彼の死を象徴する．大阪版の福音書は，聖ラウレンティウス（Laurence, St*）やサラゴーサの聖ウィンケンティウス（Vincent of Saragossa, St*）のような助祭の聖人特有の持物である．大版の福音書は，典礼の際に司祭による聖書朗読を補佐する助祭の役割を反映する．フランシスコ会修道士，パドヴァの聖アントニウスのエンブレムは，本とユリ（lily*），あるいは開かれた本である．その際，御子キリストが本の上に座す場合もあるし，アントニウスのもう片方の腕に座す場合もある．本を持つ人物が修道士ならば，聖ベネディクトゥスの場合もある．その本は，ベネディクトゥスの『会則』である．『会則』は，ベネディクトゥスが529年頃にモンテ・カッシーノに創設した修道会のために書いたもので，西欧の教会における修道院制度の基礎となった．聖イグナチオ・デ・ロヨラ（Ignatius Loyola, St*）も，イエズス会の会則を記した本を持つ場合がある．

聖女では，聖ジタ（Zita, St*）が，家政婦にふさわしい持物に加えて本を持つ．シエナの神秘思想家の聖カタリナ（Catherine, St*）は，本と

心臓（heart*）を持つ. 少女に読み書きを教える女性は, おそらく聖母マリアを教育する聖アンナ（Anne, St*）であろう.

ビザンティン美術におけるパントクラトール（全能のキリスト, Pantocrator*）のキリスト像では, 左手に本を持つキリストが描かれる. 七つの封印で封じられた本については（『黙示録』5, 1）, ⇨Last Judgement.

Bosom of Abraham Trinity アブラハムの懐の三位一体

⇨Trinity.

bottle 瓶

⇨flask.

bower 木陰の休憩所

蔓や花に覆われた庭の休憩所で, 特に中世の庭によく設置された. 芸術家は, バラ（rose*）の木陰の休憩所を聖母マリアの舞台として選ぶことがある. たとえば, 15世紀のライン地方の画家による

有名な作品が2つある. 1つはドイツ人画家, シュテファン・ロホナーの「バラの聖母」（ケルン, ヴァルラフ・リヒャルツ美術館）, もう1つはマルティン・ショーンガウアーの「バラの生け垣の聖母」（フランス, コルマール, サン・マルタン教会）である.

box 箱

マグダラのマリア（Mary Magdalene*）の香油瓶あるいは香油壺が箱として描かれることがある. また小さな箱は, 医者の聖人である聖コスマスと聖ダミアヌス（Cosmas and Damian, SS*）のどちらか一方, あるいは双方が手に持つ医薬品箱の場合がある.

boy 少年

多くの少年の聖人がいる. 西欧で広く崇拝されたのは, 聖キリクス（Cyricus, St*）であった. 1144年に殉教したノリッジのウィリアム（William of Norwich）は, 12世紀から13世紀にかけて, イー

スト・アングリア地方で地元の人々から深く崇敬された聖人である。ウィリアムが見知らぬ者の手によって殺害されたのは，若冠12歳の時であった。手足を切断されたウィリアム少年の死体が発見されたことにより，宗教儀式で少年を惨殺したとしてノリッジのユダヤ人が告発された。地元では，キリストの磔刑のパロディーとして少年が拷問にかけられ，磔刑に処されたと信じられていた。イースト・アングリアの教会では，3本の釘（nails*）を持つウィリアムを描いた作品が飾られている。同様の反ユダヤ的な物語が，リンカンの「小さな」聖ヒュー（Hugh of Lincoln, St*）についても残されている。このように呼ばれるのは，ヒューという同名の司教がリンカンにもう1人いるため，両者を区別する必要があるからである。

　もう少し年上の聖人としては，4世紀初頭のローマの聖人，聖パンクラティウス（Pancras, St）をあげることができよう。パンクラティウスが殉教したのは14歳ぐらいの頃といわれている。イングランドには，殉教者の聖エドワード（Edward the Martyr, St*），聖ケネルム（Kenelm, St*）などのうら若い国王がいた。

bread　パン

⇨loaves.

breasts　乳房

　聖アガタ（Agatha, St*）のエンブレム。美術では，盆あるいは皿の上に切断された乳房を載せるアガタ像を描く伝統がある。乳房の形が鈴や鐘に似ていることから，アガタは鈴や鐘の鋳造者の守護聖人ともいわれるようになった。さらにこのような混同が一層進むと，乳房が丸いパンであると誤解されるようになり，地域によっては聖アガタの祝日の2月5日にパンに祝福を施す教会もある。

　民間伝承と強く結びついた

聖女が, ブルターニュのグウェン・ティアブロン (Gwen Teirbron), 別名聖ブランシュ (Blanche, St) で, 3つ子の聖ウィンワロー (Winwaloe, St), 聖ジャキュ (Jacut, St), 聖ヴェネック (Vennec, St) の母親である. ブルターニュの芸術家は, 子供たちがそれぞれ授乳できるように3つの乳房を持った女性像を描いている.

Bridget of Ireland, St (Brigid, Bride) アイルランドの聖ブリギッド (ブリギット)

(450年頃-523年頃)

アイルランド人の女子修道院長で, 「ゲール人の聖母マリア」として知られ, キルデアに修道院を創立した. ブリギッドにまつわる多くの物語は, 民間伝承的な要素が混入している. しかし聖ブリギット崇拝は, アイルランドの聖人の中で聖パトリキウス (Patrick, St*) に次ぐほどの位置を占め, ケルト地方全域のみならず, それ以外の地域

にも広がった. ウェールズの地名ランサントフライド (Llansantffraid) は「聖ブリギッドの教会」という意味であり, 宗教改革以前には同聖女名を冠した教会が19ほどあった. ブリギッドの通常のエンブレムは雌ウシであるが, チーズの場合もある. これらのエンブレムは, ブリギッドが世話をすると動物たちが驚異的な量のミルクを出すという, 伝説に名高い聖女の酪農技術を想起させるものである.

Bridget of Sweden, St (Birgitta) スウェーデンの聖ビルギッタ

(1303年頃-1373年)

スウェーデンの貴族, 幻視家, ビルギッタ会の創始者. スウェーデンの守護聖女. 美術では, 白いヴェールと修道女の頭巾 (ウィンプル) をかぶり, 黒い修道服をまとった修道女として登場する. 修道会の指導者としての地位を意味する司教杖を持つことがある. あ

るいはキリストの聖痕を忘れないように，煮え立つロウを故意に自分の手にかけて火傷を負ったというビルギッタの物語を想起させるため，ロウソクを持つ場合もある．足元にある王冠は，世俗的な地位を捨てたことを暗示する．ビルギッタにまつわる伝説の中で，西欧の教会美術にもっとも大きな貢献をなしたのは，聖女が体験した聖母マリアと新生の御子の幻視の物語である．⇨Adoration of the Virgin.

王宮に仕える女官であったビルギッタは，宮廷に蔓延する軽率な行為をなんとかして自粛させようとした．1344年に夫が亡くなると，ヴァドステナに母体となる修道院を置く修道会を設立するために専心努力した．1349 年，スウェーデンを後にしたのを最後に帰郷することはなく，数度の聖地巡礼には出かけたものの，最終的にはローマに落ち着いた．ローマでは，教皇にビルギッタ会創立の承認を求めた．教皇や国王の相談役としての役割を精力的に果たす一方で，謹厳な生活を送り，多くの慈善事業をなした．

bridle　馬勒

⇨bit and bridle.

broom　箒

聖マルタ（Martha, St*）の持物で，家事に精を出していたことのしるし．

bucket　桶

聖フロリアヌス（Florian, St*）の持物．

building　建物

特定の教会や修道院の創立に貢献した聖人や寄進者が，建物の模型を持つのが一般的である．これらの模型は，ある特定の教会への奉献を反映し，地域的な意義しか持たない場合が多い．

聖ペトロは，いつもの持物の鍵（keys*）に加え，キリスト教会自体の創立者としての独自の役割を示すために，

ジョット，礼拝堂の模型を捧げるエンリコ・スクロヴェーニ，14世紀，スクロヴェーニ礼拝堂

建物

小さな教会を持つことがある. この典拠は,『マタイ福音書』の「あなたはペトロ. わたしはこの岩の上にわたしの教会を立てる」(16, 18) というキリストの言葉にもとづいている. このような聖ペトロを表現した作例としては, ノッティンガム近郊のフローフォードに 1380 年頃の作と思われる雪花石膏 (アラバスター) 彫刻のペトロ像がある. イングランドの教会の中には, 両手に建物を持つカンタベリーの聖アウグスティヌス (Augustine of Canterbury, St*) 像を特色とするものもある. ペトロがキリスト教会の創始者であったように, アウグスティ

ヌスもイングランドの教会の創立者であったからである.

bull （去勢されていない）雄ウシ

聖シルウェステル (Sylvester, St) が, 鎖に繋がれた雄ウシを持って描かれることがある. この図像は, 13 世紀に編纂された聖人伝,『黄金伝説』に収められた聖シルウェステルの物語をふまえたものであろう. それによるとシルウェステルは, 彼女のキリスト教信仰を嘲笑するユダヤ人賢者 12 人から対決を挑まれる. ユダヤ人の 1 人は, 魔術の力で, 獰猛な野生の雄ウシを一撃のもとに倒して見せる. これに対しシルウェステルは, キリストの御名において雄ウシを蘇生させる. 聖人をあざ笑った全ての者と多くの見物人がキリスト教に改宗したという. ⇨Golden Calf.

bush, burning 燃える柴

砂漠で神がモーセの前に現われ, エジプトのイスラエル

人を奴隷の身から救出するための指導者としたときに、モーセが見たしるし（『出エジプト記』3）。「火に燃えているのに……燃えつきない」（『出エジプト』3, 2）柴は、初期キリスト教時代から、神の子を宿す聖母マリアの体に類似しているとして寓意的に解釈された。したがって燃える柴と並んで、エバを誘惑するためにヘビが身を潜めたエデンの園（Garden of Eden*）の善悪の知識の木を描く場合がある。善悪の知識の木が人間の堕落（Fall of Man*）をもたらしたように、燃える柴に予表された聖母マリアが人類の救済を可能にしたからである。そのような配置を試みた作例としては、グロスターシャー、フェアフォードのセント・メアリー教会を飾る15世紀後期の窓装飾がある。

フロマン、燃える柴三連祭壇画（中央）、15世紀、サン・ソヴール大聖堂

butterfly 蝶

変容と復活のシンボルで、御子キリストを描いた絵画に登場することがある。

C

Cain and Abel　カインとアベル

アダムとエバの2人の息子. カインは土を耕し, アベルはヒツジを飼った. ともに収穫物を神への献げ物としたが, アベルのいけにえ (sacrifice*) は受け入れられ, カインの献げ物は拒絶された. 嫉妬と怒りに燃えたカインは弟のアベルを殺した (『創世記』4, 1-8).

キリスト教の伝統では, アベルを罪のない犠牲者の原型と考え, キリストの予型と見なしている. 美術ではこの点を明示するために, アベル殺害の場面をキリストの磔刑の場面と並べて配置している.

calf　子ウシ

聖ウォルスタン (Walstan, St*) には子ウシが2頭付き添っている. ウォルスタンはアングロ・サクソン人の農耕の聖人で, ノーフォークのボーバラにある聖堂の周辺地域を中心に古くから地元の人々に崇敬されていた. 伝説によれば, 雇い主から感謝の印として子ウシをはらんだ雌ウシを与えられたという. ウォルスタンが死去した後, その亡骸をボーバラの埋葬地へ運んだのは, この雌ウシから生まれた2頭の子ウシであった. 道中に起こった奇跡的な出来事の中には, 子ウシがウェンサム川を渡ったとき, その跡

ルフェーブル, カインによるアベル殺害, 17世紀, パリ, 国立図書館

が川の流れにくっきり残った
という物語が伝えられている.

　子ウシは『ヨハネの黙示
録』にも登場する（4, 7）. し
かし通常は雄ウシ（ox）とさ
れる場合が多く, 聖ルカ
（Luke, St*）の伝統的なシン
ボルとなる（⇨Four Evangeli-
cal Beasts）. ⇨Golden Calf.

camel　ラクダ

　エジプトの聖メナス（Me-
nas, St*）のエンブレム. メ
ナスは, 商人と砂漠をラクダ
で旅する者の守護聖人である.
　芸術家は, 洗礼者ヨハネの
「らくだの毛衣」（『マタイ福音
書』3, 4）を文字どおりラク
ダの毛皮と解釈し, 頭と足が
ついたままのラクダの毛皮を
まとった洗礼者ヨハネ像を描
くことがある.

candle　ロウソク

　「世の光」（『ヨハネ福音書』
8, 12）としてのキリストのシ
ンボル. ロウソクの光は, 小
さな可視の光であるけれど
も, 被創造物ではない不可視
の光, すなわち神の栄光の光
を想起させる. 教会ごとにそ
れぞれ伝統も異なるが, ロウ
ソクがキリスト教典礼の重要
なシンボルであることには変
わりがない. 特に劇的にロウ
ソクが使用される機会として
は, 東方正教会の復活祭があ
る. 完全に光を落とした教会
の聖所で, 司祭が1本のロウ
ソクに火をともす. 司祭はそ
れを聖所の扉のところまで運
び, 集まった人々に「キリス
トが復活された」と復活祭の
挨拶をする. すると付き添い
の聖職者が, 聖所の扉のロウ
ソクの火を自分たちのロウソ
クへと移す. こうしてロウソ
クの火が教会中に回され, 集
まった人々の持つロウソクへ
つぎつぎと移されてゆく.

　火のともったロウソクは,
スウェーデンの聖ビルギッタ
（Bridget of Sweden, St*）やパ
リの聖ジュヌヴィエーヴ
（Geneviève of Paris, St*）のエ
ンブレムである. 後者は, 夜
に教会で祈りを捧げる際, よ
くロウソクを持っていったと

いう．悪魔が来てロウソクの炎を吹き消そうとするが，ジュヌヴィエーヴは礼拝を妨害しようとする悪魔の試みを退ける．同様の物語が，ブリュッセルの守護聖人，聖グドゥラ（ゲディラ，Gudule, St, 8世紀初頭没）についても残っている．中世後期の美術でロウソクを持つ若い女性は，擬人化された〈慈愛（愛徳）〉の場合がある．⇨Three Theological Virtues.

交差した2本のロウソクは聖ブラシオス（Blaise, St*）を象徴する．喉の病気に対するブラシオスの治療法の1つとして，2本のロウソクを患部のあたりにかざすというのがある．車輪のへりに立てられたロウソクは，聖ドナティアヌス（Donatian, St*）のエンブレムである．

candlestick　燭台

最後の審判（Last Judgement*）を題材とした絵画に燭台が描かれることがある．『ヨハネの黙示録』の聖ヨハネの幻視は，7つの金の燭台の中央にキリストを見ることで始まる（1, 12-13; 1, 20）．それはアジアの7つの教会と解釈されている．⇨menorah.

capstan　巻き上げ機

⇨windlass

cardinal　枢機卿

ローマ・カトリック教会の聖職位階制で，教皇につぐ高位の聖職．美術では，鮮やかな赤色の祭服をまとい，独特の帽子（hat*）をかぶるので，他の聖職者と容易に区別できる．ラテン教会四大博士（Four Latin Doctors*）の図では，時代錯誤的ではあるが，聖ヒエロニュムスに枢機卿の衣装をまとわせて，他の3人と区別することがある．

Cardinal Virtues　枢要徳

美術での枢要徳に関しては，⇨Four Cardinal Virtues.

Catherine of Alexandria, St
アレクサンドリアの聖カタリナ（4世紀？）

　童貞殉教聖女．カタリナ伝説は，興味本位の作り話にすぎないかもしれないが，すこぶる人気を博し広く知られていた．カタリナは十四救難聖人（Fourteen Holy Helpers*）の1人で，少女の守護聖人，および車大工や粉屋のような車輪にかかわる商売人の守護聖人でもあった．「カタリナの車輪」（Catherine wheel）と呼ばれる回転花火は，同聖女にちなんで名づけられたものである．イングランドで多くの中世の鐘にカタリナの名が刻まれる理由を説明するとすれば，教会の鐘が車輪のついた軸に取りつけられるという事実をあげることができよう．さらにロンドンの鋳鐘職人同業者組合（ギルド）の守護聖人でもあった．

　伝説によれば，ローマ皇帝マクセンティウス（Maxentius）から結婚を申し込まれたが，カタリナはすでにキリストの花嫁であることを理由に憤然として皇帝の求婚を拒絶したという．さらにまたキリスト教徒の迫害に対しても臆することなく抗議の声を上げた．それに対し皇帝は，カタリナを論破して信仰を棄てさせるために50人の著名な哲学者を召喚した．しかし，カタリナは非常に雄弁だったため，改宗したのは聖女ではなく哲学者のほうだった．ここから中世の大学では，哲学と神学を学ぶ学生の守護役を同聖女が担うようになった．この不本意な結末に激怒した皇帝は，50人の哲学者を1人残らず焼き殺し，カタリナを投獄した．しかし独房でキリストの幻視を体験したカタリナは，より一層決意を強固にした．またハトが牢獄の聖女に食べ物を運んだ．そこで皇帝は，カタリナを鋭く尖った大釘のついた車輪の上に乗せ拷問にかけるよう命じた．しかし，車輪の仕掛けが破損して，見物人に死人が出た．最後は斬首刑に処されたが，

その時も聖女の体からは血ではなくミルクが流れ出たという.

カタリナの亡骸は天使によってシナイ山に運ばれた. この聖遺物は, 9世紀になってようやく発見された. 527年には, ビザンティン帝国のユスティニアヌス皇帝が, この砂漠の地に同聖女名を冠した大修道院を建設したため, 同地が聖カタリナ崇拝の中心地となった. この修道院から聖カタリナ崇拝がビザンティン帝国全土に広がり, やがて西欧にも伝わった.

カタリナはもっとも人気を博した聖女の1人であった. その波瀾万丈の生涯を語る伝説は芸術家に格好の主題を提供し, 多くの美術作品が生み出された. 美術におけるカタリナのエンブレムは大釘つきの車輪であるが, 完全な形で描かれる場合も, ばらばらに破損した状態で描かれる場合もある. 冠, 剣, 殉教のシュロの葉を持って登場することもある. また小さく描かれた迫害者を足で踏みつける聖女を描いた作例もある. イングランドのラドロー教会には, 冠をかぶり, 車輪と剣を持つカタリナを描いた美しいステンドグラスの窓がある.

多くのルネッサンスの芸術家は, カタリナが投獄中に体験したといわれる幻視を題材にし, 「聖カタリナの神秘的な結婚」を描いた. カタリナは投獄される前から礼拝用の聖母子像を持っていて独房で

カラヴァッジョ, アレクサンドリアの聖カタリナ
16世紀, ティッセン・ボルネミッサ・コレクション

も肌身離さなかったという。幻視では、「キリストの花嫁」になりたいという聖女の願いを聞き入れた幼児キリストが、聖女に指輪を授けたという。イタリアには、この出来事を主題にした絵画が非常に多く残っているが、それは同絵画が格好の結婚の贈答品や記念品であったことを窺わせる。他の聖人を目撃者として描くことによって、これを「聖なる会話」(*sacra conversazione** サクラ・コンヴェルサツィオーネ)と同種の絵画に仕立てる場合もある。指輪の受け取り手として、車輪を持つ少女というよりも、修道女を描くイタリア絵画がある。後者の場合、修道女はシエナの聖カタリナ(Catherine of Siena, St*) である。

Catherine of Genoa, St ジェノヴァの聖カタリナ
(1447 年-1510 年)

高貴な生まれのイタリアの聖女、神秘思想家。フィエスキ (Fieschi) 家に生まれ、放縦な夫を改宗させた。1473 年から、2 人は病人の介護に献身的に尽力した。

Catherine of Siena, St シエナの聖カタリナ
(1347 年-1380 年)

イタリアの神秘思想家で精神的指導者。ベニンカーサ家に生まれ、ドミニコ会第三会に入る。誰の目にも崇高な生涯を送ったので、多くの信奉者 (Caterinati) を得た。その影響力は、著作の助けも借りて、遥か遠くのイングランドにまで及んだ。イングランドでは 15 世紀にカタリナの著書『対話』(*Dialogo*) が『サイオンの果樹園』(*The Orchard of Syon*) という題名で翻訳、出版された。英語版のカタリナ伝も、1490 年代初頭にキャクストンによって出版されている。晩年になると、ローマとアヴィニョンでの教皇選出をめぐり、いわゆる「大分裂」が起こったので、教会内の亀裂を修復するために全身全霊をこめて努力した。

美術ではドミニコ会の修道服をまとい, ユリ (lily*) を持つことが多い. 同名のアレクサンドリアの聖カタリナ (Catherine of Alexandria, St*) のように, シエナのカタリナも, キリストから「花嫁」のしるしとして指輪を受け取る幻視を体験した. その幻視には, カタリナがよく親しんでいた,「アレクサンドリアの聖カタリナの神秘的な結婚」を題材にした絵画の影響があったのではないかと思われる. その後の芸術家の中には, 前述のものとは少々異なるカタリナの幻視を題材にし, 聖母マリアが見つめる中, 成人したキリストにひざまずくカタリナ像を描く者もいた.

cauldron 大釜

福音書記者, 聖ヨハネ (John, St*) の補助的なエンブレム. 古代の伝説によると, ローマ皇帝ドミティアヌスは, 南方のラティウムへ至るローマの門において, ヨハネに油の煮え立つ大釜の中へ飛び込めと命じたといわれている. しかし, ヨハネは無傷で釜から上がってきた. 現在では教会暦から抜け落ちているが, ラテン門での聖ヨハネの旧祝日 (5月6日) は, この聖書外典の出来事を記念したものである.

大釜の中の聖人としては, 聖ウィトゥス (Vitus, St*) が題材となることがある.

cave 洞窟

東方正教会の美術では, 洞窟の暗黒の入り口が, 救済されない無知蒙昧な人間の状態を象徴する. したがって降誕のイコンに描かれた洞窟の中や正面に横たわる新生のキリストの姿は, このような暗澹たる人間の状態の中への降臨を意味するものである. またラザロ (Lazarus*) が蘇生して姿を現わす前に眠っていた暗黒の洞窟のような墓も, 同じような象徴的な意味合いを持つ.

Cecilia, St　聖カエキリア
（3世紀？）

　童貞殉教聖女．カエキリア
伝説は，同聖女が殉教したと
考えられる時代よりもかなり
後になって成立したものであ
るが，聖ウァレリアヌス（Va-
lerian, St）や聖ティブルティ
ウス（Tiburtius, St）のような
純然たる歴史上の人物と思わ
れる聖人と関連づけられてい
る．しかし，カエキリア自身
の身元を確かめることはでき
ない．カエキリアは，上述し
たウァレリアヌスという名の
異教徒と結婚した．純潔を神
に捧げたことを夫に打ち明け
ると，夫も妻の誓いを尊重す
ることに同意した．その後，
ウァレリアヌスと弟のティブ
ルティウスはキリスト教に改
宗したが，カエキリアと同様
に2人とも殉教死を遂げた．
カエキリアの殉教死について
は，最初，自宅の浴室での窒
息死の刑を宣告された．しか
し風呂の熱だけではカエキリ
アを死に至らしめることがで
きなかったので，最後は斬首

アリアン・コーラルト，聖カエキリ
ア，17世紀，パリ，国立図書館

刑が言い渡された．兵士が聖
女のもとへ遣わされ，その首
に3度も太刀を浴びせたが，
それでも殺すことができなか
った．しかし，数日間は生き
長らえたものの，最後はこの
傷がもとで殉教した．

　カエキリアの家はすぐに聖
別されて教会となり，6世紀
からカエキリアに聖女の栄誉
が与えられた．9世紀に入る
と，カエキリアの聖遺物が，
それまで安置されていた地下

墓地（カタコ ンベ）からローマのトラステヴェレのサンタ・チェチーリア教会へ遷移された. 中世の芸術家たちは, 1人の天使がカエキリアと夫のウァレリアヌスにユリとバラの冠を与えたという伝説にもとづき, 花冠を持った聖女像を描いた.

カエキリアが音楽家の守護聖人となったのは16世紀に入ってからのことである. これ以降のカエキリア像は, 小型のオルガン, リュート, あるいは他の楽器を持つことがある. ラファエッロの描いたカエキリア像は（ボローニャ国立美術館）, 手にポータブル・オルガンを持ち, 足元には他の楽器が配置されている. 音楽家の守護聖人としてのカエキリア像を定着させたのは, 婚礼の宴会で愛の音楽が演奏されたとき, この聖女だけは「心中で神に歌を捧げていた」という一節が, 殉教物語に含まれていたからかもしれない.

censer 香炉

祭式の焚香で用いられる金属製の容器で, 英語では thurible とも呼ばれる. 一般に鎖で釣り下げられていて, 教会での礼拝の間, 聖職者は鎖を振って香炉を揺らしながら撒香をする. 概して撒香は位階の低い聖職者の役目なので, 美術では, 助祭（[正]輔祭, deacon*）の持物として香炉が描かれることがある. そのような助祭像としては, シチリア島のモンレアーレ大聖堂を飾る12世紀のモザイクに描かれた聖ラウレンティウス（Laurence, St*）像

香炉

がある. また礼拝する天使が香炉を持つこともあるし, アロン（Aaron*）やメルキゼデク（Melchizedek*）といった旧約聖書の人物の持物として香炉が描かれることもある. 後者は, 祭司たる持ち主の地位を示すためのものである.

centurion　百人隊長

　磔刑（Crucifixion*）に臨んだローマ兵士を指揮する軍人. 磔刑とローマ兵士の様子に関しては, 最初の3つの福音書に述べられている. イエスが息を引き取ったとき, 空は暗くなり, 地震が起こったので, 百人隊長は「本当に, この人は神の子であった」（『マタイ福音書』27, 54）と叫んだ. 聖書注解者たちは, イエスの脇腹を槍で刺した兵士（『ヨハネ福音書』19, 34）と百人隊長とを同一視し, ロンギヌス（Longinus*）という名前まで特定している.

　磔刑を扱った中世の美術作品では, 十字架の下に集まった人々を描く際, 目立つ場所に百人隊長を配置することがある. 中世初期以降の様式化された磔刑図では, 一方にイエスの脇腹を槍で突き刺す百人隊長が, もう一方に酸いブドウ酒を葦の棒につけた海綿に含ませてイエスに飲ませようとする人物（『マタイ福音書』27, 48）, ステファトン（Stephaton）が配置され, 左右対照の構図が形成されている.

chains　鎖

　囚人の守護聖人, 聖レオナルドゥス（Leonard, St）のエンブレム. その生涯に関しては, 注目に値するような歴史的証拠が全く見られない. しかし, レオナルドゥスが生きていたと推定される時代から約500年後の11世紀に書かれた伝記によれば, リモージュ近郊のノブラックに大修道院を創設した隠修士であったといわれている. 13世紀に編纂された聖人伝, 『黄金伝説』には, リモージュの伯爵が, 聳えたつ高塔にとてつもなく重い鎖を取り付けて罪人

を吊るした様子が語られている．レオナルドゥスに仕える者も，無実でありながら不当にも有罪判決を受け，同様の刑に処されることになった．しかし，窮地に追い込まれながらも師に祈りを捧げると，聖レオナルドゥスが現われて奉仕者を解き放ち，鎖を近くの教会へ持って行くように命じたと伝えられている．これには残酷非道な伯爵もひどく困惑したという．1103年には，十字軍に参加した王子ビヒモンド（Behemond）がノブラックを訪れ，イスラム教徒の牢獄から解放されたことへの感謝を捧げた．それ以来，帰還する十字軍兵の影響を受けながら，聖レオナルドゥス崇拝はフランスからドイツ，スイス，イタリア，イングランドへと急速に広がっていった．

聖ペトロの鎖も教会暦や美術で重要な役割を果たしている．伝えられるところによるとローマのサン・ピエトロ・イン・ヴィンコリ教会（「鎖に繋がれた聖ペトロ」の意）には，ペトロが殉教する前に牢獄で繋がれた足枷が収められている．同聖人名を冠した教会，ロンドンのセント・ピーター・アド・ヴィンクラと8月1日の聖ペトロの祝日は，ヘロデ王の牢獄からペトロが解放されたことを記念するものである．これに関しては，『使徒言行録』に「すると，主の天使がそばに立ち，光が牢の中を照らした．天使はペトロのわき腹をつついて起こし，『急いで起き上がりなさい』と言った．すると，鎖が彼の手から外れ落ちた」（12, 7）と記されている．
⇨bonds.

chalice　聖杯（カリス）

聖体拝領（聖餐式）でブドウ酒を入れるための脚台のついた杯．美術では，教会をカリスを持つ女性として擬人化するのが一般的である．十字架にかけられたイエスの傷口から流れ出る血を聖杯で受ける天使を描いた磔刑図も多い

聖杯

(⇨Holy Grail). 特定の聖人の持物としての聖杯については, ⇨cup.

chariot 戦車

火の戦車. ⇨Elijah. イスラエルの民を追跡するファラオの戦車と騎馬が, 紅海で溺れ死んだ出来事は(『出エジプト記』14, 23-28), 数多くの画家が取り上げた劇的な主題である.

charity 慈愛 (愛徳)

⇨Three Theological Virtues.

cheese チーズ

聖ジュスワラ (Juthwara, St. Aud Wyry) のエンブレム. アイルランドの聖ブリギッド (Bridget, St*) のエンブレムとなることもある. 後者の場合は, ブリギットの優れた酪農技術や家事の能力を暗示する. ジュスワラの奇妙な伝説によれば, 意地悪な継母から, 宗教的な禁欲生活の苦しみをやわらげるには, チーズを乳房に塗るのが良いという助言を受ける. その一方で, 継母は自分の息子にジュスワラが妊娠したと嘘をつく. 妻の上着 (ボディイス) が湿っているのを見た夫は, 激怒して首を切り落とす. すると, 斬首された場所から泉が湧き出たという. 死んだはずの聖女は, 自分の首を教会まで運び埋葬したという.

cherry サクランボ

「楽園の果実」と呼ばれることがある. 天国の報酬を暗示するものとして, 聖母子とともに描かれる果物の1つ.

cherubim　智天使 (ケルビム)

　天使 (angels*) の階級で，熾天使 (セラフ, seraphim*) につぐ2番目の階級．有翼の霊的存在であるが，必ずしも一対の翼を持ち，体が羽で覆われた天使として描かれるとはかぎらない．『出エジプト記』(25, 20) によると，一対の黄金のケルビムが，契約の箱 (Ark of Covenant*) の贖いの座に顔をむけて向かい合っていたという．芸術家がケルビムを描く際に参考にする主な出典は，エゼキエルの幻視である (『エゼキエル書』1, 4-25; 10, 1-22)．エゼキエルは，ケルビムが神の玉座の車輪の間にあって，火の中で車を動かしていたと記している．

　オックスフォード，ニュー・コレッジの礼拝堂玄関の南窓を飾る狭間飾り (トレサリー) のように，ケルビムが神の知恵を象徴するために本を持つことがある．中世後期の美術では，頭部と翼だけのケルビム像が見られる．ケルビムの図像 (イコノグラフィー) が，セラフィムのそれと渾然一体となっている場合もある．たとえば，シチリア島のチェファルー大聖堂を飾るアーチ型天井のモザイクには，目のある翼を持つ，全く同一の天使が6体描かれているが，ともにケルビムとセラフィムを表わす．これ以外では，ケルビムを金色か青色に，セラフィムを燃えるような赤色に描いて両者を区別する場合もある．

child　子供

　幾人かの子供の聖人は，地域的な枠組みを超えて崇拝されている (⇨boy)．その中で注目すべきは，聖キリクス (Cyricus, St*) である．美術でのキリクスのエンブレムは，イノシシに乗る裸の子供であるが，これはつぎのような物語に由来する．ある日カール大帝は，野生のイノシシ狩りに出る夢を見た．ところが，夢の中で自分の生命が危険にさらされるような出来事と遭遇した．すると裸の子供が現われて，もし大帝の衣服をく

れれば命を助けると約束した。ヌヴールには聖キリクスに奉献された大聖堂があるので、さっそく司教に大帝の夢判断を依頼したところ、夢は教会の屋根をふき直せというお告げであると司教は解釈した。

これ以外では、聖ゼノビウス（Zenobius, St*）のように、聖人の生涯の特定の出来事を想起させるために、ある決まった聖人と並んで子供が登場することがある。たとえば、聖クリストフォロス（Christopher, St*）の肩の上に座すのは、幼児キリストである。子供あるいは樽の中の複数の子供をエンブレムとする子供の守護聖人は、ミュラの聖ニコラオス（Nicholas of Myra, St*）である。肉屋の主人によって殺され、塩水の樽に投げ込まれた3人の子供をニコラオスが蘇生させたという出来事に由来するものである。伝統的には24人とされているが、数多くの子供と一緒にいる聖人は、ウェールズの伝説上の国王、聖ブリハン（Brychan, St）である。

いうまでもなく、キリスト教美術の中核をなす母子像といえば、聖母マリアと御子キリストである。しかし擬人化された〈慈愛（愛徳）〉が、子供に授乳する女性として描かれることもある。この場合、姉妹の〈希望（望徳）〉と〈信仰（信徳）〉が、〈慈愛〉の近くに配置されるかもしれない（⇨Three Theological Virtues）。美術と文学の双方が取り上げる出来事で、幼い子供が登場するものといえば、無辜聖嬰児（Holy Innocents*）の大虐殺である。

東西の美術に見られるように、古代からの伝統的なイコノグラフィーの手法として、霊魂（souls*）をミニチュアの人間の群集のように描くことがある。この場合、霊魂は子供と混同されやすい。⇨orans。

chi-rho キー・ロー（XとP とのモノグラム）

ギリシア語の「キリスト」

キー・ロー

の最初の2文字，すなわち，XとPとを交差させたキリスト教のモノグラム．ローマのコンスタンティヌス大帝がこのモノグラムを軍旗に用いたのは，幻視の体験で「この印によりて汝は勝利をえん」というお告げを受けたからだといわれている．この時代からXとPのモノグラムは，壁画，モザイク画，石棺，ランプ，祭服，教会の容器など，ありとあらゆるキリスト教の美術作品で見られるようになった．しかし12世紀以後は，IHS*のモノグラムに取って代わられた．

Christ　キリスト

新約聖書の種々の出来事を参照のこと．⇨Crucifix, Pantocrator, Trinity. 象徴的なキリスト像については，⇨cross, Lamb of God, throne.

Christ Child　御子キリスト

御子キリスト，あるいは幼児キリストがもっともよく登場する物語の場面は，東方の三博士（マギ）の礼拝や羊飼いの礼拝を伴うキリストの降誕（Nativity*），神殿での奉献（Presentation in the Temple*），割礼（Circumcision*），そしてエジプトへの逃避（Flight into Egypt*）である．御子はまた，荘厳の聖母（マエスタ，Maestá*）や聖なる会話（サクラ・コンヴェルサツィオーネ，sacra conversazione*）といった，物語絵画ではない作品の構図でも中心部を占める．

芸術家が表現する御子キリスト像は多種多様である．イタリア・ルネッサンスでは，写実的な赤子の図像が好まれ，光輪さえない場合もある．これに対しビザンティン美術では，小型化された成人のキリスト像が描かれる．東西とも，両手を上にあげて祝

福の身振り（gesture*）を見せるキリスト像を描く伝統がある．それはキリストに宿る神性を示すものである．キリストの持物，あるいはキリストの傍らに配置されたものには，象徴的意味が付与されている場合が多い．実例をあげれば，ゴシキヒワ（goldfinch*）やリンゴ（apple*）などである．⇨Virgin Mary.

Christina, St　聖クリスティナ（4世紀?）

　童貞殉教聖女．聖クリスティナ伝説に関しては，検証できる歴史的事実がすこぶる乏しい．伝記には，おそらく2人の異なった女性が関与していると考えてよいだろう．1人はレバノンのティールに住んでいた女性，もう1人はイタリアのボルセナの女性である．2人とも東西の両教会で崇敬されていて，祝日はともに7月24日である．もっとも信憑性の高い説明としては，ティールの聖クリスティナ伝説がイタリアに伝わって受容された後，初期キリスト教時代にトスカナ地方で殉教した人物の伝説と結びついたとする説である．後者の殉教者は，異教の神々へのいけにえを拒否し，一連の拷問にかけられた後に殺害されたといわれている．クリスティナの主なエンブレムは，石臼と矢（arrow*），あるいはそのどち

テニールス派，ボルセナの聖クリスティナと石臼，17世紀，パリ，国立図書館

らか一方である．前者については，クリスティナが石臼に縛り付けられ，ボルセナ湖に投げ込まれたが，石臼は沈まなかったという奇跡物語がある．後者の矢は，最後にクリスティナが殺された武具である．聖クリスティナ伝説はアレクサンドリアの聖カタリナ（St Catherine* of Alexandria）伝説と類似点があり，クリスティナも車輪やペンチを持つことがある．

Christmas　クリスマス

　⇨Nativity

Christopher, St　聖クリストフォロス（3世紀？）

　殉教者．旅行者の守護聖人．クリストフォロス伝説のギリシア語訳があったことが幸いし，すでに5世紀には，小アジアで聖クリストフォロス崇拝が盛んになっていた．しかしクリストフォロスに関する歴史的事実は欠如している．11世紀に入ると，イタリアのパヴィア，シエナ，ル

ッカなど，巡礼者がヨーロッパ北部からローマへ向かう途中に訪れる町の宿泊所には，同聖人名が付けられるようになった．

　西欧におけるクリストフォロスの物語としては，13世紀の『黄金伝説』に収められた聖人伝がよく知られている．「カナン出身」の巨人であるクリストフォロスは，主人と仰ぐべき世界最強の王子を探していた．まず，とある国の国王と出会ったが，悪魔を恐れる無様な姿に失望し，国王の家来になることを諦めた．つぎに国王を恐れさせる悪魔がいたが，悪魔自身もキリストの十字架を恐れるため主人には不適格であった．さらに主人を探して旅を続けていると，危険な渡し場の傍で暮らす隠修士とひょっこり出会った．隠修士はクリストフォロスに，旅人が安全に川を渡れるよう手助けすれば，悪魔の恐れるキリストに仕えることができると告げた．

　ある晩，子供姿のキリスト

が渡し場にやってきて、川を渡してほしいと巨人に頼んだ。川の中を歩いてゆくと、子供がだんだんと重くなっていくので、たまりかねたクリストフォロスが「おまえは何者だ、ほんの子供なのに、今までこんなに重いものは担いだことがない」と叫んだ（ちなみにこの場面を描いた作品としては、オックスフォードシャー、ホーリーの教会を飾る15世紀の壁画がある）。そのとき子供は、両肩に全世界を背負うキリストであると自らの正体を告げた。さらに子供は、巨人が手に持つ杖を地面に植えれば、翌朝までに葉が繁るだろうと告げて姿を消した。

その後、クリストフォロスは宣教師となる。しかし、そのために異教徒の国王に捕らえられ、拷問にかけられる。拷問では屈しないとわかると、国王は美しい2人の女性に誘惑させるが、聖人はこれも退ける。つぎに国王の臣下が放つ矢の標的にされる。しかし、矢はクリストフォロス

をかすめもせず、逆に1本の矢が向きを変えて国王の片目を射抜き、失明させてしまう。最後にはクリストフォロスも斬首刑に処されることになるが、処刑される前に、殉教者たる自分の血と土とを混ぜて目に塗布すれば視力が回復すると国王に告げる。教えられた通りにすると、国王の視力が回復したので、国王もキリスト教に改宗することになる。

この物語には美術の画題となるような格好の場面が含まれていたため、クリストフォロスの人気は不動のものとなったが、その人気の要因は美術だけではない。聖アンブロシウスの物語を通し、クリストフォロスは死の直前でさえ、庇護を求める者たちの無病息災を祈願した立派な聖人であるとも信じられていた。そして十四救難聖人（Fourteen Holy Helpers*）の1人と見なされた。また同聖人の肖像画を見た日は、突然死を免れることができるとも信じら

れていた．クリストフォロスの絵画が，昔から信徒の入場口の教会南扉と向かい合う北壁に飾られるのは，以上のような理由で説明がつくであろう．イングランドの9つの古い教会に加え，7つの中世の鐘が同聖人名を冠しているのは，この聖人画と同じような加護があると思われていたからである．

一般に絵画では，子供を肩に載せた巨人だけが描かれる．子供は，全世界の支配を示すために球体を持つことがある．しかし14世紀末からは，物語の他の要素も重要な役割を果たすようになった．たとえば，芽をふく杖（ヨークシャー，ピカリングの教会を飾る15世紀中頃の壁画）や，邪悪な国王の目につき刺さった矢（ワイト島，ショーウェルの教会を飾る15世紀後期の壁画）である．ノーサンプトンシャーのスラプトンの教会とコーンウォールのブリーグの教会を飾る15世紀初期の絵画には，クリストフォロスの

足元を泳ぐ魚に混じって，櫛と鏡をもった人魚が描かれている．

church　教会

教会の創設者である聖人や寄進者が教会の模型を手に持つ．⇨building.

Circumcision　割礼

ユダヤ教の律法で定められた，男子の幼児のための儀式．イエスも誕生して8日後に割礼を行った（『ルカ福音書』2, 21）．イエスの割礼の祝日は1月1日である．美術では，イエス，両親，割礼を

マンテーニャ，キリストの割礼，15世紀，フィレンツェ，ウフィツィ美術館

行った司祭などの関係者に加え、『ルカ福音書』に記された神殿での奉献（Presentation in the Temple*）の物語に登場する人々が付け足されることもある。同福音書によれば、割礼の直後に神殿での奉献が行われている。割礼と神殿への奉献という主題は、1つにまとめられる場合もある。どちらの場合にも、聖母マリアが御子を祭壇上へ差し出すか、あるいは祭壇上に横たえる場合が多い。この場合、キリストの体は聖体を象徴するものと見なされる。

Clare, St 聖クララ

（1194年-1253年）

イタリアの修道女で瞑想家。クララ女子修道会、あるいは聖フランチェスコ女子修道会の創始者。修道女の禁欲的な生活規則は、アッシジの聖フランチェスコ（Francis of Assisi, St*）によって作成された。クララ自身は生涯をアッシジで過ごしたが、修道会は、フランシスコ会の修道士たちのように、スペイン、フランス、そしてイングランドまで活動範囲を拡張していった。アッシジの町が皇帝フリードリヒ二世の軍隊に略奪される危機に直面したとき、病に伏していたクララは、自分を町の城壁にまで運ばせた。クララが聖体顕示台（monstrance*）を持って城壁に姿を現わすと、包囲軍は逃げ去ったといわれている。美術におけるクララのエンブレムは、聖体顕示台あるいは聖体容器（pyx*）である。

Clement of Rome, St ローマの聖クレメンス

（100年頃没）

ローマ教皇で殉教者。伝えられる所によれば、聖ペトロより3代目の教皇。4世紀の伝記によると、ローマで精力的に福音を説いて成功を収めたため、クリミアへ追放されたといわれている。クリミアの採掘坑で強制労働に従事させられたにもかかわらず、挫折することなく宣教活動を続

け，多くの人々を改宗させた．また奇跡的に泉を発見したこともある．美術では，横木3本の十字架（cross*）や三重冠（ティアラ）など，教皇の身分を示す祭具を持って登場する．また，殉教にまつわる錨（anchor*）を持つこともある．クレメンスが名声を博したのは，熱烈に宣教活動を行ったからだけではなく，とても早い時期に書かれたという点で重要な，コリントのキリスト教徒宛ての教書（クレメンス書簡）を残しているからである．

9世紀にスラブ民族へキリスト教を伝道した聖キリルス（キュリロス，Cyril, St）と聖メトディウス（Methodius, St）は，クレメンスの遺体と錨を取り戻し，ローマのサン・クレメンテのバシリカ聖堂に遷移したと述べている．その少し後に作成された聖堂のフレスコ画には，聖クレメンスの伝説的な行状が描かれている．その場面の中には，同聖人名を冠した教会から，1年前に教会が海中に没したとき堂内に置き去りにされたままになっていた子供が，元気で生還したという奇跡も含まれている．錨は同教会の祭壇の目立つところに陳列されている．

聖クレメンスは，ヨーロッパのいくつかの国々で崇敬されている．イングランドでは，同聖人名を冠した教会が43もあった．特にイースト・アングリア（イングランド南東部にあった古代王国で，現在のノーフォーク州，サフォーク州にあたる）で人気を得ていたようである．たとえばノリッジ大聖堂の回廊屋根の止め飾りには（15世紀初頭），聖人が泉を見つける場面や海中に投げ込まれる場面が描かれている．ロンドンのセント・クレメント・デーンズの教会は，錨を教区のエンブレムとする．

cloak　外套（マント）

トゥールの聖マルティヌス（Martin of Tours, St*）にまつ

わる伝記の中でもっとも有名なものといえば，自分の着ていた外套を2つに切断し，その片方を寒さに震える乞食に与えた物語である．兵士の姿で描かれることの多いマルティヌスは，通常，馬の背にまたがり，外套を剣で切り裂く姿が描かれる．

聖アルバヌス（Alban, St*）も，迫害されていたキリスト教の司祭を助けるために，自分の服と司祭の着ている衣服とを交換したという物語にもとづき，外套か，それに類した衣類を持つ場合がある．司祭は難を逃れたが，アルバヌスは捕らえられ殉教死した．

「慈悲のマドンナ」（*Madonna della Misericordia*, マドンナ・デラ・ミゼリコルデイ）の聖母マリア（Virgin Mary*）も，聖母を信奉する人々のために外套を広げていることがある．聖ウルスラ（Ursula, St*）も，聖母と同じように信奉者のために外套を広げ，彼らを庇護することがある．

clock　置き時計

しばしば節制のシンボルとなり，秩序性や測定される規則性を意味する．⇨Four Cardinal Virtues.

cloth　衣

キリストの顔の跡が残されている場合は，聖ヴェロニカ（Veronica, St*）のエンブレム．⇨veil.

cloud　雲

美術上のしきたりとして高度に様式化されることがある雲は，目に見えない神の存在を表わす．雲間からもれる太陽光線，あるいは雲の中に出現する目や手は，美術において神の力や全知を表現する標準的な様式であった．

雲間に消えてゆく足は，それだけでキリストの昇天（Ascension*）を表現できるので，天井の止め飾りや小パネル画のような空間の限られた狭所に昇天を描く際には，便利な手法であった．昇天のキリストは雲間に消えてゆく

キリストの昇天を描いた16世紀の
絵画

が，最後の審判（Last Judgement*）では，新約聖書に「見よ，白い雲が現れて，人の子のような方がその雲の上に座っており……」（『黙示録』14, 14）とあるように，雲の上に座することになる．

clover　クローバー

聖パトリキウス（Patrick, St*）のエンブレム．クローバーの3枚の葉は三位一体を象徴する．パトリキウスはアイルランド人にキリスト教の三位一体の信仰を教える際にクローバーを用いて「3つが1つの状態にある」という概念を説明したという．

club　棍棒

聖ユダ（Jude, St*）と聖小ヤコブ（James the Less, St*）のエンブレム．外典に収められた殉教物語によると，ユダは聖シモン（Simon, St*）とともにペルシャを訪れ，宣教活動を行ったが，棍棒でなぐり殺され同地で殉教したという．

衣類を叩くのに用いる砧棒（きぬた）は，昔から小ヤコブを殺害した凶器であったといわれている．小ヤコブはエルサレムの神殿の小塔から投げ落とされ，地面に倒れているところを砧棒でなぐり殺されたと伝えられている．

棍棒

cock　オンドリ

聖ウィトゥス（Vitus, St*）

のエンブレムで警戒のシンボ
ル．悪魔の策略に対する警戒
の勝利を象徴的に表現した作
例が，ヴェネツィアの小島群
のムラーノの教会を飾る12
世紀の床モザイクで，縛り上
げたキツネを運ぶ2羽のオン
ドリが描かれている．

鳴くオンドリとペトロの離反，15世紀，キプロス，プラタニスターサの壁画

聖ペトロ（Peter, St*）がオンドリを伴う場合は，キリストを知らないと言ったペトロの意志の弱さを想起させることもある．キリストはペトロの離反を予告して，「あなたは今夜，鶏が鳴く前に，三度わたしのことを知らないと言うだろう」（『マタイ福音書』26, 34）と警告した．

cockle shell　ザルガイ類の貝殻

⇨shell.

coif　コイフ

飾りのない，頭にぴったりと合った頭巾．13世紀から14世紀にかけて平信徒が一般に着用した．聖職者は旅に出る時にだけコイフを着用した．中世の天使像で，コイフをかぶった天使が描かれるのは，おそらく前述した理由からかもしれない．つまり，神から使命を受けて旅に出るのが天使の役目だからである．

columbine　オダマキ

青い花は，聖母マリアにまつわる花の1つ．白い花は，花の形状と名称からハト（dove*，ラテン語 columba）を示唆し，聖霊を象徴する場合がある．

comb　櫛

聖ブラシオス（Blaise, St*）

コイフ

櫛

のエンブレム．伝説によると，斬首刑に処される前に，羊毛の櫛でずたずたに体を切り裂かれる拷問を受けた．

Communion of the Apostles 十二使徒の聖体拝領（[[正] 聖体機密）

最後の晩餐（Last Supper*）に密接に関連する主題．美術では，キリストが実際に聖体の秘跡を執り行ない，聖餐台に一列に並ぶ使徒にパンとブドウ酒を分け与え，使徒たちがそれを拝領する姿が描かれている．特にビザンティン美術では，キリストを2人配置した特異な構図が用いられる場合があり，1人のキリストが片方の使徒の列にパンを，もう1人のキリストがもう片方の列の使徒にブドウ酒を授けている．

corn 小麦（穀物）

聖体の聖餅のシンボル．キリストの降誕（Nativity*）の場面では，一束の穀物が飼葉桶の前に配置される場合もあ

るし，幼な子キリストの枕となる場合もある．その場合，穀物は「天から降って来た生きたパン」（『ヨハネ福音書』6, 51）としてのキリストを暗示する．小麦の穂がブドウ（grapes*）と一緒に描かれる場合，後者は聖体のブドウ酒を表わす．たとえば，ボッティチェッリの「聖餐の聖母」（1470年頃，イザベラ・スチュアート・ガードナー美術館，ボストン）では，天使がキリストを祝福するために，小麦の穂とからみあった一握りのブドウを差し出している．

小麦の穂は，穀物の守護聖人である聖ウァルブルガ（Walburga, St*）とも結びつく．5月1日の祝日にはウァルブルガの守護が祈願される．おそらく異教の豊穣の女神を崇拝する伝統が，ウァルブルガ崇拝にも受け継がれたのであろう．⇨Flight into Egypt.

ボッティチェッリ，聖母子と麦やブドウを持つ天使，イザベラ・ステュワート・ガードナー美術館

Coronation of the Virgin　聖母マリアの戴冠

　⇨Assumption.

Cosmas and Damian, SS
聖コスマスと聖ダミアヌス

（おそらく3世紀頃）

　東方の殉教者で、シリア生まれの可能性がある。医師の守護聖人。伝説によると双子の兄弟で、医術に優れ、人間のみならず動物も治療したという。おそらく287年、または303年、キリスト教徒が迫害された時代に3人の弟と一緒に処刑されたらしい。その殉教の場面は、フラ・アンジェリコの祭壇画に描かれている。海に投げ込まれたり、石叩きの刑に処されたり、矢を射られたりしたが、2人はどのような拷問を受けても無傷であったため、最後は斬首刑に処された。

　少なくとも5世紀頃には東方で聖コスマス・聖ダミアヌス崇拝が確立していたらしく、両聖人名を冠した多くの教会や聖人画などで、「アナ ルジロイ」（*Anargyroi**、「治療代を受け取らぬもの」の意）という共通の名称で呼ばれている。ローマの大広場（フォルム）には、2人の聖名を冠した6世紀の教会（サンティ・コスマ・エ・ダミアーノ聖堂）があり、2人を描いたモザイク画も飾られている。中世にはヨーロッパ全土の薬屋、内科医、外科医らの同業者組合（ギルド）が、開業医全般の守護聖人として両聖人の守護を祈願した。イタリアでは、フィレンツェのメディチ家の守護聖人であったため、メディチ家ではコージモという名前がよく用いられた。ボッティチェッリの祭壇画には、聖母マリアの前でひざまずく両聖人が描かれているが、そのモデルはロレンツォ・デ・メディチとジュリアーノ・デ・メディチである。

　フランスでは、両聖人名を冠した教会がエクアン近郊のリュザルシュにあり、1170年にエルサレムから帰還した十字軍兵士、ジャン・ドゥ・

ボーモンが持ち帰ったという2人の聖遺物が収められていた. 両聖人が起こした奇跡の中でもっとも有名なのは死後に行った黒人の足の手術であり, 15世紀スペインの芸術家によって好んで取りあげられた主題であった. ペドロ・ベルゲーテとガリューゴは, 同聖人伝説をいきいきと表現した芸術家である. 伝説によると, コスマスとダミアヌスは死後にローマにある2人の教会の庇護者のもとを訪れたという. そして不治の病に罹った庇護者の足を切断し, 死んで間もない黒人の正常な足を移植したと伝えられている.

聖コスマス・聖ダミアヌス崇拝の興味深い特徴は, キリスト教徒の双子の彼らが, 古代ローマ世界全土で崇拝された異教の双子, カストルとポリデウケス (ポルックス) と類似していることである. 後者はディオスクロイという名称で知られている. また, 異教の神々を祀る大神殿で行なわれた「神殿籠り」という風習も, コスマスとダミアヌスのいやしの業の崇拝と重複する部分がある. 神殿籠りとは, 病人が, 夢の中で神が来訪して病を治してくれることを期待し神殿で一晩泊まることである.

教会の場合と同じように, 美術でもコスマスとダミアヌスは一緒に登場する. 乳鉢と乳棒, 薬瓶, 薬箱, メス, ガラス瓶といった医療器具を持つ青年, あるいは中年男性として描かれる.

Covetousness 貪欲

七つの大罪 (Seven Deadly Sins*) の1つ.

cow 牛

アイルランドの聖ブリギッド (Bridget, St*) のエンブレム. 女子修道院での牛にまつわる物語の1つに, 不意の訪問者の喉の渇きを満たすために, 牛たちが奇跡的な量のミルクを出したというのがある.

crescent moon 三日月

天の元后，聖母マリアのシンボル．聖母マリアは，『ヨハネの黙示録』の「身に太陽をまとい，月を足の下」(12, 1) にする女性と同一視されていた．グロスターシャー，フェアーフィールド教会の聖母礼拝堂を飾る窓には，聖母マリアの被昇天（Assumption*）が描かれているが（1500 年頃），まさに上述の聖書の記述のように月の上に立ち，太陽の光線を放つ聖母マリア像が描かれている．磔刑の場面での月の象徴については，⇨sun, moon.

Crispin and Crispinian, SS 聖クリスピヌスと聖クリスピニアヌス（3世紀後期？）

殉教者．生まれはおそらくローマであろう．少なくとも6世紀には，フランスのソワッソンで，両聖人崇拝が定着していたと考えられる．しかし伝説によると，同地域の宣教師であった2人は，共同生活を営むキリスト教団の重荷になることを嫌い，靴屋で生計を立てたといわれている．しかし，この伝説は同地に2人の聖遺物が安置されていることを説明するための作り話であろう．聖遺物はローマから遷移された可能性がある．このようなことから，靴屋と皮製品に関係する人々の守護聖人となった．エンブレムは靴 (shoe*)，あるいは靴屋の靴型である．

また，クリスピヌスとクリスピニアヌスは迫害を逃れるためにケントまで避難したという伝説がある．これも2人の物語にイングランド的な視点を加えて粉飾を施したものである．ファヴァシャムにあったといわれる2人の仕事場は，カンタベリー巡礼のルート上にある．ファヴァシャム教会には，両聖人名を冠した祭壇もあった．しかし，所詮2人は本質的にフランス人なので，もしシェイクスピアが『ヘンリー五世』で国王の口からクリスピヌスとクリスピニアヌスの名を語らせなかったならば，おそらく両者の名

は忘れ去られていたことだろう．戯曲には，聖クリスピヌスと聖クリスピニアヌスの祝日の 10 月 25 日にアジンコート（アジャンクール，フランス北部）で行う決戦を前にして，ヘンリー五世が兵士たちを諭す場面がある．

crocodile　ワニ
⇨Theodore, St.

crook　牧羊杖
羊飼いのトレードマーク．したがってキリスト教徒の群れを養う羊飼いとして，教皇，司教（主教），修道院長，女子修道院長のエンブレムとなる．この役割を担う聖職者は，聖書でのキリスト像，すなわち「魂の牧者であり，監督者」（『ペトロ手紙一』2,25）である良き羊飼い（Shepherd*）としてのキリストを自らの手本とする．西欧の教会では，牧羊杖が典礼の笏杖（crozier*），すなわち司教杖となった．

cross　十字架
初期キリスト教時代に，磔刑に処された幾人かの殉教者のエンブレムで，この中には使徒の聖フィリポ（Philip, St*）も含まれる．ただし東方正教会の美術では，殉教者なら誰でも小さな十字架を持つことがあり，必ずしも磔刑に処された者とは限らない．

地下墓地（カタコンベ）のような初期キリスト教美術では，十字架は主要なシンボルではない．十字架を描いた作品の中で，もっとも古くて重要なものの 1 つとして，ラヴェンナのモザイクがある（440 年頃）．サンタポリナーレ・イン・クラッセ聖堂やラヴェンナの大司教館付属礼拝堂のモザイクには，背景に星をちりばめた十字架が描かれている．それは，キリストの人間性を表現することの是非を巡って論争が巻き起こっていた時代の作品で，当時の信徒のために栄光のキリストを表現したものである．この問題は，692 年にトルッロで開催

されたビザンティン会議（キニセクスティン会議）で解決され，キリストの象徴的表現よりもむしろ形象描写的表現を使用するほうが望ましいという法令82条が制定された．また同会議は，キリスト教の勝利のシンボルを足下に置くのはふさわしくないとして，十字架を床に配置しないことも定めた．

十字架には多くの異なった型がある．初期の時代では，キリストの十字架を，英語のT文字のような形をしたタウ型十字架（*crux commissa*）とするか，あるいは軸木が横木より上に伸びているラテン十字（*crux immissa*）にするかで意見が分かれた．磔刑を描いた場面では，両方の十字架が用いられる．横木が英語のY文字の形をしたY型十字は両者ほど一般的ではないが，ヨーロッパ北部のゴシック美術では見かけることがある．

タウ型十字架あるいは同形の杖は，エジプトの聖アントニオス（Antony of Egypt, St*）の持物である．聖アンデレ（Andrew, St*）の十字架は，X型十字架である．聖ゲオルギウス（George, St*）の旗印は，白地に赤十字である．この旗は，大天使

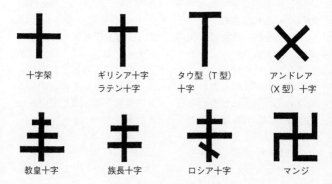

十字架	ギリシア十字 ラテン十字	タウ型（T型） 十字	アンドレア （X型）十字

教皇十字	族長十字	ロシア十字	マンジ

ミカエルや他の戦士聖人たちからゲオルギウスを区別する一助となる. 美術作品の題材となる物語には, 十字架に逆さにつけられた聖ペトロ (Peter, St*) の殉教がある. 聖クレメンス (Clement, St*) と他の教皇聖人は, その地位を示す横木3本の十字架を手にして描かれることがある. それに対し, 大司教 (大主教[正]) や総大司教 (総主教[正]) は, 横木2本の十字架を使用することがある. 長い杖の上につけられた十字架は, 説教者や宣教師を意味する場合がある. 洗礼者の聖ヨハネ (John the Baptist, St*) が細長い十字架を持物とするのはこのためである.

十字架を持つ聖女は, 聖ヘレナ (Helena, St*) である. しかしヘレナの場合, 十字架にかけられて殉教したわけではない. ヘレナにまつわる有名な伝説は, 326年, エルサレムでキリストが磔刑に処された「真の十字架」の発見である. ⇨crucifix.

crow カラス

物語作家や芸術家によってワタリガラス (raven*) と混同されることがある. たとえば, サラゴーサの聖ウィンケンティウス (Vincent of Saragossa, St*) の伝説では, 死肉を食べる清掃動物らが聖人の亡骸を食い荒らさないように, カラスあるいはワタリガラスが番をしたといわれている.

crown 冠

シュロ (palm*) の葉がついていれば, 殉教者の特徴的なしるし. 最初の殉教者である聖ステファノ (Stephen, St*) の名前は, ギリシア語で「王冠」を意味する. ビザンティン美術では, 殉教者が王冠をつけることもあるし, 神の手が現われて殉教者の頭上に王冠を差し出していることもある.

聖エセルドレダ (Etheldreda, St*) や聖ウォルスタン (Walstan, St*) のように, 王

冠がそれを着用する王族の血筋しか意味しない場合もある（⇨sceptre）. 聖エドムンド（Edmund, St*）は, 殉教した王女の聖ウルスラ（Ursula, St*）と同じように, 国王でも殉教者でもあるので, 二重に王冠を受ける権利がある. オオカミが番をする, 王冠をかぶった首は聖エドムンドを象徴する. ごく初期の聖セバスティアヌス（Sebastian, St*）像は, 殉教の王冠を持つ老人として描かれた. しかしその後は, 老人とは対照的な若者が矢を射られた姿で描かれるようになり, 後者のほうが親しまれている. 聖ヨドクス（Josse, St*）などの特定の聖人の足元に置かれた王冠は, 誉れ高き王家の血筋の拒否を意味する. 天使の階級では, 一般に主天使（dominations*）と権天使（principalities*）が, 天使の役割を象徴する冠をかぶる. 最後の審判の場面に登場する冠をかぶった24人の人々の列, あるいは一団は, 『ヨハネの黙示録』に述べられている24人の長老（Four and Twenty Elders*）である.

三重冠（ティアラ）は特徴的な教皇冠であるが, 3つの宝冠が上部に至るほど小さくなり, 現在のような山形状になったのは14世紀初頭である. しかし, 芸術家に時代考証の意識はまったくなく, グレゴリウス一世（Gregory the Great*）やシルヴェステル一世（Sylvester, St*）のような古い時代の教皇にも三重冠をかぶらせている. 中世後期とルネッサンス期の美術では, 三重冠をかぶった父なる神が頻繁に描かれた. 二重冠は, ハンガリーの聖エリザベト（Elizabeth, St）のエンブレムである.

黄金以外の素材で造られた冠といえば, まずイエスの茨の冠が思い浮かぶ. 中世初期の美術では, 十字架上のキリストは何もかぶっていないが, 13世紀に入ると頭部に細いバンド（フィレ）を巻いたキリスト像が西欧の芸術家の

間で定着した．1300 年を過ぎる頃から，これに代わって茨の冠が一般的となった．聖母マリアの戴冠を描いた 15 世紀後期の雪花石膏（アラバ スター）パネル画のように（ノッティンガムシャー，ノッティンガム城博物館），茨の冠が，栄光のキリストの着用する三重冠の最下層を形成することもある．

シエナの聖カタリナ（Catherine of Siena, St*）も，自らキリストの受難を霊的に追体験したことを示すシンボルとして茨の冠をかぶったり，キリストから冠を授かる姿で描かれることがある．聖アカキウス（Acacius, St*）も同様である．茨の冠はまた一連の受難具（Instruments of the Passion*）としても登場する．

天の元后，聖母マリアの戴冠の場面では（⇨Assumption），聖母に一重冠，二重冠，あるいは三重冠が授けられる．しかし聖母はまた「1人の女性が身に太陽をまとい，月を足の下にし，頭には十二の星の冠をかぶっていた」（『黙示録』12，1）女性とも同一視されている．芸術家は，この聖書の一節を根拠とし星の飾り輪をつけた聖母を描くこともある．

ビザンティン美術では，ギリシア正教会で 6 世紀以来の伝統を持つ儀式を題材として，結婚冠をかぶる新郎と新婦の姿を描く場合がある．この作例としては，テッサロニキのアギオス・ニコラス・オルファノス聖堂にカナでの結婚（Marriage at Cana*）を描いたフレスコ画（14 世紀）がある．花の冠については，⇨wreath.

crozier　笏杖

（［カ］司教杖，［正］権杖）

司教（主教）や教会の権威者が持つ杖．したがって，そのような教会の要職についた聖人は，よく手に笏杖を握っている．聖エセルドレダ（Etheldreda, St*）やニヴェルの聖ゲルトルディス（Gertrude of Nivelles, St*）のよう

笏杖

な女子大修道院長も，その職標として笏杖を持つ．

西欧の教会では，笏杖の形が牧羊杖を想起させるので，「牧杖」（pastoral staff）とも呼ばれている．笏杖が一種の祭具として最初に登場するのは7世紀である．中世後期になると，非常に精巧で美術品としても貴重な笏杖が生まれた．たとえば，オックスフォードのニュー・コリッジには，ウィッカムのウィリアムの司教杖（1367年頃）が収められている．

crucifix　十字架像

信心業の一助として用いられた十字架のキリスト像（⇨Crucifixion）．東方教会の十字架像は一般的に絵画イコンの形態をとるが，西方の教会の標準的なそれは，石像，木像，あるいは金属製である．イングランドでは，教会の内陣入口の中央上部にキリスト像を配置するのが慣習であった．もっとも十字架像自体は宗教改革の際に取り外されて破壊されたが，上部に十字架像を配置した内陣仕切り（cf. cross）は，いまでも多くの教会に残っている．金属製，木製，象牙製の小さな携帯用十字架像や，装飾用の宝石を象嵌した小型十字架は，中世・ルネッサンス期の美術が生み出した傑作である．

宗教改革の頃，ローマ・カトリックの教会美術で人気を博した主題は，聖グレゴリウス（Gregory, St*）のミサであった．教皇グレゴリウス1世がミサを執行していたと

き，奇跡的にも祭壇ごしに十字架が出現したという．この奇跡がグレゴリウス伝に加えられたのはかなり後になってのことだが，この物語によって十字架像が同教皇のエンブレムとなった．雄ジカの角の間にかかる十字架像は，聖エウスタキウス（Eustace, St*）と聖フベルトゥス（Hubert, St*）のエンブレムである．またキリストの聖痕（stigmata*）を受けるアッシジの聖フランチェスコ（Francis of Assisi, St*）を題材とした絵画でも，十字架像が描かれることがある．ユリの十字架像については，⇨Annunciation.

Crucifixion　磔刑

キリスト教美術のあらゆる表現手段を用いて描かれた十字架上でのキリストの死（⇨crucifix）．5世紀以前，一つにはキリスト教教義の影響により，芸術家の側に死亡したキリスト像を描きたがらない傾向があったことから，キリストの磔刑を主題とした作品はおそらく存在しなかったであろう．そのようなキリスト像の妥当性をめぐる論争は，11世紀に入っても続いていたようである．現存するキリスト磔刑像の中でもっとも古い作品の1つが，ローマのサンタ・サビーナ聖堂の木製扉に施された彫刻である．それは3つの十字架像からなる素朴な作品で（420年頃-430年），頭をまっすぐに立て両眼を見開いたキリスト像が彫られている．何世紀にもわたって時代が変遷すれば，キリスト教各宗派の間に教義上の意見の相違が生じるように，キリスト磔刑像を支配してきた芸術的伝統にも多くの変化が生じた．

サンタ・サビーナ聖堂の腰布を巻くキリスト像のように，ごく初期の磔刑を主題とした作品は別として，11世紀に至るまで磔刑像のキリストの身体は常に衣服で完全に覆われていた．中世後期のドイツの芸術家の中には，裸同

然のキリストを描き，極端な肉体的苦痛だけを集中的に表現しようと試みた者もいた．しかし，それは教義により合理的に描かれた世界であり，ビザンティン美術の宗教的で謹厳なキリスト磔刑像とはかけ離れている．茨の冠は，中世以降の西欧の十字架像で必ずといってよいほど取り上げられる主要な細部描写（ディテ）であるが，ギリシアとロシアのイコンでは欠如している．これらのイコンでは，キリストは何もかぶっていないか，あるいは細いバンドを頭部に巻きつけているだけである．同様に西欧美術では，キリストの両足は十字架の軸木に1本の釘で打ちつけられる場合が一般的である．これに対し東方の芸術家は，キリストの両足を十字架の横木の上にのせ，2本の釘で固定する．そ

キリストの磔刑，5世紀，ローマ，サンタ・サビーナ聖堂

ファン・エイク派，キリストの磔
刑，ベルリン，国立絵画館

の結果，東方美術では，西欧
美術よりもキリストの体の歪
みが少ない．

　西欧の教会では，磔刑図を
中心とする祭壇画が数多く描
かれているが，画面の登場人
物に関しては最小限の数にと
どめ，ごく簡素に処理する
か，あるいはかなり精巧を極
めて描くかのいずれかであ
る．芸術家は，十字架の足元
に描く人物を選出するにあた
り，四福音書を典拠とした．

まず聖母マリアと多くの女性
たち．その中にはマグダラの
マリア（Mary Magdalene*）
やクロパの妻マリアも含まれ
る．つぎにイエスが母親の世
話を頼んだといわれる弟子で
福音書記者の聖ヨハネ（『ヨ
ハネ福音書』19, 25-27），そし
て百人隊長（centurion*）の
指揮下にあったローマ軍兵士
である．これらの中心的登場
人物の周辺を構成するのは，
イエスの弟子たちやイエスを
嘲笑した人々である．中央の
キリストの十字架の両側に
は，2人の強盗の十字架が描
かれている．

　聖書を典拠として伝統的に
描かれる細部としては，キリ
ストの頭上に取りつけた文字
の書かれた札（⇨INRI），ゴ
ルゴダは「されこうべの場
所」を意味するという『マタ
イ福音書』（27, 33）の解釈を
受けて地面に置かれた髑髏
（どくろ），そして「暗くなる空」
（27, 45）である．聖書を典拠
としない細部描写としては，
キリストの傷口から流れ出る

血を聖杯（カリス）で受け止める天使，あるいは十字架上の小さな太陽（sun*）と月である．

磔刑に処された使徒としては，聖アンデレ（Andrew, St*），聖ペトロ（Peter, St*），聖フィリポ（Philip, St*）があげられている．聖アカキウス（Acacius, St*）も，大規模に行われた磔刑の犠牲者の１人であった．

cruets　祭瓶

アリマタヤの聖ヨセフ（Joseph of Arimathea, St*）にまつわる銀製の小容器．アリマタヤの聖ヨセフは，１つの祭瓶でキリストの血を，別の祭瓶でキリストの汗をあつめ，この２つの貴重な聖遺物をイングランドへ持ち運んだと信じられている．典礼では，２つの瓶に聖体用のブドウ酒と聖水を入れる．

cup　杯

柄のある杯，あるいは聖杯（chalice*, カリス）は，幾人かの聖人のエンブレムである．も

っともよく見られるのは，福音書記者の聖ヨハネ（John the Evangelist, St*）の杯で，上部にはヘビが巻きついている．外典の物語によると，エフェソのダイアナ神殿の祭司長はヨハネに毒入りの杯を飲ませようとしたが，ヨハネが杯に祈りを捧げると，毒がヘビあるいは有翼の小竜に姿を変えて退散したという．杯の中身を飲みほしたヨハネは，無事であった．

別の毒杯伝説には，聖ベネディクトゥス（Benedict, St*）にまつわるものがある．この聖人は壊れた杯を持って描かれることがあるが，それはつぎのような出来事に由来する．ベネディクトゥスはある修道会から精神的指導者として招かれた．しかし彼の定めた規則や厳格な修道院制度に不満を抱く一部の修道士が，飲み物にこっそり毒をもった．ベネディクトゥスがそれを飲む前に杯を祝福すると，杯は粉々に砕かれ，毒の混入が暴かれたという．

聖杯は，司教職にある数人の聖人を連想させる．イングランドの司教，チチェスターの聖リチャード（Richard, St, 1197年-1253年）の足元に横たわる聖杯は，同司教がミサの執行中にうっかりと聖杯を落としてしまうが，奇跡的にも杯は壊れなかったという出来事を示すものである．リンカンの聖ヒュー（Hugh of Lincoln, St*）は，御子キリストが座する杯を持つ．ドイツの司教，聖ノルベルトゥス（Norbert, St*）の持つ杯からは，クモが這い出そうとしている．

Cuthbert, St　聖カスバート（クスベルト）

（634年頃-687年）

　アングロ・サクソンの修道士．リンディスファーンの司教（685年-687年）．精力的に活動した宣教師で，人並みはずれた神々しい容貌と能力の持ち主．カスバートはブリテン北部の人々を説得し，それまで遵守されてきたケルト教

会の慣習よりもローマ・カトリック教会の慣習が受容されるよう尽力した．没後数年経過しても，同聖人の遺体は朽ち果てなかったという．リンディスファーンの聖堂が聖カスバート崇拝の中心地となって栄えたのも，ちょうどこの頃からである．しかし875年には，デーン人によるリンディスファーンの略奪という不幸に見舞われる．辛くも生き残った修道士たちは，カスバートの遺体と聖遺物を永遠に安置するにふさわしい聖所を求め津々浦々を探し歩いた．1世紀以上もあちこちを探し回ったのち，ついにダラムに安住の地を見出した．ダラムの同聖人の聖堂の上には，ノルマン様式の大聖堂が建てられた．カスバートの聖遺物は，1104年から宗教改革で廃止されるまで同聖堂に安置されていた．

　12世紀以降，カスバートはイングランドでもっとも人気を博した聖人の1人となった．同聖人名を冠した教会が

135 ほどあるが，その大部分はイングランド北部の州に散在しており，スコットランドにも 17 の教会がある．カスバート独自のエンブレムはないものの，その生涯を描いた数々の場面，彼が行った奇跡，死後の旅は，美術作品の題材となり多くの場所で見ることができる．特に注目を集めるのがヨーク・ミンスターの窓（セント・カスバート・ウィンドウ）である．

Cyricus, St（Cyriacus, Quiricus, Cyr）聖キリクス（キュリアコス）（304 年頃没）

子供の殉教者．子供の守護聖人．キリクスはイコニウム（現在のトルコのコニア）の出身だと伝えられている．母親の聖ユリッタ（Julitta, Juliette）とともにタルススのキリスト教徒迫害の渦に巻き込まれる．ほんの 3 歳の子供ながら，大胆にも拷問官に反抗し，最後には処刑された．

キリクス崇拝と種々の異説を生んだ伝説は早くも 4 世紀頃から存在し，その名声と聖遺物は西欧へ伝播した．フランスには同聖人名を冠した教会が数多くある．母親の聖ユリッタとキリクスの 2 人に奉献されたヌヴェールの大聖堂には，カール大帝の夢枕に立った同聖人の物語が伝えられている．キリクスのエンブレム，野生のイノシシに乗った裸の子供（child*）はこの物語に由来する．ウェールズでは，キリクスと実在の疑わしいケルトの聖人クリグ（Curig）とが同じような紛らわしい名前であったため，両者の伝説も混同されている．東方の祭日は 7 月 15 日，西方の祝日は 6 月 16 日である．

D

うに，短剣が肩に突き刺さったままのペトルスを描く者もある．パドヴァの聖ユスティナ（Justina of Padua, St*）もまた短剣あるいは剣が胸に突き刺さっている．

dagger　短剣

イングランド国王で殉教者の聖エドワード（Edward the Martyr, St*）とイタリアのドミニコ会士で殉教者の聖ペトルス（Peter Martyr, St*）を殺害した凶器．聖エドワード像は，王冠をかぶり，手に短剣を持つのが一般的である．美術のペトルス像の特徴は頭の裂傷であるが，芸術家の中にはフラ・アンジェリコのよ

dalmatic　帷衣（ダルマ／ティカ）

袖付きの，ゆったりと膝まである祭服．助祭（deacon*）が着用する上着．時には司教がまとうこともある．東方正教会でこれにあたる祭服は，サッコス（sakkos）と呼ばれている．元来は白色であるが，10世紀から彩色されたシルク製のものが一般的となった．

ダルマティカは，助祭が教会の祝日によく着用する祭服なので，聖ラウレンティウス（Laurence, St*），聖ステファノ（Stephen, St*），聖ウィンケンティウス（Vincent, St*）のような聖職位階をもつ聖人を識別する上で一助となる．

Damian, St　聖ダミアヌス
⇨Cosmas and Damian, SS.

短剣

Dance of Death　死の舞踏

特に中世後期・ルネッサンス期のフランス美術やドイツ美術に見られる主題．ドイツ語では「トーテンタンツ」(*Totentanz*)，フランス語では「ダンス・マカーブル」(*danse macabre*) の名称でも広く知られている．骸骨の姿をした死が，老若男女・貧富を問わず，ダンスの輪に入るように誘う．フランス中央部，オート・ロアール県のラ・シェーズ・デューの教会には，死の舞踏を主題とした立派な絵画がある（15世紀）．この主題は一連の木版

ミヒャエル・ヴォールゲムートの木版画，死者のオーケストラ，15世紀，ニュールンベルグ

画でも取り上げられており，中でもハンス・ホルバイン（子）がリヨンで 1538 年に出版した版画集がもっとも有名である．またスイス，ルツェルンのシュプロイア橋を覆う屋根の内側に描かれた 17 世紀の絵画のように，世俗的な作品の題材となることもある．

Daniel　ダニエル
（紀元前 6 世紀）

豊富な知恵で誉れ高い旧約聖書の預言者．ヘブライ語聖書と欽定訳聖書の『ダニエル書』はわずか 12 章だけで構成されているが，古くから有名な物語が追補されている．それは，現在では正典と認められていないスザンナと長老の物語である．

ダニエルは，国王ネブカドネツァルにより，国王の宮廷で仕える少年の 1 人としてユダからバビロンへ連れてこられた．ダニエルと一緒に来た者の中には，ハナンヤ，ミシャエル，アザルヤがいたが，それぞれにバビロンの名前が

与えられ，シャドラク，メシャク，アベド・ネゴと呼ばれた．4人全員が高職に就いたが，国王の夢の解釈者であったダニエルは，国王から格別の信頼を勝ちとっていた．しかしユダヤ人の彼らは，異教崇拝で身を汚すのを拒否したため，最後は国王の怒りを買うことになった．シャドラク，メシャク，アベド・ネゴは燃えさかる炉の中に投げ込

ライオンの洞窟に投げこまれたダニエル，『聖書図解』（ウェストール＆マーチン，19世紀）

まれた．しかし奇跡的にも1人の天使が救いの手を差し伸べた．見物人たちは，天使が3人と一緒に炎の中に立つ姿を見た．国王が彼らを呼び出すと，彼らは無傷で火中から姿を現わした．

ダニエルは，ネブカドネツァルの後継者ベルシャツァルの大宴会で起こった奇怪な出来事，すなわち壁に字を書く指の幻視を解釈し，バビロン帝国の没落を予言した．当時バビロンを支配していたメディア人の国王ダレイオスは，ダニエルに大臣の位を与えた．ところがダニエルはユダヤ人の影響力を妬む者たちの罠にはまり，ライオンの洞窟に投げ込まれた．しかし奇跡的にも，この災難を無傷で乗り切った．「神様が天使を送って獅子の口を閉ざしてくださった」（『ダニエル書』6, 22）からである．それを知った国王は，ダニエルの代わりに陰謀者たちをライオンの洞窟に放り込むよう命じた．彼らはライオンにむさぼり食われた

という.

シャドラク, メシャク, ア
ベド・ネゴが燃えさかる炉に
投げ込まれる場面と, ダニエ
ルがライオンの洞窟に投げ込
まれる場面は, 双方とも3世
紀以降のキリスト教美術に頻
繁に登場する主題である. た
だし地下墓地 (カタコンベ) の壁面
や石棺に描かれる登場人物
は, ほんの僅かな人々だけに
限られている. すなわち炎の
中に立って祈りを捧げる3人
の若者 (⇨orans), そして2
頭のライオンの間に立つダニ
エルである. 迫害の時代にあ
ったキリスト教徒たちは, 野
獣の中に投げ込まれたり, 生
きたまま焼き殺されるといっ
た危険と常に背中合わせであ
ったので, 前述の2つはすこ
ぶる現実味を帯びた主題であ
ったと思われる. ダニエルと
仲間の少年たちが, 異教徒の
中にあって果敢にもユダヤ教
の教えを実践し, その結果,
神の加護を受けて加害者から
身を守ることができたという
物語は, 特にローマ帝国で迫

害されたキリスト教徒の心の
琴線に触れるものであった.
中世後期になると, 芸術家の
作品群に占めるこの2つの主
題の重要性が減少していっ
た. もっともダニエルとライ
オンは, ささやかながら人気
を保った主題であった.

Daughters of God　神の娘たち

⇨Four Daughters of God.

David　ダビデ
(紀元前10世紀)

ヘブライ人の第2代国王.
伝説によれば『詩編』の著者
といわれている. ダビデの父
親は, ベツレヘムのエッサイ
という男であった. 『マタイ
福音書』(1) の系図によれば
ダビデはイエスの先祖であ
り, 受難を前にしたイエスが
エルサレムに堂々と入場する
際も「ダビデの子」として迎
えられる (『マタイ福音書』21,
9). エッサイの樹 (Tree of
Jesse*) と呼ばれるイエスの
系図を描いた中世の作品で

詩編作者のダビデ，15世紀，『ベリー侯の聖詩編』

は，ダビデが常にソロモンとともに重要な役割を果たす．キリストの地獄への降下（Harrowing of Hell*）では，王冠をかぶったダビデとソロモンが，高潔な者たちの霊魂の最前列に頻繁に登場する．ほとんどの場合，ダビデは王冠と竪琴を持つので見分けがつく．

ダビデの生涯を飾る最初のエピソードで芸術家の関心をもっともひきつけたのは，悪霊にさいなまれたサウル王を慰めるためにダビデが行った竪琴の演奏である（『サムエル記上』16, 14-23）．それに続く出来事としては，ペリシテの巨人ゴリアトを打ち倒したことである（『サムエル記上』17, 32-51）．絵画や彫刻では，敵ゴリアトの首を足元に置くか，手に持つか，あるいは単に石投げ器や石を持つ青年ダビデ像が一般的である．

サウルの死後，ユダの国王となったダビデは，数年後に自分の統治する王国とイスラエル人の王国とを統合し，エルサレムに首都をおいた．その長期にわたる治世は波瀾万丈で栄華に富む．しかし聖書の物語として，家族の仲違いや個人的な裏切り行為も記されている．特に息子アブサロムとは不和であったし（『サムエル記下』13, 30-18, 33），ヒッタイト（ヘト）人のウリアを故意に最前線へ送り出して戦死させている．後者に関しダビデがそのような行動に出たのは，ウリアの妻バト・シェバの水浴び姿を見て欲情にかられ，不当にも自分のも

のにしたいと望んだからである（『サムエル記下』11, 2-27）。このエピソードも美術で取り上げられている。

David (Dewi), St 聖デイヴィッド（デイウィ）
（6世紀）

ウェールズの司教，ダヴェドのセント・デイヴィッド大修道院の院長，ウェールズの守護聖人。アイルランド，コーンウォール，ブルターニュでも崇敬されたが，影響力をもっとも強く及ぼした地域は南ウェールズで，同聖人名を冠した古い教会が数多くあった。また修道院を10も創設したといわれている。修道士たちは，デイヴィッド自身が身をもって実践した極端に謹厳な修道生活を送った。説教者としての力量のほどは，ハト（dove*）のエンブレムで窺い知ることができる。美術では，小高い丘の上で説教をするデイヴィッドの姿が描かれることがある。それはブレヴィで開かれた教会の会合の際，多くの群集に同聖人の話を聞かせるため，足下の大地が盛り上がったという伝説に由来するものである。ダヴェド，ランゼウィブレフィの丘と教会は，この出来事を記念したものである。

3月1日の聖デイヴィッドの祝日には，リーキ（leek*）やスイセンを身につける慣習がある。しかし，その起源に関しては，曖昧な民間伝承の中に埋没しているので定かではない。

deacon 助祭
（［正］輔祭，［プ］執事）

教会で任命される，司祭の下に位置する聖職者。最初にこの役職に就いた人々は，エルサレムで形成されたばかりのキリスト教団に仕えるため（「召使い」ギリシア語のディアコノス〔仕える者〕から），使徒により選出され，かつ任命されたステファノら7人である（『使徒言行録』6, 1-8）。典礼の際の福音書朗読では，助祭が聖書を持つことがある。

このことから美術でも，福音書を持ち，ダルマティカ（dalmatic*）をまとう助祭像が描かれることがある．ミサに参加する場合は，助祭がアルバ（alb*）をまとい，左肩にストラ（stole*）をかけることもある．これらの特徴に加え，聖ステファノ（Stephen, St*），聖ラウレンティウス（Laurence, St*），聖ウィンケンティウス（Vincent, St*）らの助祭の聖人は，殉教のシュロ（palm*）を持つ資格が与えられている．

受胎告知（Annunciation*）の場面に登場する天使ガブリエル（Gabriel*）は，ミサの執行を補佐するときに助祭が着用するような祭服を身につけることがあるが，それは同場面の典礼的性格を強調するためのものである．

Death　死

中世以降の美術では，死体（死骸）や骸骨として擬人化される．⇨Dance of Death, Three Living and Three Dead.

Death of the Virgin　聖母マリアの死

⇨Dormition.

deer　シカ

聖アエギディウス（Giles, St*），およびイーリの2人の聖女，聖エセルドレダ（Etheldreda, St*）と聖ウィスブルガ（Withburga, St, 743年 頃没）のエンブレム．エセルドレダは2頭のシカを伴うことがあるが，それはイーリが飢

助祭（輔祭）

饉に襲われたとき，2頭の雌ジカが聖女の修道院にミルクを供給したという伝説に由来するものである．同様に，隠者として暮らしたウィスブルガも，飼っていた雌ジカからミルクをもらったといわれている．

聖アエギディウス伝説で重要な出来事といえば，シカ狩りにまつわるものである．シカは矢で射殺されそうになったが，奇跡的にも放たれた矢はシカを外れ，シカをかばったアエギディウスに命中して怪我を負わせた．⇨stag.

小川や泉で水を飲むシカは，特に4世紀から5世紀にかけてのキリスト教美術で頻繁に用いられるモチーフである．この作例としては，ラヴェンナのガッラ・プラッチーディアの廟堂を飾る5世紀のモザイク，ローマのサン・ジョヴァンニ・イン・ラテラーノ聖堂を飾る13世紀のモザイクがある．後者は古代のモデルに従った作品である．同画像は『詩編』の冒頭の一節，「涸れた谷に鹿が水を求めるように／神よ，わたしの魂はあなたを求める」（42, 2）を典拠とする．したがってシカは，キリスト教信仰の象徴たる命の水への魂の渇望を表現する．同モチーフはとりわけ洗礼堂装飾にふさわしいと考えられた．というのも，新しく改宗した者が，洗礼盤での洗礼により正式の教会員と認可される場所が洗礼堂だからである．

Deisis（Deesis） デイシス
（ギリシア語で「請願」）

パントクラトール（Panto-crator*）のキリスト，その両側で祈願する聖母マリアおよび洗礼者ヨハネで構成される群像．『詩編』の「王妃があなたの右に立てられる」（45, 10）という言葉に従い，聖母はキリストの右側に立つ．東方正教会の教会堂では，会衆から聖所を隠す界壁の聖障（イコノスタシス）においてデイシスが中心的位置を占めることがよくある．

Demetrius, St 聖デメトリオス

年代，経歴とも不詳な戦士聖人であるが，ギリシア正教会では非常に崇敬されている．テッサロニキの守護聖人で，ここには同聖人名を冠した本部教会がある．聖人が自ら城壁に立って守備を固め，人々と力を合わせて外敵と戦ったおかげで，テッサロニキは幾度も破壊から免れたといわれている．テッサロニキで詳述された受難物語では，3世紀に公然と福音伝道を行ったために斬首刑に処されたローマ兵士と同一視されている．さらにセルビアの殉教者の中にもデメトリオスという名の助祭がいて，連想をかきたててきた．

武装して馬の背にまたがるデメトリオス像は，ギリシア正教会系の教会で頻繁に見られるイコンである．中世後期のイコンでは，口髭を生やしたデメトリオスが描かれた．聖障（イコノスタシス）では，聖ゲオルギウス（George, St*）のようにチュニックとマントをまとう．前者は，古代人の着用した，首からかぶる衣服である．またゲオルギウスのように「偉大なる殉教者」の称号を与えられて崇敬された．この2人の戦士聖人が一緒に描かれることもある．その際，デメトリオスのウマは灰褐色，鹿毛色，あるいは赤みを帯びているのに対し，ゲオルギウスのウマは白色あるいは灰色である．東方でのデメトリオスの祭日は10月26日で（西方では10月8日），昔からヒツジとヤギの群れを越冬場所に戻す時期にあたる．また聖ゲオルギウス祭は4月23日である．したがって，この2人の偉大な殉教者の祝祭は，ギリシアの農耕暦年の両節目に行われたことになる．聖デメトリオス崇拝は，つい最近までバルカン諸国の孤立した地域で盛んであった．このことは，同聖人が古代の穀物の女神デメテルの果たしてきた役割を奪ったことを示唆

するものである．後者の大祭もデメトリオスのそれと同様に10月に行われていた．

巨大なサソリを踏みつけるデメトリオスの姿が描かれることもある．それは牢獄での出来事に言及したものである．

demons 悪魔
⇨devils.

Denys, St（Denis, Dionysius）聖ディオニュシウス（250年頃没）

司教で殉教者．フランスの守護聖人の1人．6世紀の物語によると，ガリアへ宣教師として遣わされたディオニュシウスは，多くの人々を改宗させ，パリの司教となった．しかし最後には投獄され，斬首刑に処された．同聖人の墓の上には，サン・ドゥニ修道院が建てられた．その後，ディオニュシウスは5世紀の新プラトン主義者のディオニュシウス・アレオパギテスと混同され，さらにこのアレオパギテスが，『使徒言行録』

聖ディオニュシウス，『黄金伝説』，15世紀

（17，35）に登場するアテネのアレオパゴスの議員ディオニシオと混同された．抜け目のないサン・ドゥニの修道院長たちは，この混乱にうまく乗じて，修道院の威光はもちろんのこと，自分たちの聖人の格をも大いに高めようとした．このため，ディオニュシウスの身元をめぐる問題はさらに混迷の度を深めていったが，修道院は歴代フランス国王の埋葬地となった．

殉教物語も詳細な奇跡物語

が加えられ潤色されていった．たとえば，斬首刑に処されたディオニュシウスは，はねられた自分の首（head*）を持って修道院の建立される場所まで足を運んだという物語が残されている．

Deposition　十字架降下

キリストの亡骸を十字架から降ろすこと．画家や彫刻家が非常に好んだ題材であり，一連の聖母の悲しみ（Sorrows of the Virgin*）の一場面でもある．

一連の受難を描いた場面では，磔刑（Crucifixion*）と埋葬（Entombment*）の間に十字架降下が配置される．その場に居合わせた人物については，福音書による磔刑の目撃者の説明を受けて，十字架の足元には聖母マリア，そして聖母を支える福音書記者の聖ヨハネが描かれる．さらにピラトからキリスト埋葬の許可を得たアリマタヤの聖ヨセフ（Joseph of Arimathea, St*）がいる．十字架降下の絵画で

は，十字架にキリストの体を打ち付けた釘を引き抜く人々，あるいは梯子を使用してキリストの亡骸を十字架から降ろす人々が描かれるが，特にヨセフはそのような者たちの中で中心的位置を占める．

Descent from the Cross　十字架からの降下

⇨Deposition.

desert　砂漠

多くの聖人や改悔者が生活し活躍した舞台．旧約聖書では，モーセが燃える柴（bush*）を見た場所が砂漠であった．出エジプト後のモーセの生活も，砂漠を舞台とした場面が多い．ワタリガラスが食べ物を運んだ旧約聖書の預言者エリア（Elijah*）と砂漠の隠修士たち，中でもエジプトの聖アントニオス（Antony of Egypt, St*）が籠った場所も砂漠である．ヨルダン川の岸での洗礼者聖ヨハネ（John the Baptist, St*）による説教とキリストへの洗礼も，

ルーベンス，十字架降下，17世紀，アントウェルペン大聖堂

荒れ野でのキリストの誘惑
(Temptation*) と同様に砂漠
が舞台となる. 聖ヨアンネ
ス・クリュソストムス (John
Chrysostom, St*), エジプト
の聖マリア (Mary of Egypt,
St*), 聖オヌフリウス
(Onuphrius, St*), 聖ヒエロニ
ュムス (Jerome, St*) は, 砂
漠で極端な難行苦行を行った
ことから, 地面の上で四つん
ばいになった姿で描かれるこ
ともある.

desert fathers　砂漠の教父

3世紀以降から, エジプト
の人々の安住する村を離れ,
荒れ野で禁欲生活と瞑想を行
った聖人たち. 荒涼たる砂漠
をすみかとする悪魔との闘争
は, 聖人たちの精神生活を
彩る特徴的な出来事である.
美術でもっとも頻繁に取り上
げられる題材は, エジプトの
聖アントニオス (Antony of
Egypt, St*) の誘惑である.
このような隠修士の活動が礎
となって東方の修道院の伝統
が生まれ, その後パレスティ

ナやシリアへも広がっていっ
た. その他に注目すべき人物
としては, 大アルセニウス
(Arsenios the Great, 354年
-445年) と大マカリオス (Ma-
karios the Great, 300年頃-390
年頃) があげられよう.

芸術家たちは, 修道士や隠
修士の砂漠での禁欲生活を理
解していたようで, 痩せ細
り, 髭をぼうぼうに伸ばした
聖人を描いている. 着衣は修
道服やぼろ布, あるいは裸同
然の場合もある.

Devil, the　魔王

サタン (Satan*) の別称.
⇨dragon.

devils　悪魔

グロテスクで黒い体色の悪
霊. 天使 (angels*) が鳥のよ
うな翼を持つのに対し, 悪魔
はコウモリのような翼を持つ
ことがある. エジプトの聖ア
ントニオス (Antony of Egypt,
St*) やその他の隠修士の聖
人を描いた絵画では, 人間の
誘惑者や妨害者として登場す

る．最後の審判の描写では，永遠の断罪を受けた人々の霊魂を地獄へと運び去る．磔刑図では，十字架にかけられた邪悪な強盗の頭上を旋回する．

これに対し，人間にやり込められる悪魔を主題としたものとしては，やっとこ（tongs*）で鼻先をつままれる悪魔の図像がある．このような離れ業をやってのける聖人は，金属細工師の聖ドゥンスタン（Dunstan, St*，ダンスタン）と聖エリギウス（Eloi, St*）である．また小さな悪魔が，聖ジュヌヴィエーヴのロウソク（candle*）の上を舞い，炎を吹き消そうとする姿が描かれることもある．

Dionysius, St　聖ディオニシオス

⇨Denys, St.

dish　皿

もっともよく知られている皿は，洗礼者ヨハネの首を載せた「盆」である（『マルコ福音書』6, 28）．その他の聖人たちは，自分と関係の深い特別な持物を皿に載せる．たとえば聖アガタ（Agatha, St*）は乳房を，聖ルチア（Lucy, St*）は両眼を皿に載せる．

doctors　医者

医師の守護聖人であるコスマスとダミアヌス（Cosmas and Damian, SS*）は，中世の医者の帽子と衣装を着用し，医療器具を持つ場合がある．

Doctors of the Church　教会博士

中世以降より，教会の教師や模範的なキリスト者として絶大な影響力を持った神学者に与えられる称号．教会博士の数はその後も増加し，1970年からはアビラの聖テレサ（Theresa of Avila, St*）のような女性も含まれるようになった．しかし中世の西欧宗教美術では，教会博士を4人とするのが一般的である（⇨Four Latin Doctors）．東方正教会では，西欧とは別の4博士が崇敬されている

(⇨Four Greek Doctors).

doe　雌ジカ

　⇨deer

dog　イヌ

　2人の聖人，聖ドミニクス
（Dominic, St*）と聖ロクス
（Roch, St*）のエンブレム．
ドミニクスのイヌは白と黒の
ぶちで，口に松明をくわえて
いる．ドミニコ会のイヌが描
かれるようになった由来は，
同修道会のラテン名にかけた
地口にある．すなわち，ラテ
ン語の「ドミニ・カニス」
（Domini canis）が「神の犬」
を意味することから，白と黒
のぶち模様は，ドミニコ会修
道士の黒いマントと白い内衣
を表わす．口にくわえた松明
は修道会の提唱する真理であ
り，その光は世界中を照ら
す．このような図像は，ドミ
ニクスが誕生する以前に母親
が見た夢に由来するといわれ
ている．
　聖ロクスに同伴するイヌ
は，1枚のパンを口にくわえ

ることがある．これは，疫病
に罹ったロクスが森へ引き籠
ったとき，イヌが食べ物を運
んだというエピソードを暗示
するものである．⇨hound.
　聖書では，トビアのイヌだ
けが好意的に扱われている
（『トビト記』5, 16）．したがっ
て，トビアと天使ラファエル
という人気のある主題を取り
上げた絵画では，主人の旅の
お供をするイヌが頻繁に描か
れた．

dominations　主天使

　天使（angels*）の階級で，
座天使（thrones*）と力天使
（virtues*）の間に位置する霊
的存在．神の普遍的な支配を
体現し，国王が着用するよう
な立派な王冠と，王族の身分
を示す持物，笏（sceptre*）
と剣（sword*）を身につける．

Dominic, St　聖ドミニクス

（1170年-1221年）
　スペイン生まれで，ドミニ
コ修道会の創立者．ドミニク
スの布教活動が目に見える形

で展開されるのは13世紀初頭に入ってからである。異端のアルビ派を改宗させるため、宣教師として南フランスへ派遣されたのもちょうどこの頃にあたる。そのとき説教に一層説得力を持たせるには、自らが人々の模範となるべきことを悟る。そして1206年、修道会を設立すべく第一歩を踏み出す。同修道会の清らかで禁欲的な生活態度は、異教徒たちの実践する宗教的生活と一歩もひけを取らないほどであった。1216年、慎重に練られた計画が教皇から承認されると、宣教活動と修道会をヨーロッパ全土に広げるために自分の全余生を捧げた。最後はボローニャで死去したが、同修道会は遥か彼方のイングランドにまで影響を及ぼすほど発展を遂げた。

修道会の創立者および説教者としての名声を慕い、多くの人々がボローニャのドミニクスの墓を訪れた。フラ・アンジェリコは、同聖人の生涯の場面を描いた高名な画家の

フラ・アンジェリコ、聖ドミニクスの死、15世紀、パリ、ルーヴル美術館

1人である．フラ・アンジェ
リコによる，キリストの変容
を題材としたフレスコ画（15
世紀中頃，フィレンツェ，サ
ン・マルコ美術館）のよう
に，ドミニクスは星を最初の
エンブレムとした．同聖人と
星との結びつきは，洗礼を受
けたとき，額に星が出現した
という物語に由来する．口に
松明をくわえたイヌ（dog*）
も同聖人のエンブレムとなる
場合がある．後の芸術家はド
ミニクスの持物としてロザリ
オ（rosary*）を描くことが
あるが，これはロザリオの祈
りを導入した人物がドミニク
スであると誤解されたからで
ある．

dominions 主天使
⇨dominations.

**Donatian, St (Donas) 聖
ドナティアン（ドナティアヌ
ス）**（4世紀後期）
389年頃，フランス北東部
の都市ランスの司教となる．
ドナティアヌス（Donatianus）

あるいはドナトゥス（Dona-
tus）と呼ばれる別の聖人や
殉教者と混同されているの
で，ドナティアンの生涯を説
明しようとすると曖昧になり
がちである．伝説によればロー
マ生まれで，子供の頃にテ
ヴェレ川に投げ込まれたとい
う．そのとき5本のローソク
を立てた車輪を川に流したと
ころ，ドナティアンが沈んで
いた川床の上で車輪が止まっ
た．そこで川から引き上げて
祈りを捧げると，奇跡的にも
蘇生したと伝えられている．
聖遺物は9世紀にランスから
ブリュージュへ遷移され
た．それに伴い北海沿岸低地
帯が聖ドナティアヌス崇拝の
中心地となった．前述したよ
うな伝説が残っていることか
ら，河川の氾濫や水害に対し
て同聖人の加護が祈願され
る．美術ではヤン・ファン・
エイク作の『ファン・デル・
パーレの聖母子』のように
（ブリュージュ，グルツヘ市立
美術館，1436年），祭服と司
教冠を着用し，5本のロウソ

クを立てた車輪を持つ司教の
ドナティアン像が描かれる.

donkey　ロバ
　⇨ass.

Doom　最後の審判
　⇨Last Judgement.

door　扉，門
　救済へ至る唯一の道として
のキリストのシンボル. 福音
書には「わたしは門である.
わたしを通って入る者は救わ
れる」(『ヨハネ福音書』10, 9)
と記されている. 教会の中央
入口上部にキリスト像がよく
配置されるのはこのためであ
る. 東方正教会では, 拝廊
(ナルテ
クス) (教会の正面入口と身廊
部との間の横長の広間) から
身廊に至る中央の扉上部をキ
リストの絵画やモザイクで飾
ることがある. 西欧のロマネ
スク建築の教会では, 栄光の
キリスト像の浮彫 (レリ
ーフ) が外
部の中央の扉上部を飾るティ
ンパヌム (建物入口上にある
装飾的な壁面) に施されてい

ることが多い.
　門を描いた東方正教会のイ
コンといえば, 地獄への降下
(Harrowing of Hell*) の 図
で, 崩れた扉や門がキリスト
の足下に描かれる場合があ
る. ビザンティン教会で聖土
曜日に行われる説教では, イ
エスを象徴する門が地獄の門
を破壊したことが語られる.
ウィリアム・ホールマン・ハン
トの宗教画『世の光』
(1851 年-1854 年, キーブル・
コレッジ, オックスフォード)
に見る門のシンボリズムは,
「見よ, わたしは戸口に立っ
て, たたいている」という
『ヨハネの黙示録』の一節を
典拠としたものである (3,
20). この場合は人の心が戸
口であり, キリストに対して
閉ざされていることもあれ
ば, 開かれていることもある.

Dormition　御眠り
　聖母マリアが「眠られるこ
と」. 新約聖書外典による
と, 地上での生涯を終えた
後, 聖母の肉体と霊魂は天国

へ召されたと記されている
（⇨Assumption）．東方正教会
では，生神女就寝祭（Koime-
sis*, コイメ）として知られてい
る．コイメシスとは，ギリシ
ア語で文字通り「眠ること」
を意味する．生神女就寝祭は
8月15日を祭日とする東方
正教会十二大祭の1つである
ため，芸術家たちが頻繁に取
り上げる主題となった．伝統
的な装飾様式をもつ教会で
は，「御眠り」のモザイクや
フレスコ画を身廊西壁に配置
するのが一般的である．

　教会美術では東西を問わ
ず，それぞれに異なった嘆き
の表情を見せる使徒に囲ま
れ，ベッドに体を横たえる聖
母を描いた図像が一般的であ
る．枕許か足元に立つのは聖
ペトロ（Peter, St*）である．
また，磔刑の場面でイエスが
母親の世話を頼んだ福音書記
者の聖ヨハネ（John, St*）に
焦点を当てた作例もある．伝
説によれば，聖母が昇天する
少し前に天使が姿を現わし，
3日以内に死が訪れることを

告げ，そのしるしとして天の
シュロの葉を手渡したとい
う．その後，そのシュロの枝
は聖ヨハネに手渡されたの
で，御眠りの場面ではヨハネ
がシュロを手にすることもあ
る．

　ベッドの背後や上部には，
聖母を天に迎え入れるために
訪れたキリストと天使が描か
れている．聖母とキリストの
関係を逆転させた興味深い作
例として，聖母マリアの霊魂
が，まるで子供のようにキリ
ストの腕の中に抱かれたもの
もある．また天使と司教がそ
の場に臨む場合もある．遅れ
馳せながら急ぎ足で駆けつけ
た人物は聖トマス（Thomas,
St*）で，聖母マリアのため
に遥々インドから戻って来た
といわれている．

　御眠りの物語を粉飾した異
説には，聖母マリアの横たわ
る棺台に触れたユダヤ人，エ
フォニアス（Jephonias）に関
するものがある．彼が棺台に
触れたとたん，天使は冒瀆者
としてその両手を切り落とし

たという．この伝説はすでに4世紀の原本とビザンティンの書物に記されているが，美術作品で重要視されるのは中世後期に入ってからのようである．聖母の御眠りとエフォニアスの物語を題材としたものの中から現存する最古の作例をあげるとすれば，ギリシア北部カストリアのパナギア・イ・マヴリオティッサ修道院を飾る13世紀初頭のフレスコ画であろう．

クラコウ（クラクフ）の聖母聖堂の祭壇を飾るファイト・シュトースの彫刻のように（1477年-1489年），聖母の御眠り，被昇天，戴冠という一連の劇的な出来事をすべて1つの美術作品で表現したものもある．祭壇中央パネル下部に聖母マリアの御眠り，そのすぐ上に被昇天，最上部の天蓋の下に戴冠が配置されている．

Dorothy, St 聖ドロテア
（4世紀初頭）

童貞殉教聖女．出身はおそらく小アジア，カッパドキアのカイサリアであろう．その生涯に関しては何も知られていない．ドロテアの殉教にまつわる伝説は，読者の興味をそそるけれども，それとよく比較されるアレクサンドリアの聖カタリナ（Catherine of Alexandria, St*）や聖バルバラ（Barbara, St*）の伝説ほど

アリアン・コーラルト，聖ドロテア，17世紀，パリ，国立図書館

詳細ではない．エンブレム
は，果物か花の入った籠
(basket*)，あるいはスカー
トでかかえた花である．聖ド
ロテアと聖母子を描いたアン
ブロージョ・ロレンツェッテ
ィの絵画では（14世紀初頭，
シエナ国立美術館），ドロテア
が花束を持つ．聖遺物はロー
マに運ばれ，同聖女名を冠し
たローマの教会に埋葬された
と信じられている．イタリア
やドイツでも人気があり，十
四救難聖人（Fourteen Holy
Helpers*）の１人として登場
することもある．

dove ハト

　西欧美術で聖霊が表現され
る一般的な形態．ヨルダン川
でのイエスの洗礼を記した４
つの福音書の説明は，すべて
聖霊が「鳩のように目に見え
る姿で」降ってきたという点
で一致を見ている（『ルカ福
音書』3，22）．聖霊をハトの
姿で描く美術上のしきたりの
起源は，少なくとも４世紀に
まで遡ることができるだろ

う．東方正教会の芸術家がハ
トの姿をした聖霊を描く機会
は，常に洗礼の場面に限られ
る．というのは，受胎告知
（Annunciation*）や五旬節
（Pentecost*）の場合，ハトの
姿による聖霊の出現を示す典
拠を聖書に求めることができ
ないからである．しかし西欧
の芸術家は，受胎告知の場面
で天使ガブリエルが聖母マリ
アに告げた言葉，「聖霊があ
なたに降り，いと高き方の力
があなたを包む」（『ルカ福音
書』1，35）を表現するため
に，白いハトの姿の聖霊を描
くことがある．

　中世には，三位一体（Trini-
ty*）の表現に関して高度に
様式化されたしきたりがあ
り，ハトは第三の位格である
聖霊を表わすことがあった．

　人に霊感を授ける聖霊とい
えば，幾人かの聖人を連想さ
せる．特にアビラの聖テレサ
（Theresa of Avila, St*）像で
は，ハトが聖女の頭上を舞う
ことがある．発言すべきこと
や記述すべきことを指示する

ヒューベルト＆ヤン・ファン・エイク，ヘント祭壇画，15世紀，シント・バーフ大聖堂

洗礼者ヨハネとイエスに降る神の霊，5世紀，ラヴェンナ，アリウス派洗礼堂ドーム

聖霊としてのハトは，聖グレゴリオス（Gregory, St*）や聖デイヴィッド（David, St*）を連想させる．ハトと書物は，宣教活動をするドルの聖サムソン（Samson of Dol, St*）を導いた聖霊の働きを象徴する．

4世紀のスペインの詩人プルデンティウスは，ラテン語の讃歌で童貞殉教聖女エウラリア（Eulalia, St*）を称えた．この讃歌から聖エウラリア崇拝伝説の詳細が引き出されたわけだが，それによるとエウラリアが殉教したとき，白いハトが彼女の口から飛び出したといわれている．童貞殉教聖女でフィレンツェの守護聖女でもある聖レパラタ（Reparata, St）と聖スコラスティカ（Scholastica, St*）にも同種の物語が残されている．初期キリスト教美術には祝福された者の霊魂をハトとして描く伝統が広く見られたが，これはその伝統とも結びつくものである．

ハトはまた聖ヨセフ（Joseph, St*）を想起させる場合もある．聖母の夫に選ばれたとき，ヨセフが手に持っていた杖からハトが飛び出して頭上にとまったからである．

嘴にオリーヴ（olive*）の枝をくわえて箱船のノアのもとへ戻ってきたハトは，洪水が終息したことを示すしるしであり（『創世記』8, 11），普遍的な平和と和解の契約を意味する．

dragon 竜

鱗に覆われた翼を持つ伝説上の爬虫類の怪物で，サタン（Satan*）が竜の姿に変身する．キリスト教美術や文学でもっとも広く見られる悪の化身である．このような竜の図像は，特にサタンを「この巨大な竜，年を経た蛇，悪魔とかサタンと呼ばれるもの」と記述した『ヨハネの黙示録』の一節にもとづくものである（12, 9）．竜との戦いで天軍の長を務めた大天使ミカエル（Michael*）を題材とした作品では，槍で刺し通した怪物

を足で踏みつける天使像が頻繁に描かれる．戦士聖人の聖ゲオルギウス（George, St*）や聖テオドロス（Theodore, St*）も同様である．

教皇シルウェステル一世（Sylvester, St*）は，竜と戦うというよりも，鎖でつないだ竜を従える．6世紀のケルト人の聖人，アーメル（Armel）とトゥドゥワル（Tudwal）は，祭服の衿垂帯（ﾐ）だけで竜を手なずけたといわれている．聖マルタ（Martha, St*）は，フランス南部，タラスコンの周辺地域で人々を恐怖に陥れていた悪竜タラスクを征服した．その偉業を後世に伝えるために，竜の姿をしたタラスクを帯でひったてるマルタの勇姿を描いた作品が残されている．

竜の姿をした悪魔に打ち勝った聖女としては，4世紀の童貞殉教聖女のユリアナ，コンスタンティノープルの聖ゲオルギウスの女子修道院長，5世紀の修道女で，奇跡を行う人，聖エリザベト（Eliza-beth the Thaumaturge, St），そして比較的有名なアンティオキアのマルガレータ（Margaret of Antioch, St*）があげられよう．マルガレータの場合はまず竜に論戦を挑む．最後は竜がマルガレータを飲み込むが，聖女が祈りを捧げると竜のはらわたが破裂して，生きたまま無傷の聖女を放り出したという．美術では，征服した竜を足元に従えた聖女像が描かれる．⇨snake.

Dunstan, St 聖ドゥンスタン（909年-988年）

イギリスのベネディクト会の修道士で，カンタベリーの大司教（960年-988年）．940年代には，グラストンベリーの大修道院長として修道院改革の指揮をとった．その後，デーン人の侵入により，修道院での生活と学問を中断した時期があったが，その後はイングランド全土でベネディクト会の会則を復活させた．死後，聖ドゥンスタン崇拝はイングランド全土に広がり，そ

の大部分はイングランド南部であるが，同聖人名を冠した古い教会が20ほどあったことが知られている．同聖人の亡骸を安置する教会としては，カンタベリーとグラストンベリーの双方が名乗りをあげている．

　教会の改革者と国王の相談役という公務に加え，博識家としても多大なる名声を博した．音楽家，能書家，画家，釣鐘職人，金属細工師でもあった．このうち芸術家の想像力を刺激したのは最後の職業で，シュロップシャー，ラドローの教会のステンドグラスには，金属細工師のやっとこ（tongs*）を持つ司教姿のドゥンスタンが描かれている．有名な物語によると，悪魔と出会った聖人が，やっとこで鼻をつまみ悪魔の面目をつぶしたという．また錠前屋，蹄鉄工，宝石職人，金属細工師の守護聖人でもある．

E

eagle　ワシ

　4人の福音書記者の4頭の動物（Four Evangelical Beasts*）の1つ. 福音書記者の聖ヨハネ（John the Evangelist, St*）の伝統的なシンボル.

　ワシ形聖書台とよばれる聖書台の頂上部には，聖書を載せる台として翼を広げた，木製あるいは金属製のワシの彫像が取り付けられている. ワシが鉤爪でヘビをつかむときは，悪に対する善の勝利のシンボルを意味する.

Ecce Agnus Dei　エッケ・アグヌス・デイ

　（ラテン語で「神の小羊を見よ」の意）

　洗礼者聖ヨハネ（John the Baptist, St*）が，洗礼を受けに来たイエスを見て叫んだ言葉（『ヨハネ福音書』1, 29）. この言葉は，ヨハネの持つ巻物に書かれる場合もある. ⇨Lamb of God.

Ecce Homo　エッケ・ホモ

　（ラテン語で「この男を見よ」の意）

　磔刑の前に，ピラトがイエスをユダヤ人たちに見せたときの言葉（『ヨハネ福音書』19, 5）. この言葉は，茨の冠をかぶったイエスの絵画や彫刻の題名となることがある.

Eden, Garden of　エデンの園

　神がアダムを住まわせた楽園. 芸術家たちは，エデンの詳細な地勢に関する資料を『創世記』（2, 8-15）に求めた. 『創世記』の記述にもとづき，「見るからに好ましく，食べるに良いものをもたらす」種々様々の樹木を描き，園の「中央には命の木と善悪の知識の木」を据え，「川（river*）が四つの支流を

持ち, 園を潤して」流れる情景を描いた.

アダムとエバ (Adam and Eve*) 以外のエデンの住人としては, 「野のあらゆる獣, 空のあらゆる鳥」が生息し (2, 19), 人間の堕落 (Fall of Man*) が起こる以前には, すべての生き物が調和共存していた. このモチーフは多くの芸術家の興味を惹きつけた. ルネッサンス期の芸術家, ヤン・ブリューゲル (1568 年-1625 年) やルーラント・サーフェリー (1576 年-1639 年) らの絵画では, エキゾティックな鳥類や動物が数多く寄せ集められ, 同モチーフがもっとも精巧に表現されている. また動物の名を呼び, 名をつけるアダムの姿が描かれることもある (『創世記』2, 19). これ以外で人間の主な活動といえば, 楽園に繁茂する植物の世話である.

エデンの園のアダムと動物たち, 『挿し絵入り聖書』 (アムステルダム, 17 世紀) より

Edmund, St　聖エドムンド
(841 年-869 年)

イースト・アングリアの国王で殉教者. デーン人がイースト・アングリアの王国に侵入してきたとき, エドムンドは軍隊を率いてデーン軍を迎え撃とうとしたが, 力およばず戦いに破れ, 捕虜となった. 目撃者が伝えた物語によると, エドムンドは侵略者が提示するいかなる妥協にも応じなかったため, 木に縛り付けられ, 矢で射殺された. デーン人は国王の首をはねただけでなく, その首を埋葬せずに野ざらしにして名誉を傷つけようとした. そして首を茨の茂みの中に隠した. エドムンドの家臣は「いずこにおいでですか」と叫びながら森中を探しまわった. すると「こ

聖エドムンドとエドワード証聖王，14世紀ウィルトン二連版，ナショナル・ギャラリー

こだ，ここだ」という国王の声がしたので，その声に導かれて行くと，首が隠された場所にたどりついた．家臣が見つけるまで，国王の首を見つけたオオカミが危害が及ばぬよう番をしたといわれている．国王の首と胴体はもとのように一緒にして埋葬された．

サフォークのベリー・セント・エドマンズにあるエドムンドの墓は，後に聖エドムンド崇拝の一大中心地となり，同聖人名を冠した教会が60以上もあった．美術でのエドムンド像は矢（arrow*）を持つか，矢の突き抜けた王冠（crown*）を地面に置くことが多い．王冠をつけた首とその番をするオオカミが，聖人像とは別個に描かれることもある．イースト・アングリア教会では，エドムンドはもう1人の地元の聖人アルバヌス（Alban, St*）とともに描かれることがある．

Edward the Confessor, St
エドワード証聖王
（1004年頃-1066年）

イングランドの国王（1042年-1066年）．信仰の証（あかし）

となるような敬虔な生涯を送った者，すなわち「証聖者」という称号により，もう一人のイングランド君主で殉教聖人のエドワード（Edward the Martyr, St*）と区別される．宗教的に高潔な国王としての名声が高いため，困難な時代を乗り切った英雄，強くて有能な統治者としての名声は鳴りをひそめた感がある．イングランドの君主は，「るいれき」という病気を手で触れるだけで直すことができるといわれていたが，そのいやしの伝統の生みの親がエドワード王である．また同国王は，ウェストミンスターの大修道院の教会建設に国費を投入した偉大な寄進者でもあり，王自身も同教会に埋葬された．宗教改革以前の時代，証聖王の壮麗な聖堂は，人々の間で人気を博した建築物であった．また証聖王は，聖エドムンド（Edmund, St*）とともにイングランドの守護聖人と考えられていた．しかしその後，聖ゲオルギウス（George, St*）によって両者の地位は奪われた．

エドワード証聖王はベイユー壁掛け（Bayeux Tapestry）にも登場する．これ以外にも国王の生涯の場面を描いた初期の作品が数多くある．14世紀後期のウィルトン二連版（ディブ ティカ）の聖画像では，指輪（ring*）を持つエドワード像が描かれている．ちなみに指輪は，もっともよく見られるエドワードのエンブレムであ

ベイユー壁掛けに描かれたエドワード証聖王

る．ウェストミンスター・ア
ヴェイの擁護者のしるしとし
て，教会の建物（building*)
の模型を持つこともある．

Edward the Martyr, St　殉教
者・聖エドワード

（962年頃-979年）

　イングランドの国王（975
年-979年）．ドーセットのコ
ーフ城で，王座を狙う異母兄
弟の家臣により短剣（dag-
ger*）で刺殺された．エドワ
ードが殺害されてから1世紀
ほどすると，伝説の細部にも
粉飾がなされ，美しい悪女の
義母が殺人者に仕立てあげら
れた．間もなくして，人知れ
ぬウェアラムの墓で奇跡が起
こったことが報告されると，
エドワードの聖遺物は聖人に
ふさわしいシャフツベリの聖
堂へ遷移された（980年）．11
世紀初頭には，イングランド
の広い地域で聖エドワード崇
拝が見られた．

egg　卵

　再生と回復を示すほぼ普遍
的なシンボル．キリスト教芸
術では復活のシンボルとして
登場することがある．

elders　長老

　⇨Twenty-four Elders.

Eleousa　エレウサ

　（「慈悲深い」の意）

　東方正教会の聖母子のイコ
ン類型．大まかにいえばギリ

ウラジミールの慈愛の生神女，12
世紀，モスクワ，トレチャコフ美
術館

シア語で「慈悲深い」という意味であるが，ギリシア語にも，それに該当するロシア語（*Umileniye*）にも，英語では正確に翻訳することができない「優しさ」や「愛情のこもった思いやり」といった意味合いが含まれている．同種のイコンを指す中世後期のギリシア語の名称として，「グリュコフィルサ」（Glykophilousa）が用いられることもある．

エレウサ型聖母は，おそらくホディギトリア（Hodegetria*）型イコンから発達し，10世紀までに別個の類型として確立されたものと思われる．特にロシアで人気を博し，珠玉のイコンの中でもっとも有名なイコンの1つ，「ウラジミスカヤ（ウラジミルの町の）の神の母」（11世紀後期-12世紀初期）も同イコン類型に属す．エレウサ型聖母は，通常，右腕に御子を抱いて自分のほうへ引き寄せ，頬を寄せるように頭を垂れている．御子は聖母のほうを向き，その首に手を回している．

Elijah（Elias） エリア

旧約聖書の預言者．神はエリアを遣わし，イスラエルの国王で邪悪な偶像崇拝者のアハブと王妃のイゼベルを諭させた．荒れ野でアハブから姿を隠している時，カラスがエリアに食べ物を運んだ（『列王記上』17, 4-6）．このエピソードは，神を信頼すれば，神の力によって養われるということを端的に示したものと考えられる．芸術家は，エリアと異教の預言者たちとの対決

サヴォルド，エリアに食べ物を運ぶカラス，16世紀

を題材に選んだ。その出典は旧約聖書の物語で、『列王記上』には、バアルの崇拝者の献げ物には火がつかなかったが、エリアの準備した献げ物は天から下った火で焼き尽されたことが記されている（18、17-40）。芸術家がもっとも好んで画題としたのは、エリアが火の戦車に乗って昇天する物語である。美術では、エリアの落とした外套をエリシャ（Elisha*）に拾わせる場面が描かれている（『列王記下』2, 11-13）。

キリストの変容（Transfiguration*）では、モーセとともに出現したエリアがキリストと言葉を交わす。どの福音書も、山上で出来事が起こったことを記している。このためキリスト教の伝統で高所といえばエリアを連想させ、ギリシアの山頂にはエリアの名を冠した礼拝堂が建てられている。これ以外の理由としては、エリアのギリシア名「エリアス」が、綴りと発音でも古代の太陽神ヘリオスと似通っていることがあげられる。したがって古代異教時代に太陽神に捧げられた山頂の聖域も、「聖エリアス」という名を冠せば、たやすくキリスト教化することができた。さらにまたエリアの乗った火の戦車が、毎日天空を縦断するヘリオスの太陽の戦車と酷似していることも、両者の結びつきを強めた要因である。

Elisha　エリシャ

旧約聖書の預言者。エリア（Elijah*）に選ばれた後継者。美術では、驚異的なエリア昇天の光景の目撃者として描かれる。そのときエリシャは、エリアの外套と霊の「二つの分」を受け取った（『列王記下』2, 9-15）。

Elmo, St　聖エルモ

⇨Erasumus, St.

Eloi, St（Eloy, Loy, Eligius）聖エリギウス（エロワ）
（588年頃-660年）

ゴール系ローマ人の司教。

まず，その金属細工師としての才能が，フランク王国の王の目にとまった．というのも，国王クロタール二世のために，王冠1個分の金塊から王冠2個を作ったからである．641年，クロタールの息子のダゴベルト一世は，エリギウスに北フランスのノワイヨンの司教職を与えた．司教となったエリギウスは，修道院を創立して異教徒のゲルマン種族をキリスト教化すべく宣教活動を推進した．

エリギウスのものと明言できる有名な金属細工品は何1つ残っていないが，聖エリギウス崇拝はヨーロッパの大部分の地域に広がった．イングランドでも，チョーサーの『カンタベリー物語』に登場する女子修道院長がエリギウスの聖名を唱えるほどよく知られている．イングランドに同聖人名を冠した教会が少ないのは（1つしか知られていない），同じイングランド生まれの金属細工師の守護聖人，

聖ドゥンスタン（Dunstan, St*）にその地位を奪われたからであろう．ドゥンスタンのように，やっとこで悪魔の鼻をつまむエリギウス像が描かれることもあるが，それより頻繁に見られるエンブレムは蹄鉄（horseshoe*）である．蹄鉄にはウマの足が一緒に付いていることがある．

Elphege, St　聖アルフェジ
⇨Alphege, St.

Entombment　埋葬

墓にキリストの亡骸を納めること．聖母の悲しみ（Sorrows of the Virgin*）の1つ．

磔刑後に，アリマタヤのヨセフがピラトからイエスの埋葬許可を貰い受ける経緯に関しては，4つの福音書すべてに記述が残されている．しかし，埋葬に立ち会った者については，福音書によって記述がまちまちである．聖史劇の慣習の影響で，イエスと関わり合いのあった者7人が埋葬に立ち会ったとする伝説が

一般である．すなわち，アリマタヤのヨセフ，ニコデモ，福音書記者の聖ヨハネ，そして3人のマリア（Three Marys*）である．ヨセフは，腰ひもに財布（purse*）をつけているので他の者と見分けがつく．『ヨハネによる福音書』に述べられているように（19, 40-41），ヨセフとニコデモは埋葬時の役割にもとづきイエスの亡骸の足元と枕元に立つ．

ラファエッロ，キリストの埋葬，16世紀，ローマ，ボルゲーゼ美術館

Entry into Jerusalem　エルサレム入城

逮捕と受難を前にして，イエスがロバに乗り堂々とエルサレムの町に入ること．東方正教会の公奉神礼暦年によると，エルサレム入城は大祭の一部であり，聖週の始まりを告げる聖枝祭（Palm Sunday）に祝われる．エルサレム入城の詳細については，4つの福音書全てに詳しく述べられている．イエスがロバ（ass*）に乗ってエルサレムへ行くと，門の前で大勢の群集が拍手喝采して彼を迎え，通り道に枝や服を敷いたと記されている．この枝に関しては，『ヨハネ福音書』（12，13）で「なつめやし（シュロ）の枝」と特定されている．ここに聖枝祭（[カ] 枝の主日）の名称や儀式の由来がある．

バルナ・ダ・シエナ，イエスのエルサレム入場，14世紀

Envy　嫉妬

七つの大罪（Seven Deadly Sins*）の1つ．

Epiphany　神の顕現

（エピフ, ギリシア語の「エピファネイア」は「出現」の意）

キリスト教でイエスが自己の神性を現わすこと．西欧の教会暦によると，1月6日が公現祭の祝日であるが，東方教会と西方教会では，それぞれ異なった福音書の出来事と結びついている．教会でもっとも古い祭事の1つである．4世紀に至るまで，エピファニーは復活祭や五旬節と同等の重要な位置を占めていた．西方教会でエピファニーといえば，東方三博士（Three

Magi*) による，ベツレヘム
で誕生した赤子イエスの訪問
を連想させるが，クリスマス
ほど重要な祝祭ではない．む
しろ盛大に祝われるクリスマ
スのために，その存在感はか
なり薄れているといえるだろ
う．しかし東方正教会では，
神現祭（エピファ
ニー）が十二大祭の1
つとして位置づけられ，イエ
スの洗礼（Baptism*）と結び
つく．いずれの場合にせよ，
テーマは同一で，全世界に対
するキリストの「出現」ある
いは顕現である．

　公現祭（[正] 神現祭）は，
クリスマスの後の 12 日目に
祝われる．この日は，伝統的
なクリスマス休暇の最終日
にあたるので，英語では「十
二日節」（Twelfth Day）とい
う名称でも知られている．前
夜の 1 月 5 日は「十二夜」
（Twelfth Night）と呼ばれ，
かつては伝統的な儀式が執り
行なわれ，お祭り騒ぎも見ら
れた祝日であった．

Erasmus, St（Elmo） 聖エ

ラスムス（エルモ）
（303 年没？）

　司教で殉教者．シリア生ま
れの可能性もある．種々の拷
問を受け，奇跡によって地中
海東部の地域を点々と移動し
た後，最後はナポリ近郊のフ
ォルミアで殉教したと信じら
れている．聖遺物はフォルミ
ア近くのガエタに遷移され，
1106 年には同聖人名を冠し
た大聖堂が建てられた．

　説教中に落雷が落ちそうに
なっても，泰然自若とした態
度だったことから水夫の守護
聖人となった．嵐のとき，船
舶のマストの先端にときどき
見られる放電現象は「聖エル
モの火」と呼ばれ，エラスム
スの守護を意味すると信じら
れていた．水夫の守護聖人た
るエラスムスの持物は，巻き
上げ機，あるいは巻きろくろ
である．エラスムスが巻き上
げ機で腹から内臓を引き出さ
れて殉教死したという中世後
期の伝説が生まれたのは，恐
らくこの辺からであろう．

ermine　オコジョ

　毛が白く，尾の先だけが黒くなる冬期のオコジョをアーミン（ermine）という．褐色の夏毛のときはストート（stoat）と呼ばれる．王族，教会の高位聖職者，国家の高官がオコジョの毛皮を着用したことから，アーミン毛皮は高貴な身分を表わすエンブレムとなった．また，中世の動物寓話集作家たちが，オコジョは，純白の毛皮が汚されるくらいなら死を選ぶ動物という観念を定着させたため，純潔のシンボルともなった．聖ウルスラ（Ursula, St*）のような王家の血統を受け継ぐ聖女，あるいは高貴な家柄の童貞処女聖人は，上述した象徴性を2つとも兼ね備えているので，オコジョの毛皮は二重の意味でふさわしい持物となる．

Etheldreda, St（Audrey）
聖エセルドレダ（オードリ）
（630年-679年頃）

　アングロ・サクソン人の王妃で，イーリの女子修道院長．2度も政略結婚に甘んじたが，純潔を守り通したと信じられている．673年，2人目の夫のもとを去った後，修道士や修道女を収容するための修道院をイーリに創設した．イーリにあるエセルドレダの聖堂は，1541年まで多くの人々が訪れる巡礼の中心地であった．美術では，王冠をかぶり，女子大修道院長の牧杖を持ち，2頭のシカ（deer*）を従える聖エセルドレダ像が描かれている．英語で「はでで安っぽい」という意味の言葉，「トードリ」（tawdry）は，「セント・オードリ」（Audrey, St）がなまったもので，セント・オードリ市場で売られた品物の質の悪さを反映したものである．

Eulalia, St　聖エウラリア
（304年没？）

　スペインの童貞殉教聖女．伝説によれば，メリダの12歳の少女で，キリスト教徒を迫害する異教徒の支配者を非

難したといわれている．さらに，異教の神々の崇拝を拒否したため，拷問にかけられたのち火刑に処された．聖エウラリア崇拝は特にスペインで盛んであったが，後にイタリアやフランスへも広がった．プルデンティウスは，エウラリアより約50年も後に生まれた詩人ではあるが，エウラリア絶命のときの様子を，埋葬されるまで口からはハト（dove*）が飛び出し，亡骸は埋葬されるまで雪に覆われたと記している．

Eustace, St（Eustachius）聖エウスタキウス

年代，出生地とも不詳の殉教聖人．伝説によれば，狩りに出ていた時，雄ジカ（stag*）の角の間に十字架が輝いているのを見て，キリスト教に改宗したという．このエピソードは，後の聖フベルトゥス（Hubert, St*）の伝説にも受け継がれている．両者とも猟師の守護聖人である．

エウスタキウスがトラヤヌ

デューラー，聖エウスタキウス（パウムガルトナー祭壇画），16世紀，アルテ・ピナコテーク

ス皇帝の時代にローマの近衛師団長を務めたという伝説は，家族との離別と再会の物語のように，伝記物語にありがちな空想的要素を多く含んでいる．最後は巨大な青銅製のウシの中に閉じこめられ，火であぶり殺されたといわれている．ヨーロッパ全土で同聖人が絶大な人気を博したのは，前述したような詳細な作り話が大きな影響を及ぼしたからだと思われる．エウスタキウスはマドリッド市の守護聖人であり，十四救難聖人（Fourteen Holy Helpers*）の1人でもある．

多くの芸術家たちは，背景の森に猟犬とウマを配置し，エウスタキウスが雄ジカと遭遇した場面を描いている．したがって，聖人を単独で描いた作例は比較的に少ない．後者の作例としては，デューラー作のパウムガルトナー祭壇画（1500年頃，ミュンヘン，アルテ・ピナコテーク）があり，左手側面に，雄ジカの頭部と十字架印の旗を持つエウ

スタキウスが描かれている．美術ではエウスタキウスとフベルトゥスの共通点は多いが，衣装で両者を区別できるときがある．エウスタキウスは兵士の鎧をまとう場合があるが，フベルトゥスはそうではない．またフベルトゥスは北西ヨーロッパと深い繋がりがあるが，エウスタキウスを描いた作品はもっと広い地域で見ることができる．

Evangelists　福音書記者
　⇨Four Evangelists.

Eve　エバ
　⇨Adam and Eve.

eye　目
　万物を見る神の力のシンボルで，三角形や雲の中に配置されることがある．『ヨハネの黙示録』には，神秘的な小羊（Lamb*）の7つの目が「全地に遣わされている神の七つの霊」(5, 6)を表わすと述べられている．

　中世後期の美術では，聖ル

目

チア（Lucy, St*）が自らの眼球を載せた皿や，先に眼球のついた枝を持つことがある.

聖アルバヌス（Alban, St*）の物語によれば，同聖人に最後の一撃を加えた処刑人の両眼がこぼれ落ちたといわれている．13世紀中頃の写本の彩色画（トリニティー・コレッジ，ダブリン，MS177）には，右手に剣を携えながら，器用にも左手でこぼれ落ちる両眼を摑もうとする兵士の姿が描かれている.

F

Faith　信仰（信徳）
⇨Three Theological Virtues.

Faith, St(Foy)　聖フィデス
（フォア）（3世紀頃？）
　童貞殉教聖女．フランス南西部のアジャンで殉教したと伝えられるだけで，その生涯についてはほとんど知られていない．伝説によると，真鍮製の寝台あるいは炮烙（gridiron*）の上で焼かれるという拷問を受けた後，斬首刑に処されたといわれている．
　フィデスの聖遺物はフランス中部のコンクに遷移され，11世紀に建立されたサント・フォア大修道院の付属教会に収められた．このためコンクは，サンティアゴ・デ・コンポステラを訪れる巡礼者たちが，旅の途中に立ち寄る名所となった．またコンクを通って帰国する巡礼者により，聖フィデス崇拝はイタリア，スペイン，イングランドへと広められた．イングランドでの聖フィデスの人気のほどは，同聖女名を冠した古い教会が23も記録に残っているという事実から窺い知れよう．旅行者の守護聖人としての側面は，1105年頃にベネディクト会がホーシャムに創立したセント・フェイス修道院の物語によく表われている．修道院の創立者は，ロバート・フィッツウォルターとシビル・フィッツウォルターで，聖女に感謝の意を表するために修道院を奉献した．というのも，フランス南部を巡礼していた2人が追いはぎに捕らえられたとき，奇跡的にもフィデスの加護で救出されたからである．
　聖フィデスは，炮烙や剣といった受難具と一緒に描かれることが多い．しかし，擬人化された三対神徳（Three

Theological Virtues*) の 1 つ, 〈信仰（信徳）〉と混同されたり, 時には部分的に重なり合うこともある.

falchion 偃月刀

中世時代の短刀で, 少し湾曲し, 刃幅が広い. 使徒シモン (Simon, St*) のエンブレム. 13世紀に編纂された聖人伝, 『黄金伝説』に収められた殉教物語によると, シモンは異教の祭司に偃月刀でめった切りにされたという.

偃月刀

falcon タカ

聖バヴォ (Bavo, St, 653年頃没) のエンブレム. バヴォは, タカ狩りに代表される世俗的享楽を捨て, 現在のベルギーのヘントの近くで隠修士となった貴族である. ヘントには同聖人名を冠した大聖堂がある. タカ匠の守護聖人である.

Fall of Man 人間の堕落

神が禁止したにもかかわらず, エデンの園に生える善悪の知識の木の果実を食べたアダムとエバの不従順 (『創世記』3, 1-6). 堕落の場面を描いた中世の美術作品では, エバを誘惑して禁断の果実を食べさせたヘビの頭部と上半身が, 人間の女性のように描かれることがある. またヘビの顔が, 角を生やした悪魔の場合もある. しかし, その後の芸術家たちは一般に見られるヘビを描いた. 聖書には果実の名称や種類が特定されていないので, リンゴ (apple*) が描かれる場合もあるし, 他の果物の場合もある.

聖書の物語を構成する重要

な要素（アダム，エバ，そしてヘビの潜む木）は，無数のステンドグラスの窓，壁画，装飾文字，円形の刺繡飾り，版画に登場するので，実際のところ，あらゆる種類の美術作品に見ることができる．堕落がもたらした直接の結果は，アダムとエバの羞恥心と混乱として表現され，両者は裸体を隠すためにイチジクの葉をつかみとろうとする．芸術家はさらに手の込んだ構図

を用い，完全に調和共存する楽園の動物たちに混じって，堕落後に起こった弱肉強食の騒乱状態を描くこともある．また楽園喪失物語の最終場面，すなわち神あるいは炎の剣を持つ天使によるアダムとエバの楽園追放が題材となることもある（『創世記』3, 23-24）．炎の剣を持つ天使は，2人が再び楽園に戻らぬよう入口を警護する．

Feeding of the Five Thousand 5000人への食べ物の供与

「人里離れた所」まで同行してきた大勢の群集の空腹を満たそうと，イエスが「パン五つと魚二匹」を取って人々に与えたこと（『マタイ福音書』14, 17）．4つの福音書の記述に共通するイエスの奇跡は，この出来事だけである．『マタイ福音書』（15, 32-38）と『マルコ福音書』（8, 1-9）は，別の機会にイエスが蓄えた僅かな食べ物を4000人の人々に配って空腹を満たした

デューラー，アダムとエバ，16世紀，ウィーン，アルベルティーナ素描版画館

という同種の物語を伝えている。『ヨハネ福音書』は，大勢の群集を前にして途方にくれる弟子たちの気持ちをフィリポ（Philip, St*）とアンデレ（Andrew, St*）が代弁したことを記している (6)。パンの塊（loaves*）がフィリポのエンブレムとなるのはこのためである。同場面を描いた絵画が，いみじくも修道院の食堂に飾られることがある。⇨Last Supper.

feet　足

雲間に足が消えてゆくときは，昇天（Ascension*）するイエスを表わす（『使徒言行録』1, 9）。この芸術上の伝統がさらに洗練されると，足さえも省略し，様式化して表現されたオリーブ畑と呼ばれる山の頂上に残るイエスの足跡だけで，昇天を表現するようになる。⇨Washing of the Feet.

Fiacre, St　聖フィアクル
(7世紀)

アイルランド生まれの隠修士。庭師の守護聖人。人生の大半をフランスのモー近郊で過ごしたため，17世紀から18世紀にかけて，同地が聖フィアクル崇拝の中心地として有名になった。フィアクルのエンブレムは，庭師の名声を示すしるしの鋤（spade*）である。

フィアクルは女性を避け，自らが結んだ隠者の庵のそばにさえ近づけなかった。ここから特に性病を患う者たちが同聖人の加護を請うようになった。またフィアクルは四輪貸馬車を連想させることもある。というのは，かつて貸馬車を利用できたパリのホテルの名が，オテル・サン・フィアクルだったからである。フランス語の *fiacre* は「辻馬車」（cab）を意味する。

fig　イチジク

エデンの園（Eden, Garden of*）に生える善悪の知識の木とかつて考えられた樹木。聖書の物語は，その木の種類

をイチジクと特定していない．しかし，人間の堕落（Fall of Man*）後に，アダムとエバが自分の裸体を隠そうとした木の葉はイチジクであったと記されている（『創世記』3, 7）．堕落を連想させる果物（fruit*）のように，聖母子やキリスト降誕を題材とした絵画でもイチジクが描かれることがある．

新約聖書の福音書には，実を結ばないイチジクの木を呪うイエスの物語があるため，イチジクと堕落との結びつきが一層深まった（『マタイ福音書』21, 19-21；『マルコ福音書』11, 13-14）．

fingers 指
⇨gesture.

fire 火
聖霊の顕現であり，聖なる霊感のシンボル．このことを記した聖書の出典は，五旬節（Pentecost*）を迎える使徒に聖霊が降ったことを伝える一節，「炎のような舌が分れ分れに現れ……すると一同は聖霊に満たされ，"霊"が語らせるままに，ほかの国々の言語で話しだした」（『使徒言行録』2, 3-4）である．ここから火は，パドヴァの聖アントニウスのような雄弁な説教家を連想させることがある．教会の東西を問わず，最初の五旬節を描いた絵画では，1人1人の使徒の頭上で炎が舞う情景が描かれる．

炎の心臓は，ヒッポの聖アウグスティヌス（Augustine of Hippo, St*）のエンブレムであり，神に対する燃えるような敬愛を意味する．「聖マルティヌス（Martin, St*）のミサ」という題名の絵画では，同聖人の頭上に火の玉が舞う．⇨bush, burning.

fish 魚
キリスト教の全エンブレムの中で最古のエンブレムの1つ．初期キリスト教会では，ギリシア語で「魚」を意味するイクテュス（ICHTHUS）の文字が，IESOUS CHRIS-

ラファエッロ, 奇跡の漁り, 16世紀, ロンドン, ヴィクトリア・アンド・アルバート美術館

TOS THEOU HUIOS SOTER（イエス・キリスト・神の・子にして・救い主）の頭文字の集合体と解釈された. またペトロとアンデレを「人間をとる漁師」にすると約束したイエスの言葉に従い（『マタイ福音書』4, 19）, 初期キリスト教時代の著述家は, 新しい改宗者を「小さな魚」

と呼んだ. キリスト教徒が迫害された時代には, 地下墓地（カタコンベ）の壁面に魚の線画が描かれた. それは, 同じ信仰を分かつ仲間同士の親密な関係を簡潔に用心深く表現する記号であった. 少し時代を経ると, 魚を聖体の象徴と考えるようになった. したがって, テッサロニキのアヒロピイト

ス聖堂を飾る5世紀のモザイクのように，魚と聖体用のカリス（chalice*）とが一緒に描かれることもある．

聖書で魚が登場する主な場面といえば，イエスが少量の魚とパンから5000人に食べ物を与えたこと（Feeding of the Five Thousand*），そして奇跡的にも一網で多くの魚を捕ったことである（『ヨハネ福音書』21，1-14）．旧約聖書外典の『トビト記』には，変装した大天使ラファエルの忠告を受けたトビアが，チグリス川で大魚を捕獲した物語が記されている．トビアは，魚の心臓と肝臓を焼いて悪魔アスモデウスを追い出し，親戚の娘のサラを救った．ラファエルとトビアを描いた多くの絵画では，魚を捕獲するトビア，あるいは魚を持ち運ぶトビアが描かれている．

魚はまた，かつて漁師であった聖ペトロ，および4世紀のヴェローナの司教，聖ゼノのシンボルとなることがある．魚にまつわる伝説を残す聖人としては，魚を相手に説教をしたことで有名なパドヴァの聖アントニウス，そしてコーンウォールの聖人ネオト（Neot, St, 877頃没）と聖コランタン（Corentin, St, 年代不詳）などがあげられよう．ネオトとコランタンはある魚を常食としたが，その魚の大きさは奇跡的にもいつも同じだったといわれている．6世紀のブルターニュの大修道院長，聖ウィンワロー（Winwaloe, St）も魚と鈴を持つことがある．鈴は，魚を呼ぶために用いられた．

指輪とサケは，ケルト人の司教，聖ケンティゲルン（Kentigern, St, 別名，聖マンゴー Mungo, St, 612年没）の物語に登場する．ケンティゲルンは，イングランド北部とスコットランド南部で宣教活動を行なった人物である．同聖人に関しては，つぎのような物語が残っている．とある国の王妃が国王以外の男性と恋に落ち，国王の指輪を恋人

に与えてしまう．王妃の姦通に気づいた国王は，指輪を海中に投じ3日以内にそれを探し出せと命じる．途方にくれる王妃に拝謁したケンティゲルンは，万事がうまく運ぶという確信を持つよう進言する．すると聖人の言葉どおり，ケンティゲルンの修道士の1人が捕獲したサケの腹の中から指輪が発見される．指輪と魚を描いたグラスゴー市の紋章は，この後世に残すべき伝説を記念して作られたものである．

fishing net　魚を捕る網

　使徒の聖アンデレ（Andrew, St*）のエンブレム．イエスに召し出され，「人間をとる漁師」（『マタイ福音書』4, 19）となる以前にアンデレとペトロが携わっていた仕事を想起させる．

Five Joys of the Virgin　聖母の5つの喜び

　⇨Joys of the Virgin.

Five Thousand, Feeding of the 5000人，食べ物の供与

　⇨Feeding of the Five Thousand.

Five Wounds of Christ　キリストの5つの傷

　⇨stigmata.

flask　フラスコ

　水を入れる容器で，巡礼者の携帯品の1つ．ここから巡礼の一般的なシンボルとなった．フラスコといえば，特に大ヤコブ（James the Great, St*）を連想する．美術では，フラスコを手に持つか，あるいは腰紐にぶらさげた大ヤコブ像が描かれることがある．その際の大ヤコブは，コンポステラの同聖人の聖堂を訪れる巡礼者の衣装をまとう．⇨ampulla.

　中世の医者が採尿に用いた医療器具のフラスコは，聖コスマスと聖ダミアヌス（Cosmas and Damian, SS*）のエンブレムとなる場合がある．

Flight into Egypt エジプトへの逃避

ヘロデ王の命による無辜聖嬰児の虐殺からイエスを守るために（『マタイ福音書』2, 13-15）、聖家族がエジプトへ逃れたこと。ヨセフは、エジプトへ逃避するよう天使から事前に忠告を受けていた。美術では、ヨセフの引くロバの背に赤子のイエスを載せる聖母マリアの姿が描かれる。背景には、聖家族の後を追う兵士たちや、ベツレヘムに残った子供たちの処刑の場面が描かれる。ヨセフと先妻との間にできた息子、あるいは息子たちを伴う聖家族を描いた作

フラ・アンジェリコ，エジプトへの逃避，15世紀，フィレンツェ，サン・マルコ美術館

例もある.

これと関連する主題に，エジプトへの逃避途上の休息がある．この主題を描いた作品には，眠る子供を題材とした牧歌的な場面が多いが，しばしば背景に武装した男たちを配置し，緊迫した情景を描いたものもある．いずれの場合でも，種蒔きをする農夫，あるいは小麦の刈り入れをする農夫が描かれることがある．それはつぎのような「穀物の奇跡」と呼ばれる出来事を想起させるものである．ヘロデ王の兵士が身近に迫っていることを知った聖母は，畑で麦の種蒔きをする農夫のそばを通ったとき，追っ手に自分たちを売り渡さないように頼んだ．すると奇跡的にも穀物はすぐに芽を出し，瞬く間に実を結んだ．兵士たちが来て，この畑のそばを母親と子供が通り過ぎるのを見なかったかと農夫に尋ねると，農夫は正直に「この麦の種蒔きをしていたときは見たが，それ以後は見ていない」と答えた．農

夫の言葉を真に受けた兵士たちは，追跡を諦めた．

この伝説の異説には，異教の女神信仰に根ざしたものがある．この女神信仰は，田畑やその周辺を歩いて大地の豊饒や肥沃を祈願する儀式を伴う．同伝説は，何らかの理由で逃亡した聖女の物語，たとえばイングランドの聖ミルブルガ（Milburga, St）やフランスの聖ラデグンデ（Radegund, St）の物語にも受け継がれた．したがって，少なくとも12世紀頃にはエジプトへの逃避物語の中にも取り入れられたと考えられる．

Florian, St　聖フロリアヌス
（304年没?）

殉教者．ノリクム州（現在のオーストリアの1地域）のローマ軍兵士であったが，キリスト教に改宗した．東ローマ帝国皇帝ガレリウスがキリスト教徒を迫害したとき，体にひき臼石を巻きつけられたままエムス川に投げ込まれて溺死した．また生前には，大火

事のとき，水桶1杯の水で火事を消しとめたといわれている．ここから火事の際にはフロリアヌスの守護が求められるようになった．フロリアヌスが影響を及ぼした中心地は，オーストリアとバイエルンである．この地方の芸術家たちは，ローマ兵士，あるいは中世の騎士の鎧をまとったフロリアヌス像を描いた．十字のしるしの旗を持つこともある．持物はひき臼石か水桶である．水桶は，火事を消した偉業を記念する彫像でよく見られる．

flowering staff　花の咲く杖
⇨staff.

flowers　花
籠（basket*）に入れるか，スカートで抱える場合は，聖ドロテア（Dorothy, St*）のエンブレム．花束なら，聖ジタ（チタ，Zita, St*）のエンブレム．⇨iris, lily, rose.

footprints　足跡
中世の作品で山頂に残された足跡が描かれる場合は，キリストの昇天（Ascension*）を意味するしるしである．

Fortitude　剛毅
⇨Four Cardinal Virtues.

Forty Martyrs of Sebaste (Forty Armenian Martyrs)　セバステ湖の40人の殉教者
ローマの「雷軍団」（Legio XII Fulminata）に属するキリスト教徒の兵士たちで，320年にセバステ（現在のトルコ東部のシヴァス）で殉教した．兵士たちは裸にされ凍りついた湖の上に一晩立たされた．さらに棄教を促すために，岸には焚き火と暖かい風呂が準備された．その中で1人だけ脱落者が出たが，自らをキリスト教徒と宣言する勇敢な兵士たちの態度に鼓舞された別の兵士が，すぐに脱落者の代わりを申し出た．翌朝になると大部分の兵士が凍死し，生き残った僅かの兵士も

処刑された.

東方正教会では, セバステ湖の40人の殉教聖人が厚く崇敬されている. 3月9日が祭日と定められ, 彼らを題材とする印象的なイコンも制作され, 人気を博した. しかし西欧の教会暦によると, 彼らの祝日 (3月10日) は1969年に削除されている. 東方正教会のイコンは厳格な伝統的様式に従っている. イコンの中心的要素である殉教の場面には, 40人の様々な年齢の男たちが, 氷上で半裸の体を丸め寄せ合う姿が描かれる. その中の幾人かはすでに寒さで気を失っている. 背景には風呂場と燃えさかる焚き火が描かれ, 殉教を称える40の小冠が兵士たちの頭上に浮かぶこともある. シナイ半島のハギア・エカテリーニ修道院を飾る年代不詳のイコンでは, 一方に風呂場へと突進する背教兵士が, その反対側の隅には, 着ていた衣服を放り投げて背教者の身代わりを志願する殉教者が描かれている.

fountain　泉

命を与える神の力のシンボル. 美術では, エデンを流れる4つの川 (Four Rivers of Eden*) の水源として, 楽園の中心に描かれるのが一般的である. この泉は,『ヨハネの黙示録』(21, 6) の「命の水の泉」と同一視されている. ⇨deer.

中世の芸術家たちは, 泉の湧き出る, 囲まれた園 (garden*) に座す聖母マリアを描くことがある. それは愛する者を「閉ざされた園, 封じられた泉」と歌った『雅歌』(4, 12) の一節に言及したものである.

Four Cardinal Virtues　四枢要徳

賢明, 節制, 正義, 剛毅. 異教徒のギリシア哲学者たちが賞賛したこの世俗的美徳は, キリスト教徒のモラリストたちによっても受け継がれ, 三対神徳 (Three Theological Virtues*) と相補

的な関係にある美徳と見なされた.

擬人化された四枢要徳の中でもっとも親しまれた美徳は正義である.〈正義〉は,公明正大な裁きを象徴する目隠しをし,真理を計る天秤を持ち,正義を実行する剣を持つ女性として擬人化される.〈節制〉の持物は,慎みや自制を象徴する馬勒と馬銜,またはこれらよりも登場する頻度の少ない砂時計,あるいは置き時計である.〈賢明〉は,知恵,用心,熟慮のシンボルとして,鏡とヘビ,あるいはふるいを持つことがある.過去と現在の両方を見守る〈賢明〉は,老女と乙女の2つの顔を持つこともある.〈剛毅〉は,あらゆる困難や誘惑に対処できるよう鎧を身につける.

Four Crowned Martyrs（Four Crowned Saints）4人の戴冠殉教者

（4人の戴冠聖人,306年?没)

殉教者.4人が誰かということに関しては多くの論議が巻き起こった.「4人の戴冠聖人」を意味するイタリア名,「クァトロ・コロナーティ」（Quattro Coronati）で呼ばれる場合も多い.いうまでもなく王冠が殉教のシンボルであるが,ノコギリやハンマーのような石工の道具を持つ場合もある.

このようなちぐはぐな持物が存在するのは,旧ユーゴスラヴィアのミトロヴィカ,かつてのシルミウムで殺害され

目隠しをし,天秤と剣を持つ〈正義〉

た5人の石工と，異教神像の礼拝を拒否して処刑されたと伝えられている4人のローマ兵士とが混同されたからであろう．殉教者の名前も，物語によって異なっている．4人をシンプロニアヌス（Simpronian），クラウディウス（Claudius），ニコストラトゥス（Nicostratus），カストリウス（Castorius）とするものもあれば，セウェルス（Severus），セウェリアヌス（Severianus），カルポフォルス（Carpophorus），ウィクトリアヌス（Victorianus）とするものもある．シルミウムの殉教者伝説によると，石工たちは異教神アスクラピオスの像の作成を拒否したため，鉛の箱に入れられてサーヴァ川へ投げ込まれ，溺死したといわれている．

4人の戴冠殉教者の名声を高めた要因が2つある．まず，聖遺物がローマへ遷移されたこと，そして6世紀も後半に入る頃には，すでにローマのカエリウスの丘上に同殉教者名を冠した有名な教会が建立されたことがあげられる．また，4人は中世の石工同業者組合（訳注）の守護聖人であった．イングランドのカンタベリーに同聖人名を冠した教会が建てられたのは，おそらくカエリウスの丘上の教会の影響であろう．ビードによれば，619年の火事の際，この教会だけは，大司教メリトゥスの祈りによって火災を免れることができたと伝えられている．聖人らと石工との積年の関係は，ロンドンにあるフリーメーソンの本館（訳注）名，クァトゥオア・コロナティ（Quatuor Coronati）に残っている．

Four Daughters of God　神の4人娘

〈慈愛（慈しみ）〉，〈真理（まこと）〉，〈正義（義）〉，〈平和〉．旧約聖書に「慈しみとまことは出会い，正義と平和は口づけし」（『詩編』85, 11），とあるようにこれらは互いに挨拶をかわす1組の若

い女性として擬人化される.

Four Evangelical Beasts 4人の福音書記者の動物

4人の福音書記者（Four Evangelists*）のシンボル. どの動物がどの福音書記者を表わすかについては,『ヨハネの黙示録』に神の玉座の幻視を記した一節,「第一の生き物は獅子のようであり, 第二の生き物は若い雄牛のようであり, 第三の生き物は人間のような顔を持ち, 第四の生き物は空を飛ぶ鷲のようであった. この四つの生き物には, それぞれ6つの翼があり, その周りにも内側にも, 一面に目があった」(4, 7-8) がある. この『黙示録』の一節は, 旧約聖書の預言者エゼキエルが体験した4つの生き物の幻視の説明にもとづくものである (『エゼキエル書』1, 5-14). ロマネスク様式やゴシック様式の教会を飾るティンパヌム（装飾的な壁面）には, これらの生き物が常に荘厳のキリスト像の周囲に配置

されている. この作例としては, フランスのアルルのサン・トロフィーム聖堂の正面入口上部を飾るティンパヌム（1180年頃）がある.

4つの動物は, キリスト教美術上もっとも普遍的なシンボルの1つであり, 独立して登場する場合もあれば, 各々が表象する福音書記者とともに登場する場合もある. すなわちライオンは聖マルコ, ウシ（雄ウシ）は聖ルカ, 人間は聖マタイ, ワシは聖ヨハネとともに登場する. 動物と福音書記者を結びつける伝統の成立は, リヨンの司教, 聖エイレナイオス（Irenaeus, St, 2世紀）の功績によるところが大きいといわれているが, 最初はライオンと聖ヨハネ, ワシと聖マルコが結びつけられていた. この相いれない組み合わせの伝統は, 西欧では破棄されたが, 東方ではある程度まで一般に容認されていて, 特にロシアでは16世紀に至るまで存続した.

Four Evangelists　4人の福音書記者

聖マタイ（Matthew, St*），聖マルコ（Mark, St*），聖ルカ（Luke, St*），聖ヨハネ（John, St*）．美術では4人が一緒に登場することが多く，装飾写本の背景や頁では四隅に配置されることもある．4人の区別は各福音書記者独自のシンボルによるが（⇨Four Evangelical Beasts），福音書記者の代わりにシンボルだけが描かれることもある．特に写本美術のしきたりでは，机で書き物をする福音書記者を描くのが一般的である．

4人の福音書記者とともに使徒や他の人物を描くときは，福音書記者としての特別の地位を示して他の人々と区別するために，巻き物や本を持たせることもある．

Four Greek Doctors　ギリシア教会四大博士

聖アタナシオス（Athanasius, St*），聖バシレイオス（Basil the Great, St*），ナジア

ンゾスの神学者，聖グレゴリオス（Gregory Nazianzus, St*），聖ヨアンネス・クリュソストモス（John Chrysostom, St*）．東方正教会でもっとも崇敬されている教師．主教の聖職を持つため，イコンでは祭服をまとい，特徴的な衣装の主教用肩衣（omophorion*，オモフォル）を着用する．伝統的に人物に応じて形や色を描き分ける顎髭（beards*）は，四大博士と他の人々とを区別する上で役立つ身体的特徴となる．西欧でギリシア教会四大博士に相当する教会教師は，ラテン教会四大博士（Four Latin Doctors*）である．両者とも，立派な学者および著作家としての高い地位を表わすしるしとして本を持つ．

Four Horsemen of Apocalypse　黙示録の4人の騎手

『ヨハネの黙示録』（6, 2-8）の伝統的な解釈によると，飢餓，戦争，悪疫，死を指す．『ヨハネの黙示録』の同個所

に，白い馬，赤い馬，黒い馬，「青白い」馬の騎手には，全世界に影響を及ぼすほどの権威が与えられると記されている．この一節を描いた有名な作品として，恐れおののく人々に迫り来る4頭の馬に乗った騎手を描いたデューラーの木版画（1497年-1498年）がある．

Four Last Things　四終

死，審判，天国，地獄．中世・ルネッサンス美術では瞑想のテーマとして描かれ，4つの事柄が一組となっている．

Four Latin Doctors　ラテン教会四大博士

聖アンブロシウス（Ambrose, St*），ヒッポの聖アウグスティヌス（Augustine of Hippo, St*），大教皇グレゴリウス（Gregory the Great, St*），聖ヒエロニュムス（Jerome, St*）．西方教会でもっとも崇敬されている4人の教師．ギリシア教会四大博士（Four Greek Doctors*）のよ

うに，本または筆記用具を持つか，あるいは著述にいそしむ姿が描かれる．単独のときもあれば，群像の場合もある．祭服の相違で4人を見分けられることもある．たとえばグレゴリウスは，時代錯誤的にも，中世の教皇の正装で登場する場合がある．

Four Living Creatures　4つの生き物

⇨Four Evangelical Beasts.

Four Rivers of Eden　エデンを流れる4つの川

エデンから流れ出る4本の支流．ピション，ギホン，チグリス，ユーフラテスをいう（『創世記』2, 10-14）．これらの川は，サー・ウォルター・ローリーの『世界史』（History of the World, 1614）にもあるように，17世紀までは大々的に言及された川であった．⇨river.

Fourteen Holy Helpers　十四救難聖人

輔佐聖人としても知られる殉教聖人の一団. 救難聖人たちが死を迎える人々のために祈りを捧げれば, 失意に沈む人々, 特に瀕死の者や種々の病気を患う者に特別の助力が与えられるといわれている. 救難聖人群の崇拝は14世紀のドイツで盛んになり, その後はハンガリーやスウェーデンにまで広まった. しかし16世紀中頃に開かれたトレント公会議では, ローマ・カトリックの改革派から不評をかった.

十四救難聖人の名前は, 場所によって少しずつ異なっている. いつも名前のあがる聖人は, 聖アカキウス (Acacius, St*), 聖バルバラ (Barbara, St*), 聖ブラシオス (Blaise, St*), アレクサンドリアの聖カタリナ (Catherine of Alexandria, St*), 聖クリストフォロス (Christopher, St*), 聖キリクス (Cyricus, St*), 聖ディオニュシウス (Denys, St*), 聖エラスムス (Erasmus, St*), 聖エウスタキウス (Eustace, St*), 聖ゲオルギウス (George, St*), 聖アエギディウス (Giles, St*), アンティオキアの聖マルガレータ (Margaret of Antioch, St*), 聖パンタレオン (Panteleimon, St*), 聖ウィトゥス (Vitus, St*) である. これに聖アントニオス (Antony, St*), 聖ドロテア (Dorothy, St*), 聖レオナルドゥス (Leonard, St*), 聖ニコラオス (Nicholas, St*), 聖セバスティアヌス (Sebastian, St*), 聖ロクス (Roch, St*) が加わることがある.

fox キツネ

狡猾を表わす普遍的なシンボル. イソップの寓話集以来, 他人を食い物にする狡猾なキツネを題材にした数多くの民話は, 旧約聖書の『雅歌』に「ぶどう畑を荒らす小狐」(2, 15) が登場することから, 宗教的な文脈でも説得力を持つようになった. キリスト教徒の注釈者らは, キツネを霊魂という果実を盗む悪

の勢力と解釈した．ヴェネツィア・ラグーナのムラーノ小島群のサンタ・マリア・エ・ドナート・バシリカ聖堂を飾る12世紀の床モザイクには，縛り上げられて手も足も出ないキツネを運ぶ2羽の若いオンドリが描かれているが，それは警戒に敗れた狡猾を示すエンブレムである．

Foy, St　聖フォア
⇨Faith, St.

Francis of Assisi, St　アッシジの聖フランチェスコ
（1182年-1226年）

イタリアの神秘思想家でフランシスコ修道会の創始者．その生涯と奇跡は，ジョットのフレスコ画にあますところなく描かれ（1297年-1300年），死後何年もたたぬうちに建立されたアッシジのサン・フランチェスコ聖堂（上下の2重構造）上堂を飾ることになった．フレスコ画に描かれた有名な出来事の中には，世俗的なしがらみを捨て去ったことを示すしるしとしての父親への衣服の返還（財産放棄），小鳥への説教，聖痕（stigmata*）を受ける聖フランチェスコなどが含まれている．壁画に描かれたフランチェスコは，後の芸術家たちの模範となった．それは，剃髪を施し，きめの荒い茶色の修道服をまとう聖人像で，素足で聖痕を示す姿が一般的である．

fruit　果物

花と一緒に籠（basket*）に入っていれば，聖ドロテア（Dorothy, St*）のエンブレム．

聖母マリアを題材とした絵画で頻繁に果物が描かれるのは，第2のエバたる聖母の地位を想起させるためである．禁断の木の実を食べたエバにより罪と死が世界にもたらされたが，イエスを生んだ聖母マリアにより恩寵と生命が回復されたからである．この場合，リンゴ（apple*）とイチジク（fig*）は，人間の堕落（Fall of Man*）と関連した果

サセッタ，聖痕を受ける聖フランチェスコ，15世紀，ロンドン，
ナショナル・ギャラリー

物への直接的な言及である．
これに対しサクランボ（cher-
ry*）とザクロ（pomegran-
ate*）は，人々に希望を与え
る贖罪と御業とを連想させ
る．オレンジ（orange*）は
聖母その人を象徴する．

　新約聖書の数多くのくだり
に見られるように，もっと一
般的な意味で果物が使用され
るときは，人間の行為の暗喩
となることがある．「あなた
がたは，その実で彼らを見分
ける……すべて良い木は良い
実を結び，悪い木は悪い実を
結ぶ」（『マタイ福音書』7, 16-
17）

furnace　炉
　⇨Daniel.

G

Gabriel　ガブリエル

洗礼者ヨハネ（John the Baptist, St*）（『ルカ福音書』1, 11-20）とキリスト（『ルカ福音書』1, 26-38, ⇨Annunciation）の誕生を予告するために神から遣わされた大天使（archangels*）. 外典の『ヤコブ原福音書』では，ヨアキムとアンナにマリアの誕生を告知した天使でもある. 天使名は述べられていないが，キリストのいない空の墓で女性たち（⇨Three Marys）に話しかけた天使をガブリエルとすることがある（『マタイ福音書』28, 1-7）. 天使は，持物のユリ，あるいはユリの紋章（fleur-de-lis）のついた笏を持つ. ガブリエルは『ダニエル書』（8, 15-26: 9, 21-7）にも登場し，ダニエルが見た幻視の

意味を説明する. ユダヤ教の伝統では，サムソンの誕生を予告した天使と同一視されている（『士師記』13, 2-23）.

gammadion　卍
　　⇨swastika.

garden　園

聖母マリアとゆかりのある背景. 中世後期とルネッサンス期の芸術家たちは，囲まれた園（ラテン語で *hortus conclusus*），あるいは閉ざされた「楽園」で腰をおろす聖母を好んで描いた. それは世俗的な汚れから完全に離脱していながらも，子宝に恵まれる聖母を意味するものである. これに関する聖書の出典は，『雅歌』の「わたしの妹，花嫁は閉ざされた園」（4, 12）という一節である. これをモチーフにした中世後期の典型的な美術作品といえば，俗に「ライン川上流の巨匠」（*Oberrheinischer Meister*）と呼ばれる画家が描いた「聖母の楽園」があげられよう

(1410年，フランクフルト，シュテーデル美術研究所).

聖母と庭園が同一視されたことにより，中世に入ると，趣向を凝らした寓意的解釈が生まれ，花，果物，その他すべての物自体にも特別な意味が付与された．ただし，聖母の楽園では動物は除外されるのが一般的であり，エデンの園の状況とは対照的である．⇨bower, fountain, gate.

Garden of Eden エデンの園

⇨Eden, Garden of.

Garden of Gethsemane ゲッセマネの園

⇨Gethsemane, Garden of.

gate 門

ある状態から別の状態への移行を表わすシンボル．中世美術では，エデンの園にいたアダムとエバを外界への出口まで連れ出した天使が，精巧に造られた門から2人を追放し，楽園の警護者として門前に立つ姿が描かれる．これとは対照的に，聖霊だけしか近づけない聖母マリアの楽園の庭（garden*）には門がない．あるいは，あったとしても1つだけで，外界から誰も出入りできないように固く施錠されている．滅びに通ずる広き門と対峙する永遠の生命に通ずる狭き門（『マタイ福音書』7, 13-14）は，寓意的な文脈で登場することもある．

キリストの地獄への降下（Harrowing of Hell*）の場面では，地獄を征服した勝利者のキリストの足元に，砕かれた錠前，かんぬき，崩れた門が散乱している場合がある（⇨door）．このイメージは聖書の数箇所の記述から構築されたもので，中でも『詩編』の一節，「闇と死の陰から彼らを導き出し ／ 束縛するものを断って下さった……主は青銅の扉を破り，鉄のかんぬきを砕いて下さった」（107, 14-16）は注目に値する．『マタイ福音書』（16, 18）の「地獄の門」は「陰府（よみ）の力」

のことであり，決して教会に
対抗できぬ死と罪の力を意味
する．

Geneviève (Genovefa), St
聖ジュヌヴィエーヴ（ゲノウ
ェファ）（500年頃没）

　女子修道院長で童貞聖女．
パリの守護聖人．若い頃から
宗教生活に没頭したが，最終
的に神の道を選ぶ決断をした
のは，オーセールの司教ゲル
マ ヌ ス （Germanus of Aux-
erre, St*）の勧めがあったか
らである．伝説によれば，パ
リのフランク族の支配者から
も非常に尊敬されたといわれ
ている．パリがフン族軍侵入
の危険にさらされたとき，フ
ン族軍の攻撃の矛先をパリか
らオルレアンに向けさせたの
は，神に捧げたジュヌヴィエ
ーヴの祈りの力であった．そ
して死去した後も，緊急時に
はパリを守り続けた．同聖女
を題材にした美術作品のほと
んどは，北フランス美術に限
られる．修道女のような服を
まとい，火をともしたロウソ
ク（candle*）を持つジュヌヴ
ィエーヴの傍らを悪魔が飛ぶ
場面を描いたものが一般的で
ある．

George, St　聖ゲオルギウス
（4世紀初期？）

　殉教者．兵士，射手，鉄
工，武具師のような軍事関係
の仕事に携わる人々の守護聖
人．ゲオルギウスの周辺では
早い時期から伝説がつぎつぎ
と生まれていた．このような
架空の経歴の中核となった物
語によると，キリスト教徒を
迫害したディオクレティアヌ
ス帝の時代に，拷問されたの
ち斬首刑に処されたパレステ
ィナの兵士であったともいわ
れている．現在のイスラエル
のロド，かつてのリッダには
同聖人のものといわれる墓が
あった．6世紀初頭にいやし
の奇跡が起こってから墓は一
躍有名になり，聖ゲオルギウ
ス崇拝の中心地となった．

　その生涯に真偽のほどが疑
わしい事実があるにもかかわ
らず，ゲオルギウスは東西両

ラファエッロ，聖ゲオルギウスと竜，16世紀，パリ，ルーヴル美術館

世界で崇敬されている．東方正教会では「偉大なる殉教者」という敬称を持つ．ゲオルギウスという名前は，「大地を耕す者」つまり「農夫」を意味するギリシア語のゲオルゴス（georgos）に由来するといわれている．このゲオルギウスとゲオルゴスの地口から，ゲオルギウスは農耕暦において農夫の守護聖人となった．ギリシアでは，かつて聖ゲオルギウスの日（西欧と同じく4月23日）に農業労働者の雇用契約が履行されたという．今でも羊飼いの守護聖人と考えられている．

聖ゲオルギウスが竜を退治して王女を救出する武勇伝は，後世になって伝説に付け足されたもので，武勇伝が人気を博するのは13世紀以降にすぎない．その物語には，ペルセウスとアンドロメダの異教神話と酷似した点があり，聖テオドロス（Theodore, St*）の伝説を継承した可能性もある．西欧の芸術家の想像力を掻き立てるのはまさに

この武勇伝であり，鎧で完全武装し，ウマの背にまたがった騎士姿のゲオルギウス像が描かれた．聖人の身元を示すため，盾には白地に赤十字の記章を施すのが一般的である．聖ゲオルギウスの竜退治の場面は，悪魔に勝利する大天使ミカエル（Michael*）の場面と酷似しているが，上述した盾の模様と，天使の翼の有無で両者を区別することができる．伝統的にゲオルギウスのウマは白馬であることが多い．これは，『ヨハネの黙示録』（6, 2）の「見よ，白い馬が……勝利の上にさらに勝利を得ようと出て行った」という一節が殉教者にも当てはまるとする解釈に従ったものである．

東方教会のイコンでは，まさに戦士聖人のいでたちのゲオルギウスが描かれる．ローマ兵士かビザンティン兵士に特徴的な鎧をまとい，ウマに乗る場合もあるし，乗らない場合もある．ときとしてウマの後部に小さな人物が腰かけ

ることがある．それは同聖人が解放した奴隷の少年を表わす．少年がカップを手にするのは，主人にワインの給仕をしているときに救出されたからである．聖人の乗る白馬によって，ゲオルギウスとデメトリオス（Demetrius, St*）を区別することができる．後者のウマは，概してこげ茶色か栗毛色である．竜を退治する聖ゲオルギウスを題材としたイコンは，15世紀のクレタ島の芸術家が得意とするジャンルとなり，その後2世紀にわたって人気が衰えなかった．しかし，血腥い戦闘用の鎧は，天上の聖人を表現する聖障（イコノスタシス）には不釣り合いなことから，教会の聖像画では一般市民の衣装，すなわち殉教者の赤い衣服かチュニカをまとうゲオルギウスが描かれる．

　中世では騎士道と騎手の守護聖人として崇敬されたため，聖ゲオルギウスの重要性はさらに増した．その意味で，ゲオルギウスの竜退治の物語には，武勇と女性の守護という一対の騎士道的理想の縮図を見ることができる．少なくとも7世紀には，聖ゲオルギウスの名は西欧に知れ渡っていたことだろう．8世紀の中頃には，フランスのコタンタン半島の西海岸で同聖人の聖遺物が奇跡的に発見されたと報告されている．それ以降，海岸線にそって点在するかなりの数の教会が同聖人名を冠するようになり，マンシュだけでも22の教会がある．

　しかし，ゲオルギウスが真に聖名を馳せたのは，第1回十字軍の頃からのようである．当時，聖デメトリオスと聖ゲオルギウスの幻視を通し，キリスト教徒によるアンティオキアの町の占領が告げられたといわれている（1098年）．ゲオルギウスは，十四救難聖人（Fourteen Holy Helpers*）の1人でもある．またゲオルギウスを守護聖人とする都市や町も多く，その中にはバルセロナとジェノヴァが含まれる．さらにゲオル

ギウスといえば，祖国から回教徒を駆逐せんとするスペイン人の闘争を想起させる．1237年のピュイグ・デ・セボラの戦闘を題材にしたマルサール・デ・サクス作のバレンシア祭壇画（ロンドン，ヴィクトリア・アンド・アルバート美術館，15世紀初頭）では，鎧の上に赤十字の縫い取りのある外衣と馬飾りを着用し，アラゴン・カタルニア連合王国の国王ハイメ1世の傍らで，ムーア人の大軍を相手に戦う聖ゲオルギウスの姿が描かれている．

第3回十字軍の際（1190年代），イングランドのリチャード1世は，聖ゲオルギウスに自分の軍隊の加護を求めた．そして帰国した十字軍兵士の影響により，聖ゲオルギウス崇拝が一層盛んになった．14世紀中頃に入り，イングランドの筆頭守護聖人となるにつれ，ゲオルギウスはそれまでイングランド国王のエドワード証聖王（Edward the Confessor, St*）や聖エド

ムンド（Edmund, St*）が担ってきた役割を引き継ぐようになった．現在でも同聖人名を冠した教区教会が約200ほど残っており，20世紀の戦没者追悼記念碑でも同聖人名を見ることが多い．ゲオルギウスが長い間イングランドのあらゆる階層から崇敬されてきたことは，『聖ゲオルギウスと竜』という仮面劇の人気にも窺える．この仮面劇に関しては，かつてイングランド国内に数多くの別形があった．

Gereon, St（Geron）聖ゲレオン（3世紀）

戦士聖人で殉教者．聖マウリキウス（Maurice, St*）と同じく，テーベ軍団の指導者であった．仲間とともにケルンで殉教した．同聖人名を冠したケルンの教会が，地元の聖ゲレオン崇拝の中心地となった．胸甲に十字の紋章のついた軍装で登場するゲレオンは，ドイツ以外の美術ではほとんど見られない．

Germanus of Auxerre, St
オセールの聖ゲルマヌス
（378年頃-448年）

418年からオセールの司教．フランスと英国の教会に関する問題で重要な役割を果たした有力者で，異教徒と戦うために2度も英国を訪れた．オセールにあるゲルマヌスの墓は有名な巡礼地であった．フランスとイングランド両国に同error人名を冠した教会がある．しかし，パリの有名なサン・ジェルマン・デ・プレ教会は，550年代にパリ司教だったオタンのゲルマヌスとゆかりのある教会で，オセールのゲルマヌスとは無縁である．

芸術家をもっとも魅了した生涯のエピソードは，ゲルマヌスのロバ（ass*）の死と蘇生である．彼は，死去する少し前に，このロバに乗ってラヴェンナの皇妃ガッラ・プラッチーディアのもとを訪れている．

Gertrude of Nivelles, St ニ
ヴェルの聖ゲルトルディス
（626年-659年）

女子修道院長で後援者．若い頃から，母親がニヴェル（現在のベルギー）に建立した男子修道院と女子修道院の院長を兼任した．地元の異教徒に対し寛大な宣教活動を行ったことと，神聖な生涯を送ったことで名を馳せた．

聖ゲルトルディス崇拝には種々の民間伝承の要素が混入している．たとえば，冥府への旅の第1段階にある死者を守護すると信じられていた．美術では，女子修道院長の牧杖を持ち，1匹のネズミと一緒に描かれることがある．ゲルトルディスとネズミとの関係がどのようにして生じたかは定かでないが，一般にハツカネズミやクマネズミがもたらす疫病に対して同聖女の加護が求められたのは事実である．聖ゲルトルディス崇拝は，北海沿岸低地地帯を通してイングランド，ドイツ，そして他の地域へと広がった．たとえば，エストニアのタリ

ンでは，織物業者の依頼を受
けて制作された15世紀後期
の美しい祭壇画にゲルトルデ
ィスが描かれている．

Gervase and Protase, SS 聖ゲルウァシウスと聖プロタシウス

　年代不詳のイタリアの殉教
者．2人の遺骨は，386年に
ミラノで聖アンブロシウス
（Ambrose, St*）により発見さ
れた．最初に安置された場所
からアンブロシウスの新しい
バシリカ聖堂へと遷移される
途中，聖アウグスティヌスの
『告白』（9, 7）にも述べられ
ているように，聖遺物は種々
の奇跡を呼び起こした．バシ
リカ聖堂の地下室には現在で
も遺骨が安置されている．
386年，トゥールの聖マルテ
ィヌス（Martin of Tours, St*）
とルアンの聖ウィクトリキウ
ス（Victrice of Rouen, St）
は，ローマ公会議からの帰国
途上にミラノを訪れ，アンブ
ロシウスより聖遺物の一部を
受け取り，フランスへ持ち帰

った．その結果，フランスで
聖ゲルウァシウス・聖プロタ
シウス崇拝が盛んになった．
ノルマンディーだけでも，両
聖人名を冠した古い教会が
29もあった．フランス北西
部のセエの大聖堂は，かつて
両聖人名を冠していたが，後
に聖母マリアに奉献された．
しかしイングランドでは，エ
セックスのリトル・プラムス
テッドに両聖人ゆかりの教会
が1つあるのみである．

　美術では両聖人が一緒に登
場する．これといって特別の
エンブレムはない．生涯につ
いては何もわからないので，
2人の『言行録』は架空の物
語と見てよいだろう．よくあ
る「双子」の聖人の範疇に入
ることから，ギリシア神話で
「ディオスクロイ」と呼ばれ
るカストルとポルクスの異教
崇拝をキリスト教化した形態
だと考える学者もいる．

gesture 身振り

　中世の芸術家は，様式化さ
れた身体言語の表現形式を用

| 身振り | 祝福
（東方） | 祝福
（西方） | 注意を引きつける | 接近禁止 |

い，特別の感情，反応，状況を伝達することができた．たとえば，祝福を与える動作を手で行う場合，手の指の位置は象徴的な意味を持つ．もっともよく知られる指の位置の1つは，異教ローマの雄弁家，判事，教師らを連想させる身振りから取り入れたものである．すなわち，右手の親指，人差し指，中指を伸ばし，薬指と小指を手のひらの内側に曲げれば，動作主が権力者であることを示すので，直ちに見る者の注意を引きつけることができる．中世のキリスト教徒は，このような動作にキリスト教的意味を読み

取り，伸ばした2本の指と親指は三位一体を，残りの2本の指は，人であり神であるキリストの二重性を意味すると解釈した．

身振りに関しては多くの変形がある．西欧の教会美術では，親指を手のひら側に曲げて薬指につければ，祝福を与える身振りを連想させる場合がある．これを変化させたものとして，ちょうどイギリスの政治家，チャーチルのVサインのように，中指と人差し指を離してV字形をつくることもある．⇨hand, orans.

Gethsemane, Garden of　ゲツセマネの園

　エルサレムの外れにある園で，イエスが受難を前に眠らずに夜をあかし，逮捕されたといわれる場所．園での苦悩としても知られている徹夜と逮捕は，一連の受難を飾る一場面として，それぞれ独自に取り上げられる画題である．園での苦悩を題材とした作例では，その背景に，ユダヤの権力者がイエス逮捕のために差し向けた兵士たちを小さく描く場合がある．

　園での苦悩の中心的人物は，イエス自身，そしてイエスから少し離れた所でうたた寝するペトロ，ヤコブ，ヨハネである（『マタイ福音書』26, 36-46）．弟子からさらに離れた所に，その他の従者の眠る姿が描かれることもある．また艱難を予感したイエスの祈り，「父よ，できることなら，この杯をわたしから過ぎ去らせてください」（『マタイ福音書』26, 39）を文字どおり解釈して，聖体拝領の杯ある

いは聖杯が描かれることもよくある．さらに『ルカ福音書』を典拠とし，「イエスを力づけた」（『ルカ福音書』22, 43）天使が控える場合もある．園での苦悩は，4世紀から美術の画題として知られていたが，それを正面から取り上げた作例としては，ヴェネツィアのサン・マルコ聖堂を飾るモザイク（1220年頃）がある．ビザンティンの芸術家は，祈りを捧げるイエス，および弟子たちに忠告するイエスを描いているが，西欧の芸術家は，祈りを捧げるイエスのみを描く傾向がある．

　ルネッサンス期の芸術家は，イエスの逮捕を崇高なドラマに仕立て上げた．松明に火をともし，「大勢の群集も剣や棒を持って」押し寄せ，イエスの周りを取り囲む．するとイスカリオテのユダ（Judas Iscariot*）がイエスに接吻をし，逮捕に来た者たちに誰がイエスかを教える（『マタイ福音書』26, 47-50）．イエスの逮捕に伴う副次的な出来

事として，大祭司の手下の耳が切り落とされたことがある．これに関しては4つの福音書すべてに記述がある．『ヨハネ福音書』(18, 10) では，剣を抜いた弟子はペトロで，耳を切り落とされた手下の名はマルコスであると記されている．『ルカ福音書』(22, 51) には，イエスがその耳に触れて癒したとある．

giant 巨人

伝説で巨人であったといわれている聖クリストフォロス (Christopher, St*) は，一般人よりも大きく描かれた．

ペリシテ人の巨人ゴリアトを打ち倒したダビデ (David*) 像は，巨人と一緒に登場するよりも，切り落とした首を持つことが多い．

Giles, St（Aegidius）聖アエギディウス（ジャイルズ）
（8世紀初頭？）

フランスの隠修士で，その生涯についてはほとんど知られていない．おそらくプロヴァンス地方のサン・ジル・デュ・ガールか，あるいはその近郊に住んでいたのだろう．同地域は聖アエギディウス崇拝の中心地となり，美しいロマネスク様式の教会も建てられた．しかし16世紀になると教会の建物の傷みがひどくなったため，17世紀には大改造された．

一介の隠修士として笏杖を持つこともあるが，矢あるいはシカ，あるいはその両方を伴うこともある．後者の持物は，アエギディウスにまつわる伝説の中でもっとも有名な出来事をふまえたものである．それによると，身をはって猟師たちからアカシカを守ろうとしたために，体を矢で射ぬかれ，ひどい障害をきたすような重傷を負ったという．この物語がもとになり，身体障害者，乞食，乳母の守護聖人となった．ドイツでは同聖人に祈りを捧げれば，たとえ告白が不十分な罪人であっても，特別の加護が授けられると信じられていた．その

聖アエギディウスの画家，聖アエギディウスとシカ，16世紀，ロンドン，
ナショナル・ギャラリー

結果，十四救難聖人（Fourteen Holy Helpers*）の１人に数えられている．聖アエギディウス崇拝はヨーロッパ全土に広がり，イングランドだけでも160を超える教会と20を超える病院が同聖人名を冠していた．祝日の９月１日には，ウィンチェスターとオックスフォードで定期市が開かれた．後者の市は現在でも残っている．

アエギディウスは鍛冶屋の守護聖人でもある．ここから同聖人名を冠した教会が，町の出口近くの鍛冶屋の側に建てられた．旅人は，鍛冶屋でウマに蹄鉄をつけてもらう間，教会を訪れることができた．

girdle 腰帯

婦人の衣類で，伝説では神秘的な力が宿るといわれている．聖母被昇天（Assumption*）の信仰が生まれた原典は，福音書記者の聖ヨハネとアリマタヤの聖ヨセフが書いたとされる新約聖書外典である．この外典を粉飾した物語によれば，聖母マリアは，天国に召されるとき，聖トマス（Thomas, St*）にその肉体の昇天を確信させるために，身につけていた腰帯を投げ落としたといわれている．

腰帯の投げ落としは，中世後期・ルネッサンス期において，聖母マリア被昇天を題材にした絵画の主題であった．その物語自体は，おそらく1200年頃にイタリアで生まれたものであろう．「聖帯」（Sacred Girdle）という名称で知られる聖遺物は，1141年に聖地からフィレンツェ近郊のプラートに遷移され，同地の大聖堂に収められた．したがって聖トマスと腰帯のエピソードは，プラートでの聖人崇拝との関連で，聖母被昇天の物語に付け足されたものであろう．

同主題を題材にした美術作品が数多く残されているように，描写手法や精巧度も作品によって様々である．15世紀のシエナの芸術家マッテ

オ・ディ・ジョヴァンニは，一方で天使たちが天上へと運び上げる戴冠した聖母を，他方で聖母の墓の傍らに立つトマスの手中へ聖母の膝から滑り落ちる腰帯を描いている（ロンドン，ナショナル・ギャラリー）．この作品よりも単純な構図としては，オックスフォードシャー，ベックリーの教会のステンドグラス（1325年頃-1350年）がある．同ステンドグラスでは，やや体を横たえた格好で天上へと持ち上げられた聖母が，体を曲げながら，下で祈りを捧げるトマスに腰帯を落とす場面が描かれている．

14世紀初期のイングランドのキリスト教美術では，このモチーフが盛んに用いられた．その1つの要因として，ちょうど同時代にウェストミンスター・アベイが聖遺物の腰帯を入手したことをあげてもよいだろう．聖帯崇拝は東方でも知られており，アトス山のヴァトペディ修道院でも，14世紀以来，奇跡を呼ぶ聖母の腰帯が安置されているという．

修道士がまとう帯の結び目は，修道会の誓願を忘れないためのものであり，ロザリオ（rosary*）のように祈りの補助として使用される．

globe　球体

上部に十字架が載った球体は，世界支配のシンボルとなる．父なる神と玉座のキリストがそのような球体を持つことが多い．それはまた世の救い主（*Salvator Mundi**，サルウアトール・ムンディ）の大役を担うキリストの持物でもある．ビザンティンの芸術家も，巻き物

球体

(scroll*) の代わりに，あるいは巻き物と一緒に球体を聖母の腕に抱かれた御子キリストの持物とすることがある．

東方正教会では，大天使 (archangels*) の持物である．この場合，球体上部につけられたギリシア十字架の4本の手の間には，IC XC NI KA（「イエス・キリストは征服する」）というギリシア文字が配置されることがある．⇨ball.

Gluttony 大食

七つの大罪 (Seven Deadly Sins*) の1つ.

Glykophilousa グリュコフィルサ

（「甘美な接吻をする生神女」）⇨Eleousa.

goats ヤギ

最後の審判 (Last Judgement*) のヒツジ (sheep*) と対照をなす邪悪な霊魂のシンボル．このイメジャリーの典拠は，「羊を右に，山羊を左に置く」（『マタイ福音書』25，33）というイエスの言葉である．

God 神

父なる神，子なる神，聖霊なる神を描写する際の異なった美術上のしきたりに関しては，⇨Trinity.

Golden Calf 黄金の子ウシ

モーセが神から十戒を授かるためにシナイ山に籠もっている間，アロン (Aaron*) が，イスラエルの人々の差し出した黄金の装飾品を集めて造った偶像（『出エジプト記』32，1-6）．その後に続くオルギア的偶像崇拝の場面は，画家が好んで取り上げた題材であった．子ウシ自体は，人々の行列の上に掲げられるのが一般的である．

goldfinch ヒワ

聖母子と結びつけられるときは，キリストの受難を予表する．15世紀後期のギルランダイオの「羊飼いの礼拝」

デューラー，鶸の聖母子，16世紀，ベルリン，国立絵画館

（フィレンツェ，サンタ・トリニタ聖堂）では，前景の中心部に描かれたキリストの隣にヒワが登場する．しかし，ティエポロの「鶸（ひ）の聖母」（ワシントンD.C.，ナショナル・ギャラリー・オヴ・アート，）のように，キリストが手でヒワを持つ方がより一般的である．ヒワの餌である茨や刺のある雑草などは，茨の冠を連想させた．

Good Samaritan 善いサマリア人

　イエスのもっとも有名なたとえ話の1つに登場する主人公（『ルカ福音書』10，30-36）．「では，わたしの隣人とはだれですか」（10，29）と律法の専門家が尋ねたのを受けて，イエスが例に出した人物．旅の途中で追いはぎにあった男の「隣人」にサマリア人を選んだことのポイントは，地理的な隣人のサマリア人への愛を失わないようユダヤ人に諭す点にある．というのも用心深いユダヤ人は，サマリア人を軽蔑し，不純な儀式を行なう人々として排斥し

ドメニコ・カンパニョーラ，善いサマリア人，16世紀

たからである.

　美術では，傷ついた男を自分の「動物」（通常ロバである）に乗せ，宿屋のドアの所まで連れてゆくサマリア人が一般的に描かれる. それはレンブラントも何度か取り上げた画題であるが，それ以前の場面，サマリア人が道端でこの男と出会うという場面も取り上げている.

Good Shepherd　善い羊飼い
　⇨shepherd.

goose　ガン，ガチョウ
　聖マルティヌス（Martin, St*）と聖ウェルブルガ（Werburga, St）のエンブレム. 聖マルティヌスとガン（ガチョウ）との結びつきは，11月11日の同聖人の祝日の関係で生じたらしい. というのも，ガチョウを太らせるために檻に入れるのが，ちょうど1年のこの時期にあたるからである. 7世紀イングランドの女子修道院長，聖ウェルブルガの伝説によると，同聖女

は死んだガンを蘇生させたといわれている.

gourd　ヒョウタン（ウリ科の植物）
　水を入れる容器として使用される. 乾燥させたヒョウタンは，中世の巡礼者や旅人の持物であった. したがって巡礼者の格好をした大ヤコブ（James the Great, St*）がヒョウタンを持つことがある. 旅をする大天使ラファエル（Raphael*）も同様である.

　旧約聖書のヨナ（Jonah*）の物語を典拠とした3つの場面は，初期キリスト教時代の葬礼美術で特徴的な位置を占める. その最後の場面では，ヒョウタン（ラテン語 cucurbita）のつるが描かれている. それは，神がヒョウタンの木に命じて芽を出させ，ヨナが暑さを凌げるように「小屋」の上に陰をつくらせたという物語にもとづくものである（『ヨナ書』4, 5-11. 新共同訳では「トウゴマの木」）. ヒョウタンに命じて芽を出させ

陰をつくらしめた神の力は，楽園において人間の霊魂を再生させる力の寓意であると解釈された．つるの下で横になって休息するヨナは，初期キリスト教の石棺浮彫の題材になることがある．

grail 聖杯

⇨cup, Holy Grail.

grain 穀物

⇨corn.

grapes ブドウ

聖体のブドウ酒のシンボル．キリスト教美術で頻繁に用いられるモチーフで，聖母子を題材とした絵画に描かれることがある．ブドウと小麦（corn*）の穂が一緒のときは，後者は聖体のパンを意味する．⇨vine.

Green Man グリーンマン（人頭像）

中世の多くの教会で見られるグロテスクな人物像で，頭部は木の葉に覆われ，口，頬，額からは芽が伸びていることもある．グリーンマンが装飾要素として最初に用いられたのは，アカンサスの葉の渦巻形装飾にはめ込まれた仮面飾りである．紀元2世紀以降からローマ帝国の多くの地域で同種の装飾が見られた．活用しづらい空間を埋めることが可能な，用途の広いモチーフで，天井の止め飾り，持ち送り（ｺﾝ ﾍﾞﾙ），ミゼリコルディアの座席下の装飾，柱頭（ｷｬﾋﾞ ﾀﾙ），三角小間（ｽﾊﾟﾝ ﾄﾞﾚﾙ），小さめのステンドグラスの窓などに使われることがある．アカンサスの葉を用いた仮面飾りの作例としては，バンベルク大聖堂の騎士像（1237年頃）の持ち送りがある．他の彫刻家たちは，西欧原産の植物を木の葉の装飾モチーフとして用いた．中でもオークやサンザシは人気があった．

グリーンマンの像はイングランド，フランス，ドイツなどの広い地域で見られるが，それが何者であり，どのような意味を持つかについては論

議を呼んでいる．グリーンマンに備わる不吉で悪魔的な側面は，キリスト教化される以前の時代の森の精を想起させるかもしれない．グリーンマンと五月祭に英国の煙突掃除夫たちが行う伝統的な遊戯，「緑のジャック」(the jack in the green) との関連については不明である．「緑のジャック」とは，木の葉や枝で覆われた円錐形の枠組の中に入る役の男性をいう．緑は再生と豊饒の色である以外に，魔術的な存在を連想させる．

頭の3つあるグリーンマンは，「悪魔の頭」のベルゼブルを想起させようとしたものである（『マタイ福音書』12, 24）．少なくとも聖書外典『ニコデモ福音書』(5世紀?) の時代の古い伝説によれば，3つの頭を持ち，キリストに対抗して地獄の門の番をするベルゼブル像が描かれている．それは一種の反三位一体か，あるいは異教の冥府ハデスの門番，3つの頭を持つイヌ，ケルベロスであろう．

Gregory I (the Great) グレゴリウス一世（大グレゴリウス）(540年頃-604年)

ローマ教皇 (590年-604年)．ラテン教会四大博士 (Four Latin Doctors*) の1人．グレゴリウスは高貴なローマ人の家に生まれ，世俗的な面で大成功を収めた．しかし，巨万の富を投じてローマのカエリウスの丘上に聖アンデレの修道院を建立し，自らが修道士となった (574年頃)．グレゴリウスが遂行した様々な教会の重要任務の中には，教皇職に就く以前，コンスタンティノープルの宮廷へ教皇特使として派遣されるという大役もある．主要業績としては，アングロ・サクソン人を改宗させるため，イングランドのカンタベリーへ聖アウグスティヌス (Augustine of Cantabury, St*) を派遣したことがあげられよう．宗教改革以前では，同聖人名を冠した教会が30以上もあったという．また，影響力の大き

い多作の著述家でもあった.

美術では, 時代錯誤的ではあるが, 中世後期の教皇の祭服と三重冠を着用することが多い. また彼の創作の霊感は神から直接に与えられるものと考えたため, ハト (dove*) の形をした聖霊から霊感を受けつつ物を書くグレゴリウスが描かれることもある. 第3の伝統は, 中世末期にヨーロッパ北部で盛んに取り上げられたテーマ, 聖グレゴリウスのミサである. グレゴリウスが聖体拝領のミサを執行すると, 聖体におけるキリストの実在を立証するかのように, 十字架のキリスト, あるいは聖痕を示すキリストが祭壇上に出現したという.

Gregory Nazianzus (the Theologian), St ナツィアンツ (ナジアンゾス) の聖グレゴリオス (神学者)

(329年-389年)

著述家であり学者. 三教会大主教 (Three Holy Hierarchs*) の1人, ギリシア教会四大博士 (Four Greek Doctors*) の1人でもある. 生まれは小アジアのカッパドキアで, 短い間であるがコンスタンティノープルの主教も務めた. ただし, たったの数週間でその主教職を辞任するなど, 個性が強烈で公的生活には不向きな側面があった. しかし, グレゴリウスの著作と演説は, 異端のアリウス派を決定的に打倒する上で役立った. 美術の同聖人像は, ふさふさと伸びた灰色の顎鬚を特徴とする.

greyhound 猟犬

聖フェルナンド, すなわちカスティリャ王国の国王, フェルナンド三世 (1199年-1252年) のエンブレム. 1217年にカスティリャの王座を継承し, 1230年にはカスティリャ王国とレオン王国を統一した. 同国王の支配下になると, イスラム教徒からスペイン領土を奪回する動きにますます拍車がかかった. その勢いは誰にも止められ

ず，大部分のアンダルシアの
国土が回復された．フェルナ
ンドの正式な列聖は 1671 年
まで待たねばならなかった
が，戦う国王たる聖フェルナ
ンド崇拝は瞬く間にスペイン
全土へ広がった．

gridiron　炮烙

炮烙

聖ラウレンティウス（Lau-
rence, St*），聖フィデス
（Faith, St*），サラゴーサの聖
ウィンケンティウス（Vin-
cent of Saragossa, St*）のエン
ブレム．美術で描かれる炮烙
は，通常の大きさの寝台型の
ものから，聖人が手に持つ長
方形の鉄格子まで種々様々で
ある．その作例としては，ウ
ェストミンスター・アベイ，
聖フィデスの礼拝堂東壁を飾
る 14 世紀初頭の絵画，モー
ルヴァーン修道院教会の身廊
北側を飾る聖ラウレンティウ
スの窓などがある．人気のあ
る聖人だった聖ラウレンティ
ウスは，絵画，ステンドグラ
ス，彫刻などで殉教死の場面
が数多く描かれた．15 世紀
後期のイングランドの雪花石
膏（アラバスター）パネル（ノッティン
ガム，ノッティンガム城博物
館）には，ラウレンティウス
が鎖で炮烙に繋がれ，拷問官
が炮烙の下の火をかきたてる
場面が描かれている．

H

habit　修道服

　修道士，托鉢修道士，修道女の衣服．修道会に属する聖人は，一般にその修道会にふさわしい修道服を着用して描かれるので，問題の聖人が誰かを知るための指標として役立つ．

　シエナの聖カタリナ（Catherine of Siena, St*）は，ドミニコ会第三会員が着用する黒と白の修道服をまとう場合が多い．アビラの聖テレサ（Theresa of Avila, St*）と，聖テレサの名をとって命名されたリジューの聖テレーズ（Theresa of Lisieux, St*）は，こげ茶色の跣足カルメル会修道服と黒いヴェールを身につける．世界中の人々が加護を祈願する聖女，カスキアの聖リタ（Rita of Cascia, St, 1377 年-1447 年）は，特に不道徳な夫や暴力的な夫を持つ女性たちの守護聖人として人気があり，聖アウグスティノ修道会の修道女服をまとう．フランスで王冠をかぶる修道女といえば，聖バルドヒルド（Bathild, St*）があげられる．

　アッシジの聖フランチェスコ（Francis of Assisi, St*）とパドヴァの聖アントニウス（Antony of Padua, St*）は，フランシスコ修道会の茶色の修道服をまとう．聖ベネディクトゥス（Benedict, St*）は，改革以前のベネディクト修道会の黒衣か，あるいは改革後の修道会の白衣のいずれかをまとう．トレンティーノの聖ニコラウス（Nicholas of Tolentino, St*）は，一般に聖アウグスティノ修道会の黒い修道服姿で描かれる人物の1人であるが，白の修道服を着た人物は，シトー派の修道士，クレルヴォーの聖ベルナルドゥス（Bernard of Clairvaux, St*）の場合がある．青

色のT字型十字架（cross*）を持ち，黒い修道服を着る老修道士は，エジプトの聖アントニオス（Antony of Egypt, St*）の可能性が高い.

Hagar　ハガル

アブラハム（Abraham*）の妻サラのエジプト人の召し使い. サラの実の子であるイサクが生まれる前にアブラハムの子を産み，イシュマエルと名づけた. イサクが生まれると，サラはアブラハムの本意に反し，ハガルとイシュマエルを砂漠へ追放するよう主張した. もし神が介入してハガルとイシュマエルに水を与えなかったならば，2人は砂漠で息絶えていただろう（『創世記』21, 9-21）.

ハガルの追放という人間的ドラマに魅せられた芸術家の1人に，巨匠のレンブラントがいる. 芸術家たちもまた，この主題以外にも天使がハガルに命の水の湧き出る場所を教える場面を描いている.

hair　頭髪

流れるような長髪は童貞殉教聖女の持物である. しかし，マグダラの聖マリア（Mary Magdalene, St*）やエジプトの聖マリア（Mary of Egypt, St*）のような回心した娼婦の持物となる場合もある. 後者の場合，長い頭髪はすこぶる豊かで，聖オヌフリウスの髭（beard*）のように衣服の代用となるほどである. ルネッサンス期のイタリア美術では，入念に整えた頭髪が，金持ちの愛妾のしるしとなる場合がある. したがってヴェロネーゼの絵画，「ファリサイ人シモンの家のマグダラのマリア」では，髪を複雑に編み込んだマリアが登場する. またイエスがヤコブの井戸で出会ったサマリア人の女（Samarian Woman at the Well*）も，同じように髪を飾ることがある.

髪の色や髪型は，髭と同様に聖人が誰かを知る上で有用な指示物となりうる. 特に東方正教会イコンのカッパドキ

アの三教会大主教（Three Holy Hierarchs*）のように，主教が類似した衣装をまとう場合はなおさらである．聖人の外観に関する伝説の多くは，聖ペトロ（Peter, St*），聖パウロ（Paul, St*），聖アンデレ（Andrew, St*）らの使徒伝説と同じくらい古いものである．

　西欧の教会でもっともよく見られる剃髪は，頭頂部だけを剃り，周囲の毛髪を残す形態をとる．この剃髪の形態は，キリストの茨の冠を偲ぶものと解釈されている．どの程度まで剃髪するかは修道会によって様々である．司祭，助祭（輔祭 deacons*），そして同聖職に就く聖人にも剃髪が見られる．

halberd　戈槍（ほこやり）

　取っ手の長い武器で，槍状の頂部，斧状の刃，鉤状の突出部から成る．聖マタイ（Matthew, St*），聖ユダ（Jude, St*），聖マティア（Matthias, St*）のエンブレムとな

戈槍

る場合がある．マタイとマティアの伝説には，中世期になってから取り違えられたり，混同されたりした異説がいくつか含まれている．その異説では，戈槍が両者の殉教具とされている．聖ユダも戈槍で斬首形に処されたとする資料も数点残されている．

halo　光輪

　三位一体（Trinity*）の位格（ペルソナ），聖母マリア（Virgin Mary*），天使（angels*），聖

人，神に身を捧げた者の頭部を囲む光の輪．この光が全身を包む場合は，後光（nimbus）あるいは光背（aureole）と呼ばれることもある（⇨*vesica piscis*）．簡素な金色の円盤形をしたもの，あるいは淡い色彩の輪のようなものから光線を放つ光輪まで種々様々である．特に15世紀の国際ゴシック様式の美術では，シュテファン・ロホナー作「薔薇の聖母」で聖母マリアの頭部周辺を飾る光輪のように，精巧で硬質感を持つ装飾的な光輪もある（1440年頃，ケルン，ヴァルラフ・リヒャルツ美術館）．

光輪

四角形の光輪

父なる神の光輪は，三位一体を象徴して三角形の場合もあるが，それ以外は円形である．キリストの光輪は，輪の中に配置された十字架の手で分割されていることが多い．四角形の光輪は生者，たとえば寄進者のものである．

15世紀のオランダ絵画の中には，正式な光輪を用いず，視覚的に光輪の役目を果たすもので代用する場合がある．たとえば，ロベルト・カンピンの「暖炉衝立の前の聖母子」（ロンドン，ナショナル・ギャラリー）では，聖母

の背後に描かれた暖炉衝立が光輪の役目を果たす. また聖母子, 聖バルバラ, およびカルトゥジオ会修道士を描いたペトルス・クリストゥスの絵画では (ベルリン, カイザー・フリードリッヒ美術館), 透明の天蓋が同様の役目を果たす.

hand 手

雲間から出現して, 祝福を与えたり, 叱責したり, 制止したりする手は, 神の存在を示す. このような美術の様式が生じたのは, 旧約聖書で「神の手」が神の力の隠喩として頻繁に言及されるからである.

壁に文字を書く手は, バビロニア帝国崩壊の神聖なる予兆である. 不気味な手が出現したのはベルシャツァル王の大宴会の最中で, ダニエルがその意味を解き明かした (『ダニエル書』5, 5-28).

手はティブルの巫女のエンブレムである. 巫女はイエスが兵士に平手打ちされることを予言したといわれている (『ヨハネ福音書』19, 3). フランス南西部のオーシュ大聖堂を飾る16世紀初期のステンドグラスには, 切断された手を持つ巫女の姿が描かれている. ⇨sibyls.

ヴェールや布で覆われた両手は, 崇敬や崇拝を示す常套手段である. ラヴェンナのサン・ヴィターレ聖堂の後陣を飾る6世紀のモザイク画には, 玉座のキリストが差し出す王冠を受け取るために, 両手をマントで覆い, キリストの前へ進み出る聖ウィタリス (Vitalis, St) が描かれている. 玉座の反対側に描かれた司教エクレシウス (Ecclesius) は, 同じようにマントで覆った手に教会の模型を持つ. この様式はパレルモのラ・マルトラーナ聖堂を飾る12世紀中頃のモザイクでも見ることができ, ドームを飾る礼拝する大天使像も同様に手を覆っている. ⇨gesture, orans.

handkerchief　ハンカチ

　⇨cloth.

harp　琴

　ヘブライ人の国王ダビデ
（David*）の持物. ダビデの
卓越した楽器演奏の才能は有
名であった. 若い頃, 悪霊に
とりつかれているサウル王を
音楽演奏でなだめたという
（『サムエル記上』16, 14-23）.
また琴は, 伝統的に『詩編』
の作者とされるダビデにふさ
わしい楽器でもある.

Harrowing of Hell　地獄への降下

　磔刑後にキリストがすぐさ
ま死者の冥界へ降ったことを
意味する中世の英語の表現.
死者の冥界は, 業火と硫黄と
肉体的責め苦を特徴とする地
獄というよりも, 死者が眠る
リンボ界として描かれるのが
一般的だった. そこでキリス
トは, 降誕の前に死去した
人々の霊魂を死と罪の諸力か
ら解放した.

　新約聖書では地獄への降下
がただ暗示されているにすぎ
ない（『マタイ福音書』27,
52；『ペテロ手紙一』3, 19）.
これに対し旧約聖書の『詩
編』には, キリストの地獄降
下を裏づける一節,「城門
よ, 頭を上げよ, とこしえの
門よ, 身を起こせ. 栄光に輝
く王が来られる」（24, 7）が
あり, キリストによる地獄の
門（gate*）の粉砕を予言す
るものと解釈されている. し
かし, 2世紀頃までに成立し
た可能性のあるラテン語の聖
書外典書,『キリストの黄泉
降下』（*Descensus Christi ad
Infernos*）では, さらに周辺
的な詳細を交えたエピソード
が記されている. 地獄への降
下が信仰の条項となったの
は, 4世紀中頃の第4回ラテ
ラノ公会議においてである.
その後まもなくして『キリス
トの黄泉降下』は, キリスト
の裁判をつづった『ピラトの
報告』（*Acta Pilati*, 4世紀？）
と合本にされ,『ニコデモ福
音書』（*Evangelium Nicodemi*）
として知られるようになる.

地獄への降下を題材にした中世美術・演劇は，この『ニコデモ福音書』を典拠とした．イングランドでは，ビード（8世紀初頭）がラテン語版の『ニコデモ福音書』を古英語の韻文と散文に翻訳した．同主題を扱った初期の演劇の中には，ノルマン・フランス語やゲルマン語のものもある．最古の英語劇の成立年代は13世紀中頃のようである．タウンリーやヨークの奇跡劇集成に収められた地獄降下の劇は，もっとも生き生きとした物語の部類に入る．同演劇では道化役を演じる悪魔の出番が多く，悪魔の犠牲者の救済においては期待はずれである．このような奇跡劇の上演は，芸術家による同主題の表現に重要な影響を与えた．

地獄への降下を描いた美術作品の中心人物は，粉砕した地獄の門を足で踏みつけるキリストである．また廃墟と化した地獄で鎖に繋がれたサタンが描かれることもある．「捕らわれていた霊たち」（『ペトロ手紙一』3, 19）は，アダムとエバ，そして旧約聖書の族長や預言者に導かれてキリストのもとへ押しかける．王冠をかぶった2人の人物はイエスの人間の祖先ダビデ王（David*）とソロモン王で，ギリシア中部フォキスのホシオス・ルカス教会の作例のように，単独のときもあれば，群衆の中で際立って描かれるときもある（⇨Tree of Jesse）．ソロモンとダビデが登場するのは，おそらく8世紀になってからのことであろう．その後になると洗礼者ヨハネ（John the Baptist, St*）も加えられる．悪魔たちは尻尾をまいて逃げ去るか，無力な怒りを身振りや手振りで表わす．同場面を別の形で表現した作品の中には，イスタンブールのコーラ修道院（カハリエ・ジャミイ）を飾る14世紀初頭のフレスコ画のように，手首を摑んでアダムとエバを墓から引き出そうとするキリストを描いたものもある．

東方の伝統では，死と罪に

対するキリストの勝利を祝う
復活祭のすべての意義がこの
一場面のみに集約され，アナ
スタシス（ギリシア語で「復
活」）と呼ばれている．
⇨Resurrection.

帽子（枢機卿帽）

hat　帽子

　帽子は，他の衣類品目と同
じように持ち主を特定する上
で役立つことがある．精巧に
編み込まれた紐がつき，つば
が広く，冠状部が浅い帽子，
すなわち枢機卿（cardinal*）
の赤い帽子は，数人の聖職者
のエンブレムとなることがあ
る．もっともよく目にするの
は，聖ヒエロニュムス（Jerome,
St*）の持物の枢機卿帽で，
ヒエロニュムスがかぶるとき
もあれば，帽子を近くに掛け
て仕事をしたり，祈りを捧げ
ることもある．聖ボナヴェン
トゥラ（Bonaventura）のエン
ブレムも枢機卿帽である．枢
機卿昇進の知らせを持参した
教皇特使が枢機卿帽を持って
訪ねてきたとき，ボナヴェン
トゥラはちょうど皿を洗って

いるところだった．皿洗いで
手が濡れていた聖人は，この
下賤な仕事を終えるまで枢機
卿帽を近くの木にかけておく
よう特使たちに頼んだという．
　中世の巡礼者が着用するつ
ばの広い帽子は，聖大ヤコブ
（James the Great, St*）の標準
的な巡礼装具である．物語絵
画では，特にユダヤ人とおぼ
しき登場人物の帽子がすこぶ
る特徴的に描かれる．その帽
子は旧約聖書の時代のもので
はなく，絵が描かれた当時の
ユダヤ人が好んで身につけた
ものである．この作例として
は，聖母の神殿奉献（Presen-
tation of the Virgin*）におけ

る祭司長のザカリアの帽子がある.

head 首（頭部）

斬首刑に処された後，生首を持って徘徊した聖人としては，6世紀のウェールズのデクマン（Decuman）とネクタン（Nectan），そして両聖人よりも有名な聖ディオニュシウス（Denys, St*）と聖ジュスワラ（Juthwara, St）があげられよう．ノリッジ大聖堂の回廊北側の歩道上にある15世紀初期の天井止め飾りには，切断された首を手に持つ聖ディオニュシウス像を見ることができる．またディオニュシウスが埋葬されたパリのサン・ドゥニ大修道院の扉も同様の聖人像で飾られている．殺害されたイースト・アングリア国王，聖エセルバート（エセルベルト Ethelbert, St, 794年没）の場合は，ウェストミンスターに首が，巡礼地ヘリフォードの聖堂に胴体が，それぞれ別個に埋葬されている．中世の美術作品で

は，王冠をかぶった自分の生首を持つエセルバート像が描かれた．オオカミがくわえる王冠をかぶった首の持ち主は，聖エドムンド（Edmund, St*）である.

11世紀にスウェーデンで宣教活動を行ったイングランドの司教，聖シーグフリード（Sigfrid, St*）が手にするのは自分の首ではない．ヴェクショーの教会を留守にする間，3人の甥の首を持っていたという.

旧約聖書外典『ユディト書』のヒロイン，ユディトは，美術でよく題材となる画題で，アッシリアの将軍ホロフェルネスの生首を持つ．アッシリア人がイスラエルに侵入し，ユディトの町ベトゥリアの住人を絶望に陥れたとき，ユディトはホロフェルネスの陣営へ赴き，将軍をまんまと欺いて信用させた．将軍が酩酊しているすきに，彼の剣を抜いて首を切り落としたという．同じように斬首されたイスラエルの敵としては，

ペリシテ人の巨人ゴリアトが
あげられる．ゴリアトの首
は，彼を倒した若きダビデ
(David*) が戦利品として手
に持つか，あるいはその足下
に置かれる（『サムエル記上』
17, 20-54).

洗礼者ヨハネ (John the
Baptist, St*) の生涯を飾る一
連の場面が，新約聖書の記述
を典拠として描かれているが
（『マタイ福音書』14, 3-12),
何といってもクライマックス
は，ヨハネの首が大皿に載せ
られてヘロディアに差し出さ
れる場面である．ここから皿
に載せられた首が洗礼者ヨハ
ネのエンブレムとなった．し
かし中世後期には，同モチー
フが礼拝の対象として独自の
生命を持つようになる．皿の
生首を描いた「聖ヨハネの
首」と呼ばれる飾り板（板絵）
は，15世紀にイングランド
のノッティンガム地方の雪花
石膏（アラバスター）彫刻家の特別販
売品となり，商品としてヨー
ロッパ全土に輸出された．

自分の顔を布に押し付けた

首

キリストの自印画像について
は，⇨Veronica. 葉に覆われ
た頭部については，⇨Green
Man.

heart　心臓

炎を上げて燃える心臓を手
に持つ場合，神への熱烈な敬
愛のエンブレムとなる．特に
ヒッポの聖アウグスティヌス
(Augustine of Hippo, St*) と
シエナの聖カタリナ (Cathe-
rine of Siena, St*) を連想させ
る．悔悛を意味する矢 (ar-
row*) に射抜かれた心臓
も，聖アウグスティヌスを連
想させる．上部に十字架を立

てた心臓は，所有者のキリストに対する献身を示し，数人の聖人を連想させる．しかし，特筆すべきはシエナの2人の聖人，聖カタリナと聖ベルナルディーノ（Bernardino, St, 1380年-1444年）である．後者はフランシスコ会の説教者である．擬人化された〈慈愛（愛徳）〉もまた心臓を持つことがある．⇨Three Theological Virtues.

Helen, St（Helena） 聖ヘレナ（255年頃-330年頃）

ローマの皇后で，コンスタンティウス・クロルスの妻，コンスタンティヌス大帝の母．292年に夫から強制的に離婚させられたが，息子からは敬愛された．いつキリスト教に改宗したかは定かでないが，312年のコンスタンティヌス大帝によるキリスト教公認の勅令発布後，キリスト教に対する信仰を積極的に深めたといわれている．326年の聖地訪問の際には多くの教会を設立し，歴史的な根拠は疑わしいけれども，真の十字架を発見したと伝えられている．真の十字架の発見は，その破片を聖遺物として所有する多くの教会にとって重要な出来事であり，教会装飾の主題として好んで用いられた．十字架はヘレナ個人のエンブレムでもある．

ヘレナがイングランド北部で人気を博したのは，おそらくヨークが息子のコンスタンティヌス帝とゆかりの深い地域であったからだと思われる．306年，コンスタンティヌスが父の死後ローマ皇帝になったのが同地ヨークだったからである．英国には同聖女名を冠した教会が130以上もあるが，その大部分は北部に散在する．ヘレナによる真の十字架の発見は，アングロ・サクソンの詩『エレーナ』（Elene）の主題にもなった．そのような高い人気を受けて，12世紀の年代記作家モンマスのジェフリは，ヘレナが英国の皇后であり，コルチェスターの国王シールの娘に

あたると主張した. 事実に即した歴史によれば, 小アジアがヘレナの生まれ故郷だと示唆されるが, モンマスのジェフリによるヘレナ伝は, 中世の人々に広く受け入れられた.

Hell, Harrowing of 地獄への降下

⇨Harrowing of Hell.

hell-mouth 地獄の入口

大きく口を開けた怪獣の頭部. 最後の審判 (Last Judgement*) の場面では, 悪魔たちが地獄に落ちた死者を嬉々としてこの怪物の口の中へ放り込んだり, 引き入れたりする. このような地獄の入口の光景は, ローマ人の地下冥府, アウェルヌスの入口の描写に由来するものである. 古代ローマの作家たちは地獄を, 悪臭が立ち込める洞窟であり, 煙と硫黄が噴出し, 恐ろしい3つの頭をもつイヌ, ケルベロスが門番をする場所と想像した. フレスコ画や絵画に地獄の入口が描かれるの

は, 「地獄への降下」(Harrowing of Hell*) のような中世宗教演劇で, 地獄の入口が演劇の小道具として用いられたことと何らかの関係があるようである. 演劇での地獄の入口に関しては, 1474年に作成されたルーアンでの演劇道具リストのようなものにも記録されている. 同リストには「必要に応じて開いたり閉じたりする大きな口の形をした地獄」とある.

hen メンドリ

雛鳥と一緒のときは, キリストとその群れのシンボル. キリストは, メンドリが雛鳥を案じるごとく, その群れを大切にする.

hetimasia ヘティマシア

⇨throne.

Hierarchs 大主教

⇨Four Greek Doctors.

hive ハチの巣

⇨beehive.

ジュスト・ディ・メナブオイ，最後の審判，14世紀，ヴィボルドーネ教区教会

Hodegetria (Hodigitria)　ホデゲトリア

　東方正教会における聖母子のイコン類型．原画のイコンは，聖ルカ（Luke, St*）が実物の聖母子を見て描き，アンティオキアの「敬愛するテオフィロさま」（『ルカ福音書』1, 3）に送ったものといわれている．5世紀中頃，同イコンはコンスタンティノープルに移され，ホデゴン修道院（ton Hodegon）に収められた．イコンには奇跡を呼び起こす力が宿るといわれていたため，コンスタンティノープルでもっとも貴重な所有物となった．ビザンティン帝国歴代の皇帝が軍事遠征に出かけるときは，このイコンの前で祈りを捧げたという．またイコンには，都市の城壁を守り，攻撃者を駆逐する力も宿ると信じられていた．1453年のオスマントルコ軍との最後の死闘の際には，味方の士気を高めるためにイコンが城壁近くの教会に移された．し

ホデゲトリアの神母，12世紀，アトス山，ギランダル修道院

かし都市が侵略されると，イコンも破壊された．

　イコンの名声が高まるにつれ，あちこちで複製が作られた．ホデゲトリア型聖母は，ギリシアとロシアの両教会でもっともよく見られるイコン類型の1つとなった．奇跡を起こすことで有名ないくつかのイコンも同種のものである．半身像あるいは全身像の

聖母は，左腕に御子を抱え，右手を立てて御子を指し示すかのような身振りを見せている．このイコンは "The Virgin Who Shows the Way"（「道をお示しになる聖母」）という英名で呼ばれる場合もある．幼児というよりも小さな成人のように見える御子は，まっすぐに座し，左手に巻き物を持ち，右手で祝福を与える．両者とも正面を直視するか，あるいは遠くを眺めている．⇨Eleousa.

Holy Family　聖家族

　御子イエス，聖母マリアと聖ヨセフのこと．幼児の頃の洗礼者聖ヨハネ（John the Baptist, St*）も，母親の聖エリザベトやマリアの母の聖アンナと同じように，同題の絵画に登場することがある．

Holy Grail　聖杯

　磔刑に処されたキリストの血を集めた杯．後にアリマタヤの聖ヨセフ（Joseph of Arimathea, St*）の手に渡ったた

め，ヨセフのエンブレムとなることもある．その後，聖杯は複雑に入り組んだ伝説の中心となり，アーサー王伝説や円卓の騎士の物語群と結びつくようになる．

Holy Innocents　無辜聖嬰児

　ベツレヘムでヘロデ大王に虐殺された2歳以下の子供たち．国王の意図は，東方の三博士（Three Magi*）が告げたユダヤ人の王と子供たちを一人残らず殺害することであった（『マタイ福音書』2, 1-18）．無辜聖嬰児は殉教者として崇敬されていて，東西ともにクリスマス直後の12月28日を教会記念日と定めている．大虐殺の場面は独立した美術作品となる場合もあるし，エジプトへの避難（Flight into Egypt*）を描いた絵画の背景の細部として用いられる場合もある．

Holy Women　聖女たち

　⇨Three Marys.

**Homobonus, St　聖ホモボヌ
ス**

⇨Omobono, St.

Hope　希望（望徳）

⇨Three Theological Virtues.

horn, hunting　狩りの角笛

聖フベルトゥス（Hubert, St*）の持物.

horns　角

偉人の頭部に生える角は, モーセ（Moses*）を示すしるし. 中世・ルネッサンス期の多くのモーセ像の頭部に角があるのは, ラテン語版ウルガタ聖書において『出エジプト記』の一節（34, 29-30）が誤訳されたからである. 同箇所のヘブライ語原文の意味は, 「モーセはシナイ山で神と語った後, 自分の顔が光を放っているのを知らなかった」である. しかし, 中世ヨーロッパ全土に知れわたっていた標準版聖書のウルガタ聖書では, この個所が *et ignorabat*

ミケランジェロ, モーセ, 16世紀, ローマ, サン・ピエトロ・イン・ヴィンコリ聖堂

quod cornuta esset facies と翻訳されており, これを文字どおりに解釈すると「そして彼［モーセ］は, 自分の顔に角が生えているのを知らなかった」となる. ローマのサン・ピエトロ・イン・ヴィンコリに収められたミケランジェロ作のモーセ像は（1513年-1516年）, この持物を備えた預言者の彫像の中でもっとも有名な作例かもしれないが, 角はモーセを描いた中世の絵画で頻繁に見られた.

horse　ウマ

火のウマは，エリア（Elijah*）を天に運んだ火の戦車を引く．美術では，騎士姿で描かれる聖ゲオルギウス（George, St*）や聖デメトリオス（Demetrius, St*）のような戦士聖人は，軍馬を伴うことが多い．⇨Four Horsemen of the Apocalypse, horseshoe, knight.

horseshoe　蹄鉄

聖エリギウス（Eloi, St*）のエンブレム．ある日，エリギウスは悪魔にとりつかれたウマに蹄鉄をつけることになった．それまで，そのウマは自分をてなずけようとする人間をことごとく踏みつけていた．エリギウスは機転をきかせてウマの足を切断し，ゆっくりと足に蹄鉄をつけた後，再びウマの胴体にくっつけた．15世紀中頃の英国の雪花石膏（アラバスター）パネル（ノッティンガム，ノッティンガム城博物館）には，司教服と司教冠を着用し，道具に囲まれた鍛冶屋の仕事場の中央に立ち，眼前の鉄床（かなとこ）の上にウマの足を載せるエリギウスが描かれている．南フランス，オーシュ大聖堂の16世紀の聖歌隊席を装飾した彫刻家は，ウマの足を持つ平信徒服のエリギウス像を残している．

hortus conclusus　囲まれた園（ホルトゥス・コンクルスス）

⇨garden.

Host　ホスチア

聖体の聖別されたパンで，通常は特別に刻印された聖餅の形態をとる．英語の "host" の語源は，ラテン語で「犠牲」を意味する「ホスチア」（*hostia*）で，キリストの自己犠牲に言及するものである．⇨monstrance.

hound　猟犬

猟師の守護聖人，聖エウスタキウス（Eustace, St*）や聖フベルトゥス（Hubert, St*）の伝説を題材にした絵画で

は，数匹の猟犬を描くのが一般的である．特に後者の聖フベルトゥスはイヌを連想させる．⇨dog, greyhound.

hourglass　砂時計

〈節制〉のエンブレム．⇨Four Cardinal Virtues.

Hubert, St　聖フベルトゥス

(727年没)

オランダ，マーストリヒトの司教．伝説によれば，フベルトゥスの師，聖ランベルトゥス（Lambert, St）の殺害を天使から知らされた教皇は，フベルトゥスにランベルトゥスの後継者となるよう指示を与えたため，フベルトゥスはローマ巡礼に旅立つことになったとある．フベルトゥス自身も，聖ペトロから天国の鍵を受け取る幻視を体験した．さらにその後，聖母マリアからストラ（stole*）を贈与される幻視も体験している．

アルデンヌ人の居住地で精力的に宣教活動を行ったフベルトゥスは，同地域の猟師の守護聖人となった．ここから狂犬病に対し同聖人の守護が祈願される．中世後期に入ると，かつては聖エウスタキウス（Eustace, St*）の伝説であったものが，聖フベルトゥスの伝説に継承されるようになる．そのようなものとしては，狩りに出たフベルトゥスが，角の間に十字架の輝く雄ジカに出会って回心するという伝説がある．聖エウスタキウスはヨーロッパのほとんど全土にその名を轟かせたが，北フランスやオランダで雄ジカが描かれた無題の美術作品は，エウスタキウスというよりもフベルトゥスを題材としたものが多い．

聖フベルトゥスは，通常，雄ジカを主たる持物とし，司教のレガリアを着用して登場する．また狩りの角笛を持つ場合もあれば，娯楽の拒絶を象徴して角笛を足元に置く場合もある．狩りの角笛は，フベルトゥスを守護聖人とする多くの中世の同業者組合（ギルド）のエンブレムである

が，同聖人の聖堂を巡礼したしるしとなることもある．フランスのロワール渓谷に建つアンボワーズの城館では，王家の狩猟小屋に付随する礼拝堂の中央扉上部にかかる楣（まぐさ，15世紀後期）に，雄ジカの前にひざまずくフベルトゥスと，それに驚いて後ずさりする猟犬とウマが描かれている．

Hugh of Lincoln, 'Little' St リンカンの「少年」聖者ヒュー（1255年没）

何者かの手によって惨殺された少年聖者．井戸で死体が発見されたことから，ユダヤ人による宗教儀式の犠牲となり，磔刑で殺されたのではないかという噂が広まった．そしてリンカンのユダヤ人に対する非難が巻き起こった．少年の亡骸はリンカン大聖堂に埋葬されたが，後に少年の墓で奇跡が起こったといわれている．未公認ではあるが，聖ヒュー崇拝は盛んであった．

Hugh of Lincoln, St リンカンの聖ヒュー（フーゴ）（1140年頃-1200年）

ブルゴーニュ地方で生まれた司教で，カルトゥジオ会修道士．1186年からリンカン

アミアン派，リンカンの聖ヒュー，15世紀

の司教として人々の尊敬を集め，ヘンリー二世やリチャード一世の宮廷でも影響力のある人物となった．官憲の抑圧と強制的な取りたてから一般民衆を守るため，ひるむことなく王家の意志にも抵抗を示した．ヒューが再建したリンカン大聖堂は，後に聖ヒュー崇拝の中心地として栄えた．1220年に最初のカルトゥジオ会修道士として列聖された

ヒューは，イングランドのみならず，オランダ，ドイツ，フランス，スペイン，イタリアの同会修道会でも崇敬されていた．美術では，飼っていた白鳥が聖人のエンブレムとなる．

Hypapante 神殿でのキリストの奉献（ヒュパパント）
⇨Presentation in the Temple.

I

宣教活動を含めて修道会の目標に掲げた．歴代の教皇は，反宗教改革の推進者としてイエズス会士を幅広く徴用したため，イエズス会士の宗教活動は疑惑の眼差しで見られるようになり，特にプロテスタントの諸国では顕著であった．

教育者としてのイグナチオの役割も認識され，数多くのローマ・カトリック系の学校やコレッジの守護聖人となった．彫刻や絵画では，黒衣を着用し，厳しい表情を見せる修道士として描かれ，左手にはイエズス会の会憲をしたためた本を持つ．その本にはイエズス会のモットー，「神のより大いなる栄光のために」(*Ad majorem Dei gloriam**) の文字が記される場合もある．

Ignatius of Loyola, St 聖イグナチオ・デ・ロヨラ（ロヨラのイグナティウス）
（1491 年頃-1556 年）

イエズス会の創立者で総会長．生まれはスペインでバスクの血を引き，兵士としての経歴を積んだが，1521 年に一生障害を残すような重傷を負った．怪我の回復を待つ間に，生まれて初めて真剣にキリスト教と向き合う機会を得，その教理と信仰を学んだ．最初はいろいろな面で躓いたが，パリで 6 人の弟子を集め，後のイエズス会創設の礎を築いた．1540 年には，教皇よりイエズス会が公式に認可された．イエズス会士は，イグナチオの書いた『霊操』を修道院の会則の基盤とし，イエズス会を有名にした

IHS

イエスという名称の省略形で，語源はそのギリシア名である．最後のＳの代わりにＣが用いられる場合があるのは，ギリシア文字のΣをＣと見なしたからである．また

この文字は，3つの独立した言葉の頭文字をとったものと空想的に解釈されることもある．もっとも一般的なのは，ラテン語の「人類の救い主イエス」（*Iesus Hominum Salvator*）である．また IHS の文字を刻んだ円板の周囲を光線や炎で囲ったものがある．同円板は，フランシスコ会の説教者，シエナの聖ベルナルディーノ（1380年-1444年）の持物である．同聖人は聴衆の間に崇敬の念を喚起させるため，よく円板を高く掲げて説教を締めくくったという．

当初はフランシスコ会の影響，その後はイエズス会の影響により，イエスの御名の礼拝は，中世後期・ルネッサンス美術において人気を博する画題となった．後者のイエズス会は，IHS を同会の紋章とし，「我らはイエスを我らが友として持つ」（*Iesum Habemus Socium*）を意味するものと解釈した．またエル・グレコの傑作の主題ともなり，その絵画ではひざまずいて礼拝する群集を前にしたスペインのフェリーペ二世が描かれている（エル・エスコリアル修道院）．

Immaculate Conception 無原罪の御宿り

聖母マリアの懐胎．少なくとも7世紀から，聖母マリアの懐胎は教会の祭日として祝われていた．そして11世紀初頭には，東方から同祝祭がイングランドへ伝えられた．その後，無原罪の御宿りに関する教説は，中世のフランスの神学者により困難な状況に追い込まれた．したがってカトリック教会が，聖母は罪のみならず，生身の人間の妊娠という原罪からも自由であるという思想への反駁を最終的に撤回したのは，15世紀も中頃に入ってからのことである．西欧での無原罪の御宿りの祝日は12月8日である．東方では無原罪の御宿りの教説は認められていないが，12月9日を生神童貞女の御宿りの祭日と定めている．この出

エル・グレコ，無原罪の御宿り，
17世紀，トレド，サンタ・クルス
美術館

来事の背景や美術での表現に
ついては，⇨Anne, St.

Incredulity of St Thomas
聖トマスの不信
⇨Thomas, St.

Infant Jesus　幼子イエス
⇨Christ Child.

Innocents, Holy　無辜聖嬰児
⇨Holy Innocents.

INRI
ピラトがイエスの十字架に
つけたラテン語の罪状書き．
「ナザレのイエス，ユダヤ人
の 王」(*Iesus Nazarenus Rex
Iudaeorum*) の頭文字をとっ
たもの (『ヨハネ福音書』19,
19-22).

Instruments of the Passion
受難具
キリストの苦難と磔刑にま
つわる一連の道具．中世の教
会の石や木の彫刻，ステンド
グラスの窓などに作例を見る
ことができる．受難具には，
以下に列挙したような器具の
すべて，あるいは大部分が含
まれる．受難具は福音書の物
語の中で述べられたものか，
あるいはその物語から推測さ
れたものである．茨の冠，葦

の棒，釘，金槌，爪を剝ぐための釘抜き，梯子，十字架，鞭，鞭打ち刑のためにイエスを縛り付けた柱，海綿（海綿をつけた葦の棒），槍，縫い目のない衣服，サイコロである．高度に様式化されたビザンティン美術の構図では，空席の玉座（throne*, hetimasia*）の上部や周囲に受難具がまとまって配置されることがある．この構図の意図は，キリスト降臨のシンボルとキリスト再臨のシンボルと対比するためであり，最初の降臨は苦難と屈辱を示唆し，再臨は勝利と審判を表わす．

instruments, surgical 外科用器具

医師でもある聖人の聖コスマスと聖ダミアヌス（Cosmas and Damian, SS*）のエンブレム．

Invention of the True Cross 真の十字架の発見

⇨Helen, St.

iris アイリス

聖母マリアを連想させる花で，特にフランドル美術やスペインの画家たちの作品に見られる．青色のアイリスは天の元后たる聖母にふさわしく，白色のアイリスはユリ（lily*）と同じく純潔のエンブレムとなる．アイリスは，ときどき混同されるグラジオラスやソード・リリーのような剣形の葉を持つ．その葉は，将来ふりかかる悲しみを聖母に忠告したシメオンの言葉，「あなた自身も剣で心を刺し貫かれます」（『ルカ福音書』2, 35）を想起させる．

Isaac イサク

アブラハム（Abraham*）とサラの一人息子．2人が老齢になってから誕生した（『創世記』21, 1-8）．

神に対するときのアブラハムは，神命とあらば，焼き尽くす献げ物に一人息子のイサクを差し出すほど従順であった．アブラハムがまさにイサクをナイフで突き刺そうとし

イサクをいけにえに捧げるアブラハム，15世紀，キプロス，プラタニスター
サの壁画

たとき，1人の天使が制止に入る（『創世記』22, 1-14）．イサクのいけにえが美術で頻繁に取り上げられるのは，いけにえという儀式に劇的な特質が本来備わっているというだけでなく，この旧約聖書の出来事と，神が一人子のイエスをいけにえとして磔にする新約聖書の出来事との間に対応関係が見られるからである．この主題は，初期キリスト教時代から多くの美術作品で取り上げられている．作例を3点だけあげると，ローマ，ヴィア・ラティーナの地下墓地（カタコンベ）を飾る4世紀初期の壁画，シャルトル大聖堂の彫像（1230年頃），レンブラントの銅版画（1655年）である．

　構成要素としては，アブラハム，イサク，薪を運んだロバ，イサクの代わりにいけにえとなる小羊を描くのが一般的である．アブラハムの一撃を未然に防いだ神の介入は，雲間から現われる神の手（hand*）で表現されることもあるし，聖書の物語に従い，天使が登場することもある．

ivy　ツタ

　ツタは常緑なので，永遠の生命のシンボルとなる．また支えとなるものにぴったりと絡み付くため忠誠を連想させる．したがって特にキリスト降誕の場面にふさわしく，イチジク（fig*）の木と並置されることがある．救済と生命を約束するツタと，罪と死を想起させるイチジクは好対照をなす．

J

James (the Great), St 聖
(大) ヤコブ (44年没)

使徒で殉教者.「大ヤコブ」
と呼ばれるのは, ヤコブとい
う名の別の使徒と区別するた
めである. ⇨James (the Less),
St.

ヤコブと兄弟の福音書記者
ヨハネ (John the Evangelist,
St*) はかつて漁師であっ
た. 父親のゼベダイと一緒に
舟の中で網の手入れをしてい
たとき, イエスに呼び出さ
れ, 弟子として従うことにな
った (『マタイ福音書』4, 21-
22). イエスはこの2人の兄
弟に「ボアネルゲス」という
名前をつけた. それは「雷の
子ら」という意味である
(『マルコ福音書』3, 17). イエ
スの弟子であることに熱心の
あまり分別を失うことがある

2人は, イエスが栄光を受け
たとき, 2人のうち1人を
イエスの右に, もう1人を左に
座らせて欲しいと頼んだほど
である (『マルコ福音書』10,
35-45). しかしイエスは, 2
人をペトロ (Peter, St*) とと
もに他の弟子たちの中から
選び出し, イエスの変容
(Transfiguration*) を目撃さ
せ (『マタイ福音書』17, 1-
9), ゲッセマネの園でイエス
が逮捕される前には, ともに
不寝番をするように命じた
(『マタイ福音書』26, 37). ヤ
コブは最初の使徒殉教者であ
り, ヘロデ王の命令により剣
で殺害された. ヘロデ王は,
キリスト教徒を迫害すれば,
ユダヤ人から人気を勝ち取れ
ると考えたからである (『使
徒言行録』12, 1-3).

ヤコブはエルサレムで処刑
されたが, 中世初期になる
と, スペインでは同地を訪れ
て福音を述べ伝えたという伝
説が流布し始める. さらにス
ペイン北西部のコンポステラ
(後のサンティアゴ・デ・コン

ポステラ）では，かつてこの
街に遷移されたヤコブの遺骨
が，820年代に「発見され
た」と公表された．その結
果，コンポステラは，エルサ
レムとローマに次ぐ中世の第
三の巡礼地として発展した．
ヤコブはスペインの守護聖人
となり，イスラム教の支配者
をスペインから駆逐するた
め，長年にわたる戦争におい
てスペインのキリスト教徒の
勇者となった．イスラム教徒
との戦いで危機的な状況を迎
えたとき，白馬に乗って「ムー
ア人を退治する者（サンテ
ィアゴ・マタモロス）」と雄叫
びをあげるヤコブの幻が出現
し，キリスト教徒のスペイン
軍を鼓舞したといわれてい
る．そして遂に1492年，ス
ペイン軍が最終的な勝利を収
め，グラナダが回復された．
　中世の人々にとってヤコブ
といえば，有名なコンポステ
ラの聖堂への巡礼を想起させ
る．ここから巡礼者の格好を
したヤコブ像が描かれること
になる．その際のヤコブの持

大ヤコブ
（左＝西方，右＝東方）

物は，巡礼杖，つばの広い帽
子，フラスコ，合財袋，ホタ
テガイの徽章である．

James (the Less), St　聖（小）ヤコブ（62年没？）

　使徒で殉教者．イエスが最
初の弟子として選んだ十二使
徒の名簿では，「アルファイ
の子ヤコブ」と言及されてい
る（『マルコ福音書』3, 14-
19）．聖書ではその後に大ヤ
コブ（James the Great, St*）
ではないヤコブが登場する
が，この人物がはたして小ヤ
コブなのか，あるいは同名の

小ヤコブ
（左＝西方，右＝東方）

コブのエンブレムは殉教具の縮絨棒（しゅくじゅうぼう）である．すなわち，毛織物の仕上げの際，織目を密にするために生地を叩いた棒（club*）である．

Januarius, St（Gennaro）
聖ヤヌアリウス（ジェンナーロ）（4世紀初頭？没）

イタリアの司教で殉教者．ナポリの守護聖人．ベネヴェントの司教であったということ以外，同聖人についてはほとんど知られていない．斬首刑に処されたとき，流出した血の一部が海綿で吸い取られ，保管されたといわれている．このヤヌアリウスの血は，1389年からナポリのサン・ジェンナーロ大聖堂に安置されている．同聖人の祝日（5月の最初の土曜日，9月19日，12月16日）になると，あるいは祝日が近づくと，奇跡的にも聖人の血液の液化現象が起こると記されている．

美術では，司教の祭服をまとい，本を持つヤヌアリウス像が描かれる．その本の上に

別人なのかは定かでない．もしパウロがエルサレムで出会った「主の兄弟ヤコブ」（『ガラテヤ手紙』1，19）と小ヤコブとが同一人物ならば，イエスと親戚関係にある人物ということになる．歴史的根拠の乏しい伝説の中には，小ヤコブはエルサレムの初代司教で，ヤコブの手紙も小ヤコブの作であるとする説もある．

小ヤコブとフィリポ（Philip, St*）の祝日は同日なので（5月3日），両使徒名を冠した教会もある．美術での小ヤ

は同聖人の血の入った2本のガラス瓶が並べられる．もっと後の作品では，聖人の足の周囲に炎が描かれることもある．というのも，1631年に大噴火を起こすはずだったヴェスヴィオス山が静まり，町が救われたのは，同聖人の加護のおかげだと信じられているからである．

jar 瓶

マグダラの聖マリア（Mary Magdalene, St*）のエンブレム．「極めて高価な香油の入った石膏の壺」（『マタイ福音書』26, 7）を持ってきて，テーブルに腰掛けるイエスの体に香油を注いだマリアについては，4福音書とも少しずつ異なった物語を伝えている．美術では，中世の薬剤師が用いるような，小さな蓋つきの瓶になることもある．

jaws（of hell）（地獄の）顎
⇨hell-mouth.

Jerome, St（Hieronymus）聖ヒエロニュムス
（342年頃-420年）

学者で聖職者．ラテン教会四大博士（Four Latin Doctors*）の1人．現在のトリエステからそう遠くないアクイレイア近郊で生まれた．ローマで洗礼を受け，若い頃には世界各地を旅行し，西欧や聖地を訪問した．またその間に砂漠に隠遁し，隠修士として孤独な修行を経験した．ローマに戻ると（382年-385年），秘書として教皇ダマスス一世に仕えた．ダマスス教皇が同聖人を枢機卿に任命し

瓶

デューラー，聖ヒエロニュムスとライオン（銅板画），15世紀，バーゼル

タ聖書と呼ばれるラテン語訳聖書は，西欧における聖書の決定版となった．

ヒエロニュムスの生涯を彩った場面の中から特に代表的な舞台を2つあげるとすれば，書斎と砂漠であり，両方とも芸術家の関心を同等に惹きつけている．この2つの舞台は一緒に描かれることもある．かくして砂漠の片隅に書斎が配置された異様な光景が描かれるわけである．ヒエロニュムス自身は，読書と著作に専念する学者か，あるいは石で自らの胸を打つ，やせ細った禁欲主義者の姿で描かれる．

美術では常にお供のライオンが描かれる．このライオンは，ある日ひょっこりベツレヘムの修道院にやってきたらしい．足に棘が刺さり，びっこをひいていた．ヒエロニュムスが棘を抜いてやると，恩にきたライオンは修道院の周りで片手間の雑用をこなしながら，同聖人のもとに留まったという．これには同僚の修

たと信じられていたため，中世後期には赤い枢機卿帽と祭服を着用したヒエロニュムス像を描くしきたりが生まれた．教皇が死去した後は聖地に戻り，ベツレヘムの修道院に居を定め，キリスト教学の研究，神学論争，著述などに没頭して余生を送った．特に著作に関しては，聖書のラテン語訳が同聖人の名声と栄誉を不朽のものにした．ウルガ

道士も少々腰を抜かしたらしい。ライオンと聖人の物語が最初に登場するのは6世紀後期から7世紀初期にかけてのことで、もとは5世紀のパレスティナの修道院長、ゲラシモス（Gerasimus）にまつわるものであった。おそらくヒエロニュムスとゲラシモスの名前が似ているために、両者の伝記の間に混乱が生じ、前者が後者のライオンの物語を受け継いだのであろう。

Jesse, Tree of　エッサイの樹
⇨Tree of Jesse.

Joachim　ヨアキム
⇨Anne, St.

Joan of Arc, St　聖ジャンヌ・ダルク（1412年-1431年）

戦士聖女でフランスの守護聖人。幼い頃から幻視の体験をしたり、天の声を聞いていたジャンヌ・ダルクは、イングランドとの百年戦争で衰退期にあったフランスの運命を好転させるため、是非とも行動を起こしたいという気持ちに駆り立てられた。最後にはフランス王太子を説得し、イギリス軍のオルレアン攻囲を解くべく、軍事遠征を行う許可を得た。この軍事遠征の成功により、フランス軍の士気は大いに高められた。そして1429年には、フランス王太子が国王に即位した。しかし翌年になるとジャンヌ・ダルクは捕虜となって投獄され、魔女と異端の罪で裁判にかけられた後、ルーアンで火あぶりの刑に処された。

美術では、オルレアン攻囲の際に着用した白い鎧をつけ、三位一体あるいはフランスの白ユリの紋章をシンボルとする旗を持つのが一般的である。

John the Baptist, St　洗礼者聖ヨハネ（30年頃没）

イエスの縁者。ヨルダン川で洗礼を施しながら、自分の後からイエスが来ることを人々に告げた。

ヨハネが生まれた状況については、『ルカ福音書』の第1章にその記述がある。ヨハネの父親でザカリアと呼ばれる祭司が、主の聖所で香をたいていると、天使ガブリエルが現われ、聖母マリアの親戚にあたる妻のエリザベトは「不妊の女」であったが、男子を身ごもることになると告げた。ザカリアはその天使の言葉を疑ったので、口がきけなくなった。しかし、男の子が誕生すると、その瞬間に口がきけるようになり、沈黙を破ってその子の名前を呼んだ。聖母マリアによるエリザベトの訪問は、両者が身ごもっているときになされた。この2つの奇跡的な誕生の物語は互いに深く結びついているため、美術でも聖家族（Holy Family*）を描いた絵画に幼児聖ヨハネを加えることが許された。ザカリアへの告知、聖母のエリザベト訪問（Visitation*）、洗礼者ヨハネの誕生と命名は、美術でヨハネを描いた3つの場面群の最初の第1群を形成している。

砂漠でのヨハネの説教とヨルダン川の洗礼は、同場面群の第2群を形成する主題であり、イエスの洗礼（Baptism*）を頂点とする。福音書記者はヨハネをイザヤの預言、すなわち「呼びかける声がある。主のために、荒れ野に道を整え、わたしたちの神のために、荒れ野に広い道を通せ」（『イザヤ書』40, 3）という言葉が成就されたものとして提示している。美術では、前述の旧約聖書のラテン語の一節、VOX CLAMANTIS IN DESERTO（「荒れ野で叫ぶ者の声がする」）、PARATE VIAM DOMINI（「主の道を整えよ」）を記した巻き物をヨハネが持つ場合がある。芸術家は福音書記者の記述に従い、「らくだの毛衣を着、腰に皮の帯を締め」（『マルコ福音書』1, 6）たヨハネを描いている。

ヨハネの生涯の最後の場面を描いたものの中には、投獄とヘロデ・アンティパス

（「ガリラヤ，ペレアの領主」）の命による斬首が含まれる．ヨハネは，ヘロデとヘロディアの結婚が近親相姦にあたると公然と非難したため，前者の国王からは激怒を，後者の王妃からは憎悪を買った．国王の誕生日を祝う宴会の席で，ヘロディアの娘サロメがヘロデ王の前で踊りを披露した．とても喜んだ国王は娘に望むものを何でも与えると約束した．母親に唆されていたサロメは「洗礼者ヨハネの首を盆に載せて，この場でください」（『マタイ福音書』14, 8）と要求した．ヘロデ王は気がすすまないもののヨハネの処刑を命じた．やがてヨハネの首が大皿に載せられてヘロディアのもとに届けられた．⇨head.

物語絵画でも，あるいはそれ以外の絵画でも，いつも髪をぼうぼうに伸ばし，やせ細り，ラクダの毛衣を着たヨハネの風采が見る者を惹きつける．西欧美術におけるヨハネの持物は，神の小羊（Lamb of God*）と ECCE AGNUS DEI（「神の小羊を見よ」）というラテン語の言葉が書かれた巻き物である．皿に載せたヨハネの首が，斬首前のヨハネの傍らに配置されることもある．また細長い十字架を担いでいることが多い．

ギリシア正教会では，洗礼者ヨハネを単に「プロドロモス」（Prodromos）と呼ぶことがある．その意味は「先駆者」である．東方のヨハネ像は，毛衣の上に外套をはおっているので，西欧のそれほどみすぼらしい格好ではない．東方正教会の教会装飾では，必ずといってよいほどヨハネが中心的な役割を担う（⇨Deisis）．教会暦では，ヨハネの誕生と死，受胎と洗礼者としての役割をそれぞれ祝う祭日が4日もある．このうち最初の2つは，西欧の祝日でもある．ヨハネは，「見よ，わたしは使者を送る．彼はわが前に道を備える」（『マラキ書』3, 1）という旧約聖書の預言を成就する者と信じられてい

た.「使者」にあたるギリシア語には「天使」という意味も含まれているので, 16世紀以後の東方正教会イコンでは, ヨハネが天使のように有翼で描かれることもある. 同イコン類型では, ヨハネの首を載せた皿が眼前の地面の上に置かれている. 背景の木の根本には斧（axe*）が描かれる.

教会に冠した聖人名でもっとも多いのが洗礼者ヨハネで, 英国だけでもそれに該当する古い教会が 500 ほどあった.

John the Evangelist, St (John the Theologian or John the Divine) 福音書記者聖ヨハネ（神学者ヨハネ）

（1世紀）

使徒で福音書記者. 第4番目の福音書である『ヨハネ福音書』, 3つの書簡, および黙示録は, すべてヨハネの作だといわれている. 新約聖書からヨハネに関する記述を抜き出して繋ぎあわせれば, ヨハネの伝記の詳細な部分をかなり補うことができる. もっとも新約聖書に登場するヨハネなる人物が, すべて同一人物か否かという点に関しては論議の余地がある. 特に現代の聖書学者の間では, 第4番目の福音書と黙示録が同一の著者によって書かれたとする説を疑問視する傾向がある. ちなみに神学者ヨハネの「神学者」の名称は, 神の言葉を明らかにする者という意味で, 啓示の書たる黙示録の書名に由来するものである. しかし中世の著述家や芸術家は, 使徒のヨハネが両方の書物を著したと見る傾向にあり, この点に関してはほぼ一貫したヨハネの伝記を残している.

イエスが地上での任務に就いているとき, ヨハネはイエスの兄弟の大ヤコブ（James, St*）と深い関係にあった. ヨハネはイエスの愛弟子といわれており, 最後の晩餐（Last Supper*）でイエスの胸元に寄りかかった人物と同一

視されている（『ヨハネ福音書』13, 23）．また磔刑に処されるイエスが，自分の母親の世話を頼んだ相手もヨハネである（『ヨハネ福音書』19, 26-27）．ヨハネはまた空になったイエスの墓を最初に見た弟子でもある（『ヨハネ福音書』20, 2-5）．『使徒言行録』では，ペトロと一緒に登場し，神殿の門のところにいた足の不自由な男を癒し（『使徒言行録』3, 1-11），サマリア人に対する宣教活動も行った（『使徒言行録』8, 14-25）．

使徒ヨハネが黙示録の著者ならば，パトモスと呼ばれるギリシアの島で一時期を過ごしたことになる（96年？，『黙示録』1, 9）．ヨハネが幻視を体験したというパトモス島の洞穴は，同聖人名を冠した大修道院の近くにあり，現在でも見ることができる．キリスト教徒は，同時代のローマ皇帝ドミティアヌスから迫害されていた．ローマを訪れたヨハネも迫害にあい，油の煮えたぎる大釜の中に放り込ま

福音書記者聖ヨハネとそのシンボル，8世紀，ケルト福音書

れたが，無傷で釜から出てきたと聖書外典の物語は伝えている．その出来事が起こったラティーナ門の近くには，サン・ジョヴァンニ・イン・オレオ礼拝堂が建てられた．その側には5世紀に建てられたサン・ジョヴァンニ・ア・ポルタ・ラティーナ教会があり，かつては5月6日にヨハネの奇跡を記念する西方教会の祝祭が執り行われていた．西洋における現在のヨハネの祝祭日は12月27日である．

初期キリスト教時代の作家たちによると，ヨハネの最終的な落ち着き先は，小アジア，西海岸の異教崇拝の中心地エフェソスであるという．現在，エフェソスの外れにあるセルククにはヨハネの墓があるといわれている．中世には，同地の土が万病を治すと信じられていた．6世紀にビザンティン帝国皇帝ユスティニアヌス一世は，ヨハネの聖堂の上に立派な教会を建てた．今でも教会の廃墟は見ることができる．

美術では，福音書を題材とした場面なら髭のない若者，黙示録の著者という役割なら白髭で白髪の聖者姿のヨハネが描かれる．福音書記者のヨハネ像は，物を書くか，読書をするか，本を持つかのいずれかである．また，本の出版に関係する者たちの守護聖人でもある．東方正教会の美術で人気を博した主題としては，パトモスの洞窟で，神から霊感を受けたヨハネがプロコロス（プロコロ）という名の若い弟子に聖句を口述筆記

聖ヨハネ
（左＝西方，右＝東方）

させる物語がある．福音書記者ヨハネのシンボルはワシ（eagle*）である．『黙示録』のヨハネがそうであるように，百鳥の中でワシだけが太陽を直視できると考えられたからである．これ以外では，エフェソスでの出来事をふまえて，杯（cup*）あるいは聖杯を持つこともある．聖母の御眠り（Dormition*）の場面では，手にシュロ（palm*）の葉を持つので，他の哀悼者から区別できる．ただし，この場合のシュロの葉は，殉教者が持つシュロとは異なるので，両者を混同してはならない．

John Chrysostom, St 聖ヨアンネス・クリュソストムス
（347年頃-407年）

神学者，主教，教父．三教会大主教（Three Holy Hierarchs*）の1人，ギリシア教会四大博士の1人でもある．異教文化の花咲くアンティオキアで生まれて教育を受けたが，修道士となってからは禁欲的な隠修士生活を送った．386年に司祭となったが，説教者として並外れた雄弁の才に恵まれていたため，「黄金の口を持った」を意味する「クリュソストムス」という名がつけられた．ヨアンネスの説教の多くが残っている．

コンスタンティノープルの総大主教に任命されてからは，組織改革に情熱を燃やした．しかしこの行動が逆に反感を招き，特にローマ皇帝の妻エウドクシアを中心とする宮廷や聖職者たちと敵対するにいたった．その結果，404年に流罪に処された．しかし敵対者たちはその処置をも不服とし，さらに遠方地へ追放することを決定した．彼らはヨアンネスの命を奪おうと，極寒の日に裸足で追放した．

東方正教会でもっともよく用いられる典礼はヨアンネスによって著されたという言い伝えがあり，礼拝式の中でも同聖人が賛美される．美術では，主教服（サッコス）を身にまとった聖人像が描かれる．ギリ

シア教会四大博士たちと一緒に登場するときは、ひょろひょろした薄い髭か、短く刈り込んだ髭で他の聖人と区別することができる。

John Climacus　ヨアンネス・クリマクス

⇨ladder.

Jonah　ヨナ

旧約聖書の預言者。ニネベの都の破滅を説くために神から遣わされた。神によって与えられた任務から逃れようとしたヨナが、クジラ（whale*）とともに繰り広げる冒険物語（『ヨナ書』1-2）は、その後に続くヒョウタン（gourd*）の物語と同様に、何人も神の目的を妨げられないことを示すものと解釈され

ている。

初期キリスト教美術では、クジラに飲み込まれたヨナ、クジラに吐き出されたヨナ、ヒョウタンの蔓の下で休むヨナの3場面を題材にした小さな絵画が頻繁に見られる。それらの一連の場面は、死、復活、天国での祝福という報酬を描いたものである。中世後期に入ると、クジラを伴った場面が中心となる。

Joseph, St　聖ヨセフ

（1世紀）

聖母マリアの夫。福音書には、国王ダビデ（David*）の家系に属し、その血筋を引く者（『ルカ福音書』2, 4）、「正しい人」（『マタイ福音書』1, 19）、大工を商売とする者（『マタイ福音書』13, 55）と記されている。ヨセフはキリストが磔刑に処される前に死去したと一般には考えられている。そうでなければ、イエスが聖母マリアの世話を弟子の1人に頼まなかったであろう。

ヨセフを老人とする聖書的

ヨナを飲み込む大魚、ブレッシア象牙聖遺物匣、4世紀

根拠は何もないが，聖書外典の『ヤコブ原福音書』では，成長した息子を持つ男やもめとしてヨセフが描かれていることから，老人と考えられたようである．しかし中世では，特に聖母マリアの永遠の処女性を主張する学説との関連で，ヨセフの境遇にも人々の関心が向き，ヨセフを老人として描くようになった．中世演劇におけるヨセフは，若い娘と結婚した老人という設定で登場する喜劇役者的な存在である．東方では4世紀からヨセフ崇敬が認められるが，西欧でヨセフが重要視されるのは12世紀初頭になってからにすぎない．中世後期に入り，熱烈な聖母マリア崇拝の現象が見られるようになると，それと歩調を合わせるかのようにヨセフから演劇で見られた道化的な雰囲気が払拭され，聖ヨセフ崇拝が発展するようになった．

その後も，アビラの聖テレサ（Theresa of Avila, St*）や聖イグナチオ・デ・ロヨラ

ロベルト・カンピン，仕事場の聖ヨセフ，15世紀，ニューヨーク，メトロポリタン美術館

（Ignatius Loyola, St*）などの精神的指導者の影響により，聖ヨセフ崇拝は一層盛んになった．さらにヨセフは，職人や手を使う仕事に就く者の守護聖人となった．美術では，大工道具を持って登場することがある．また同聖人名を冠した病院やホスピスがあるのは，中世初期の『大工ヨセフ物語』でマリアとイエスがヨセフと交わした約束に由来するものである．すなわち両者

はヨセフの聖名のもとに善行を行うすべての者をその庇護に置くと約束した.

中世後期の西欧美術では, ヨセフはキリスト降誕の場面で重要な役割を果たし, 絵画の中心的構成要素となる聖母子グループに加えられている. しかしビザンティン美術のキリスト降誕では, 一方にやや押しやられた感があり, イエス降誕の場面に参加するというよりは, むしろ同場面の傍観者として描かれている. ヨセフの存在がもっとも際立つのは, 聖家族 (Holy Family*) とエジプトへの逃避 (Flight into Egypt*) を題材にした絵画である. 福音書には, イエスがエルサレムの神殿に残り, 学者たちと議論を交わしたと記されている. その出来事の後, イエスは「どうしてわたしを捜したのですか. わたしが自分の父の家にいるのは当たり前だということを, 知らなかったのですか」(『ルカ福音書』2, 41-50) と述べている. このイエスの言葉は, ヨセフがイエスの父親であることを暗に否定したものである.

これらの福音書の物語以外でヨセフが登場する主題としては, イタリア・ルネッサンスの画家たちに人気のあった聖母マリアとの婚約と結婚がある. その詳細は『ヤコブ原福音書』を典拠とするものである. この新約聖書外典によると, マリアに求婚する立派な男やもめたちは, 各々杖を持ってエルサレムの神殿へ来るよう呼び出されたとある. 神殿では, ヨセフの杖が芽吹き, 杖からハトが飛び出してヨセフの頭の上にとまり, ヨセフが選ばれた者であることを示したという (⇨旧約聖書のアロン Aaron* の杖). ラファエッロの「聖母の結婚」(ミラノ, ブレラ美術館) のように, 失望した求婚者の1人が, 自分の杖をへし折る姿が描かれる場合もある.

Joseph of Arimathea, St　アリマタヤの聖ヨセフ (1世紀)

ユダヤ人の長老．福音書では，「金持ちで……この人もイエスの弟子であった」（『マタイ福音書』27, 57）とか，「身分の高い議員」（『マルコ福音書』15, 43）とか述べられている．磔刑の後，ヨセフはピラトのもとを訪れ，イエスの亡骸を十字架から降ろして埋葬する許可を与えてほしいと嘆願した．要求が認められると，ヨセフはイエスの体を亜麻布で包み，岩に掘った新しい墓の中に納めた（『マタイ福音書』27, 59-60）．十字架降下（Deposition*）と埋葬（Entombment*）の場面では，ほとんど必ずといってよいほどヨセフが登場する．「金持ち」にふさわしく，脇に財布をぶら下げているので，他の人々と区別できる．

中世になると，この福音書の物語にさらに別の伝説が付け加えられた．それは，ヨセフが磔刑後にイエスの血と汗を祭瓶（cruets*）に入れ，所持していたとする伝説である．このため美術では，祭瓶がヨセフの一般的なエンブレムとなる．宣教旅行でイングランドへ遣わされたとき，ヨセフと従者たちはグラストンベリーに落ち着いた．イングランド西部地方に散在する教会の中には，祭瓶を教会装飾のモチーフとして用いたところもある．中世後期の著述家たちはヨセフの物語をさらに粉飾し，ヨセフが杖を地面に突き立てると，杖から花が咲き，サマーセットで有名なグラストンベリーのサンザシの木になったと述べている．フランスの伝説では，ヨセフが聖杯（Holy Grail*）と結びつけられる．

Josse, St（Judoc, Joost, Joce）聖ジョス（ヨドクス）（7世紀）

ブルターニュ生まれの隠修士．ジョスはブルターニュの国王ジュサエル（Juthael）の息子であったが，王族の地位を捨ててキリスト教司祭となった．その後，フランス，パ・ド・カレ県，サン・ジョ

スと呼ばれる場所で隠修士となった．ジョスの亡骸は死後も朽ち果てなかったため，聖遺体が分散されて，多くの聖遺物が生まれた．10世紀初頭，同聖人の亡骸がウィンチェスターへ遷移されると，同地がイングランドにおける聖ジョス崇拝の中心地となった．ジョスはイングランドのみならずオランダやオーストラリアでも崇敬されている．

美術では，巡礼杖を持つことが多い．足元に置かれた王冠は，世俗的栄華の拒絶を象徴する．

Joys of the Virgin　聖母の御喜び

聖母マリアの生涯における喜ばしき出来事で，中世後期には，その一連の出来事が礼拝を目的とする信心業の対象となった．記念する出来事の数と範囲は種々様々である．常に登場するのは，受胎告知（Annunciation*），イエス降誕（Nativity*），聖母マリアの被昇天（Assumption*）・戴冠（Coronation）である．その他の出来事としては，聖母マリアのエリザベト訪問（Visitation*），東方三博士（Three Magi*）の訪問，神殿でのイエス奉献（Presentation in the Temple*），キリストの復活（Resurrection*），キリストの昇天（Ascension*），五旬節（Pentecost*）における聖霊の降臨（the descent of the Holy Spirit）である．

連を形成する5つあるいは7つの御喜びは，中世のキリスト教文学でもよく取り上げられる主題である．また文学のみならず絵画や彫刻の題材にもなったが，この場合，聖母の御喜びを表わす出来事の数は芸術的理由により一定していない．たとえば，15世紀後期にスウォンジー雪花石膏（アラバ スター）祭壇画（ヴィクトリア・アンド・アルバート美術館，ロンドン）を作成した彫刻家は，聖母の御喜びのうち，受胎告知，キリスト降誕，昇天，聖母マリアの被昇天の4つのみを選択し，三位

一体を描いた中央パネルの両脇に2つずつ配置した. 一方, ポーランド南部, クラクフの聖母マリア教会を飾るファイト・シュトース作の祭壇画では (1477年-1489年), 前述した場面に東方三博士の訪問, 復活, 五旬祭を加え, もっとも慣例的な7つの出来事を取り上げている.

5つの御喜び, あるいは5つの御喜びの玄義は, ロザリオ (rosary*) の祈りで最初の一環 (chaplet, 数珠の玉を数えて唱える祈りで, 全数珠の3分の1の長さにあたる) を形成し, 受胎告知, エリザベト訪問, イエスの降誕, 神殿でのイエス奉献, 神殿でのイエスの発見 (『ルカ福音書』2, 42-51) からなる.

Judas Iscariot イスカリオテのユダ (1世紀)

反逆者となり, イエスを銀貨30枚でユダヤの祭司長に売り渡した使徒 (『マタイ福音書』26, 14-16). 最後の晩餐 (Last Supper*) でイエスは,

12人の使徒に対し, 彼らのうちの1人が裏切り者となり, それがユダだと分かっていると告げた (『マタイ福音書』26, 20-25). 『ヨハネ福音書』(13, 21-30) では, 状況がもう少し詳細に説明されている. 『マルコ福音書』によれば, ユダはイエスが祈りを捧げに出かけた場所へユダヤ人の祭司長や長老を案内し (⇨Agony in the Garden), イエスに接吻して合図を送ったといわれている (『マタイ福音書』14, 43-45). ユダはすぐに自分の裏切り行為を悔やみ, 祭司長たちに銀貨30枚を返そうとするが, それを拒否されたため, 銀貨を相手の足元に投げつけて立ち去り, 首をつって自殺した (『マタイ福音書』27, 3-9).

最後の晩餐では, 描かれた人物がユダであることを示すために, いろいろな手法が採られている. ユダが床に腰掛ける場合もあれば, 他の弟子からいくぶん離れた場所にいることもある. また食べ物に

手を伸ばすこともある．これは東方正教会のイコンやビザンティン美術の影響を受けた絵画によく見られるもので，作例としてはフォルミスのサン・タンジェロ聖堂を飾るロマネスク様式の壁画がある．あるいはイエスが与えた「パン切れ」を食べたり（『ヨハネ福音書』13, 26-27），「金入れ」を持ってテーブルにもたれかかる場合もある（『ヨハネ福音書』13, 29-30）．ゲッセマネの園でのユダは，武器を持ち，逮捕しようとイエスに近づく群集の中で一際目立つ人物として描かれる．同場面は，4世紀以降より，一連の受難画の一駒として芸術家たちに取りあげられ，いつも接

裏切りの接吻（イスカリオテのユダ），12世紀の絵画

物をしようとイエスに歩み寄るユダが描かれる. ユダの後悔, 神殿の祭司への銀貨返却の失敗, そして自殺は, 5世紀あるいは6世紀以降に見られる主題である. もっとも初期の磔刑を表現した作品の1つに, 北イタリアの象牙の小箱がある (400年頃, 大英博物館). 小箱の浮彫には, 十字架上のキリストと, 足下の地面に銀貨を落としながら木で首をつるユダが並置されている.

聖ユダ
(左＝西方, 右＝東方)

Jude, St (Judas Thaddeus)
聖ユダ (ユダ・タダイ)
(1世紀)

使徒で殉教者. ユダの書簡は, 同聖人の著作といわれている. 聖ユダがどのような人物であったかは福音書でも明らかにされていない. マタイは彼を「タダイ」と呼び (『マタイ福音書』10, 3) 『欽定訳聖書』では「ダダイという姓を名乗るレッバイ」, マルコもただ「タダイ」と呼ぶだけである (『マルコ福音書』3, 18).「ユダ」も「タダイ」も, ともに「神を称える」という意味に解釈できる名前である. 聖ユダをイスカリオテのユダ (Judas Iscariot*) と区別するために「ヤコブの兄弟であるユダ」と呼ばれている (『ユダの手紙』1). 唯一記録されているユダの言葉は, 最後の晩餐でもらした一言,「主よ, わたしたちには御自分を現わそうとなさるのに, 世にはそうなさらないのは, なぜでしょうか」である (『ヨハネ福音書』14, 22).

ユダはシモン（Simon*）とともにイエスの「兄弟」といわれているが（『マタイ福音書』13, 55），この箇所を除けば両者の関係を示す聖書的典拠はない．西欧の教会では10月28日が両者の祝日と定められているが，これはおそらく2人の聖遺物がローマのサン・ピエトロ大聖堂に遷移された日を記念したものであろう．わずかではあるが同様に両者の聖名を冠した教会もある．東方では6月19日のユダの祭日しかない．聖書外典によると，2人はペルシャへ宣教旅行にでかけたが，旅の途中で殉教したといわれている．ユダは棍棒で殴り殺された．ウースターシャー，モルヴァーン教会を飾る15世紀中頃の東側窓装飾のように，ユダは船をエンブレムとする場合もある．

イスカリオテのユダとの混同を恐れたからか，加護を求めてユダの聖名を唱える人はほとんどいない．ユダが窮乏の保護者となった理由は，この辺にあると考えられる．というのも絶望した者だけが聖ユダの援助を乞うからである．このような不吉な連想は，トマス・ハーディが『日陰者ジュード』（1895）という小説の主人公にジュード（Jude, ユダ）という名をつけたことにも窺える．

Julian the Hospitaller, St
看護者，聖ユリアヌス

悔悛者．居酒屋の主人，渡し守，旅人の守護聖人．ユリアヌス伝説は，民間伝承や他の聖人伝が混入した寄せ集めの物語であるにもかかわらず，中世の人々の間では非常な人気を博した．しかし，伝説の主人公は全く架空の存在といってよいであろう．それでもユリアヌスの名が消えずに残った秘密の一因は，ユリアヌスという名前を持つ実在の聖人たちと混同されたからである．そのような聖人としては，3世紀のフランスの殉教者，オーヴェルニュの守護聖人，ブリユード（オート・

ロアール）のユリアヌスがあげられよう.

　伝説によれば，ユリアヌスの追う雄ジカが，奇跡的にも人間の言葉を話す力を与えられたという．シカは，いつかユリアヌスが自分の両親を殺害する日が訪れると告げる．この惨事を避けるため，ユリアヌスは遠く離れた異国へと姿を消す．ところが彼の両親は息子を探しに旅に出る．両親がユリアヌスの家を訪れると，ユリアヌスの妻は2人を自分のベッドに休ませる．ところがユリアヌスは，妻が愛人と一緒にベッドにいるものと思い込み，正体を確かめないで両親を殺してしまう．自分の親を殺害したという罪の意識と自責の念に苦悩するユリアヌスは，家を出て自然の厳しい土地へ移り住む．そこで人々の川渡りを手伝ったり，貧者や病に罹った旅人を救援するための救護所を建て，罪滅ぼしをしようとする．ある日，ハンセン病患者が浅瀬を渡ろうとユリアヌスのもとへやって来る．ところが病人は川を渡らず，死ぬまでユリアヌスの看護を受けることになる．病人の死後，ユリアヌスはその病人が昇天する幻視を体験し，同時にユリアヌスの贖罪を受け入れたというキリストの声を耳にする．ブリュードの聖ユリアヌスの聖名を冠したバシリカ聖堂に安置されている，ハンセン病に罹った奇怪なキリスト像（15世紀）は，この看護者ユリアヌス伝説に由来するものである．偶然ではあるが，いかに2人のユリアヌスが混同されているかを示す作例でもある．

　人気の高い聖人であったので，ユリアヌス伝説には種々の異説があるが，美術でもそれを反映した作品が残っている．ユリアヌスの生涯を物語るエピソードの中には，聖エウスタキウス（Eustace, St*），雄ジカと聖フベルトゥス（Hubert, St*），旅人を守護する聖クリストフォロス（Christoper, St*）らの伝説や

物語と混同されたものが含まれている.

Justice　正義
⇨Four Cardinal Virtues

Justina, St（Giustina）　聖ユスティナ（4世紀）

殉教童貞聖女. パドヴァの守護聖人. 16歳のときに孤児になり, キリスト教信仰ゆえに剣あるいは短剣で刺し殺された. ここから胸に剣を刺したままのユスティナ像が描かれる. 胸に刺さった剣と殉教者の王冠とシュロが, ユスティナの持物である. 一角獣（unicorn*）がユスティナの足元に横たわっている場合もある. またユスティナは, アンティオキアの女子修道院長, 聖ユスティナと混同されることがある（同じく4世紀?）. 後者は, 同じアンティオキア出身の聖キュプリアヌス（Cyprian, St）と一緒に記念され, 2人の聖遺物はローマに安置されている.

K

Kenelm, St　聖ケネルム
（9世紀）

　イングランドの王子で，殉教者として崇拝された．ケネルム，父親のマーシア国国王クーンウルフ，姉妹については，ほんのわずかな歴史的事実しか残っていない．ただしこの歴史的事実は，ケネルムの殉教伝説とはまったく異なっている．後者によると，幼い頃に父親の王位を継承したケネルムは，即位直後に姉妹によって殺害されたと伝えられている．グロスターシャー，ウィンチカムにはケネルムの聖堂が残っており，同聖人名を冠した教会もある．またイングランド中西部地方には，ケネルムの祝日を守っている地域もある．ケネルム像は，王冠を戴いた青年である．

keys　鍵

　至るところで見られる聖ペトロ（Peter, St*）のエンブレム．このエンブレムは「わたしはあなたに天の国の鍵を授ける」（『マタイ福音書』16, 19）というイエスの言葉に由来する．聖ペトロはいつも鍵を2つ持つ．

　立派な家政婦ぶりを伝える伝説があることで有名な聖女，特にマルタ（Martha, St*）やジタ（Zita, St*）のよ

鍵

うな聖女は，中世の主婦のように腰に鍵の束をぶらさげることがある．年代不詳のローマの殉教者，聖ペトロニラ（Petronilla, St）も鍵を持つ．ペトロニラは，聖ペトロの娘だとする架空の伝説があることから，おそらく憶測上の父親であるペトロから鍵を受け継いだのであろう．

king　国王

⇨crown, Three Magi.

knife　ナイフ

刃の短い皮剥刀は，この武器で殉教死した聖バルトロマ

ナイフ

イ（Bartholomew, St*）のエンブレムである．

knight　騎士

中世期，悪の諸力に対するキリスト者の闘争を表わす力強いシンボルであった（⇨armour）．戦陣を張って悪と戦い，最後には勝利を収めるキリスト者の戦士像は，特にデューラーの銅板画「騎士と死神と悪魔」であますところなく表現されている．

西方のキリスト教世界では，聖ゲオルギウス（George, St*）が白馬にまたがる中世の騎士姿で描かれる．東方正教会の美術でも，同聖人がビザンティン帝国の騎士姿で登場することがある．聖ゲレオン（Gereon, St*）も同様に武器を持ち，鎧をまとった騎士姿で描かれる．

Koimesis　コイメーシス

⇨Dormition.

デューラー，騎士・死・悪魔，16世紀，ベルリン，国立版画館

L

labarum ラバルム

後期ローマ皇帝の軍旗で，キリストを表わすギリシア語の第1と第2の文字であるXとPを組み合わせた十字を旗印とする．⇨chi-rho.

ladder 梯子

聖バルドヒルド（Bathild, St*），聖ヨアンネス・クリュマクス（John Climacus, St*），聖ロムアルドゥス（Romuald, St*）のエンブレム.

ヤコブは夢の中で，天と地の間にかけられた梯子を天使が上ったり下りたりする幻を見た（『創世記』28, 12）．このヤコブの夢は，多くの神秘思想家や神学者に影響を与えた．その中の1人，7世紀のパレスティナの修道士，聖ヨアンネス・クリュマクスは，

「天国の梯子」という題名の論文を書いた．クリマクスという名前は「梯子」を意味するギリシア語の「クリマクス」（*klimax*）からとったものである．この論文が東方正教会の世界で広く知れ渡ると，芸術家もすぐにそれを美術作品の題材として取り上げ，一方の側では天使に見守られ，もう一方の側では悪魔に邪魔されたり，引き落とされそうになりながら，30段の梯子を上る修道士たちの姿を描いた．

西欧ではベネディクト会の改革者，砂漠の教父の道を厳密に探究した修道士，ラヴェンナの聖ロムアルドゥス（950年頃-1027年）が同じような夢を体験した．白衣の修道士が天の梯子を上るロムアルドゥスの幻視に基づき，厳格なカマルドリ会の修道士は白い修道服を着用することになった．

梯子は十字架降下（Deposition*）や受難具（Instruments of Passion*）の絵画にも登場

楽園の梯子, 12世紀, シナイ山, ハギア・エカテリーニ修道院

する.

ladle　ひしゃく

聖マルタ（Martha, St*）の
持物ともなる家庭用品. 福音
書では, イエスと弟子たちが
マルタの家に泊まりに来たと
き, マルタは「いろいろのも
てなしのためにせわしく働い
ていた」（『ルカ福音書』10,
40）と記されている.

lake, frozen　凍った湖

⇨Forty Martyrs of Se-
baste.

lamb　小羊

聖アグネス（Agnes, St*）
のエンブレム.

⇨Adoration of the Shep-
herds, Lamb of God, Last
Supper, sheep.

Lamb of God　神の小羊

（ラテン語 *Agnus Dei*, アグネス
　　　　　　　　　　 ディ）
いけにえの小羊としてのイ
エス像. 初期キリスト教時代
にまで遡る歴史がある. 692
年にコンスタンティノープル
で開かれたトルロス教会会議
では, 洗礼者聖ヨハネ（John
the Baptist, St*）が小羊の姿
のイエスを指差す図像を禁止
する試みがなされたが, 徒労
に終わった. 同じ頃ローマで
は,「神羔誦（しんこうしょう）」（ラテン
語 *Agnus Dei*, アグネス
　　　　　　　 ディ）と呼ば
れる祈りが, 教皇によりミサ
の独立した儀式として確立さ
れていた. またその少し後の
9世紀初期のローマでは, 復
活祭前の土曜日に, 昨年の復
活祭で使い残したロウソクを
溶かして蜜蝋のメダルが造ら
れた. そのメダルには小羊の
像が刻まれた.

小羊によるキリストの表現
は,「屠り場に引かれる小羊
のように……彼は口を開かな
かった」というイザヤの言葉
に由来する（『イザヤ書』53,
7）. この一節は, 十字架上で
のイエスの死を予言するもの
と解釈された. 洗礼者の聖ヨ
ハネが, 洗礼を受けに来るイ
エスの姿を見たとき,「見
よ, 世の罪を取り除く神の小
羊だ」と叫んだ（『ヨハネ福音

書』1, 29). ここから神の小羊は, 洗礼者ヨハネの通常のエンブレムとなった. それには光を放つ十字架形光輪を描くのが一般的であるが, 復活の旗 (banner*) や聖杯, あるいはその両方を伴う場合もある. それはまた聖者ヨハネの持つ本の上に配置されることもある.

いけにえの小羊は, フィロクセニア (Philoxenia*) や最後の晩餐 (Last Supper*) のように, 聖体を象徴する状況でテーブルの上に配置されることもある. ⇨Adoration of the Lamb.

Lamentation　キリスト哀悼

キリストの亡骸を見て嘆き悲しむ人々の姿を描いた一連の構図群. 一連の受難の場面を描いた絵画群では, 十字架降下 (Deposition*) と埋葬 (Entombment*) の間に配置される. ここでもイエスの親戚や弟子などの人々が中心に描かれる. cf. Pietà.

lamp　ランプ

暗闇で光を放つ者としての役割を担う聖人の持物となることがある. たとえば聖ルチア (Lucy, St*) がランタンを持つ場合がある. 聖ジュヌヴィエーヴ (Geneviève, St*) と聖グドゥラ (Gudule, St) も, 通常の持物であるロウソク (candle*) の代わりに, ランプを持つことがある.

『ヨハネの黙示録』では, 7つの燃えるランプあるいは燭台が, アジアの7つの教会 (『黙示録』1, 20) と神の7つの霊を表わす (『黙示録』4, 5). したがって, ランプが最後の審判 (Last Judgement*) の描写に登場することがある.

lance　槍

⇨spear.

lantern　ランタン

⇨lamp.

Last Judgement (or Doom) 最後の審判

神が, 死者および地と天か

ヤン・ファン・エイク, 最後の審判,
15世紀, メトロポリタン美術館

ら去りし者すべてを復活させた後, 全人類に対して下す最後の裁き. 最後の審判は, 神学者聖ヨハネ (John the Divine, St*) の黙示録的な幻視の一部を形成しており, 『ヨハネの黙示録』には「わたしはまた, 死者たちが, 大きな者も小さな者も, 玉座の前に立っているのを見た. 幾つかの書物が開けられた……死者たちは, これらの書物に書かれていることに基づき彼らの行いに応じて裁かれた」(20, 12), そして「その名が命の書に記されていない者は, 火の池に投げ込まれた」(20, 15) と記されている.

西欧の教会を飾る壁画装飾では, 教会の内陣と身廊を分割するアーチや仕切りの上に最後の審判の図を配置するのが一般的で, 力強い図像を身廊内の会衆の眼前に常に提示できるよう配慮されている. ビザンティンの伝統の影響を受けた教会では, 身廊西壁面に最後の審判を描いた絵画を配置することがある. この作

例としては，トルチェルロ島，サンタ・マリア・アッスンタ聖堂を飾る 12 世紀初期のモザイク，フォルミスのサン・タンジェロ聖堂を飾るフレスコ画などがある．聖堂に集まった人々が教会西扉から退出する際，この画像が目に留まるように配置されているわけである．

最後の審判は祭壇画としても用いられる．ロヒール・ファン・デル・ウェイデンの多翼式祭壇画（ポリプティク，1443 年，ボーヌ，オテル・デュー）では，同主題の標準的な構成要素の大部分が取り入れられている．この祭壇画では，栄光のキリストが両側に天使を伴いながら虹の上に座し，使徒や聖人も従える．またキリストの受難具（Instruments of the Passion*）も描かれる．一般的な復活で死者が墓から蘇るとき，有徳者はキリストの右手側の歓喜に満ちた天へと受け入れられ，永遠の罰に定められた者はキリストの左手側の地獄へと落とされる．

ラッパを吹く天使たちに囲まれた大天使ミカエル（Michael*）は，死者の霊魂を天秤にかける．その一方で，聖母マリアと洗礼者聖ヨハネが，神と死者の霊魂の仲介者としての役割を果たす．

その他の構図は上述したほど精巧でないかもしれないが，それでも『ヨハネの黙示録』の詳細な記述の多くを含んでいる．たとえば，7 つの金の燭台（1, 12），キリストの口から出る鋭い両刃の剣と右手に持つ七つの星（1, 16），7 つの封印で封じられた巻物（5, 1）などは，どれもブールジュ大聖堂を飾るステンドグラスの四つ葉飾りに見られるものである（13 世紀初期）．

もう 1 つの審判図は，ヤギ（goats*）とヒツジ（sheep*）の分別にもとづくものである（『マタイ福音書』25, 31-46）．

Last Supper　最後の晩餐

受難を前にしたイエスが，エルサレムで弟子たちと祝っ

たユダヤの過越の祭り．イエスはこのときの食事で聖体を制定した（『マタイ福音書』26, 26-28，⇨Communion of the Apostles）．教会典礼では聖体が最重要なものであることから，最後の晩餐は芸術家が頻繁に取り上げる主題となった．それは単独に描かれることもあれば，一連の受難の場面の一部に組み込まれることもある．

最後の晩餐を描いた作品は，いみじくも修道院食堂を飾る中心的装飾となる．東方では，デイプノス（Deipnos）と呼ばれている．もっとも有名な最後の晩餐の作例は，レオナルド・ダ・ヴィンチが1490年代にミラノのサンタ・マリア・デッレ・グラツィエ修道院の食堂に描いたものである．『マタイによる福音書』には，イエスは一緒に食事をする弟子たちの1人が自分を裏切るだろうともらしたと記されているが（26, 21-25），ダ・ヴィンチの作品は，そのイエスの言葉を聞い

たときの弟子たちの驚愕の瞬間をとらえた傑作である．裏切り者のイスカリオテのユダ（Judas Iscariot*）は，他の弟子たちから少し離れた場所に配置されている．さもなくば「ユダが金入れを預かっていた」という『ヨハネによる福音書』（13, 26-30）の記述に従い，弟子たちの財布を持ってこっそりとドアから抜け出すユダの姿が描かれる場合もある．もう1人，画面上の人物配置や仕種で他の弟子たちから区別できる弟子は，福音書記者の聖ヨハネ（John the Evangelist, St*）である．ヨハネは伝統的に「イエスの愛しておられた者」，あるいは食事中に「イエスの胸もとに寄りかかった」者と同一視されている（『ヨハネ福音書』13, 23）．

イエスの前のテーブルに小羊が登場するのは，ユダヤの過越の祭りの献立として小羊の料理が定められているというだけでなく（『出エジプト記』12, 3-10），いけにえの小

羊としてのイエスを視覚的に表現するためでもある（⇨Lamb of God）. 聖体としてのパンとブドウ酒は, テーブルの上に置かれる場合もあるし, 運び込まれる途中の場合もある. この作例として, ブルターニュ, ギミリオーの教会墓地に最後の晩餐を題材としたカルヴァリー彫刻（キリストの磔刑を表わした彫刻, 16世紀後期）があるが, ここでも金入れをわしづかみにするユダの姿を見ることができる.

Laurence, St 聖ラウレンティウス（258年没）

ローマの殉教者. 聖ラウレンティウスに関しては確かな伝記的事実がほとんど知られていない. ローマで助祭となり, ローマ教皇シクストゥス二世が殉教した後に, ウァレリアス帝の治世下で迫害を受け, 殺害されたといわれている. 聖ラウレンティウス崇拝は, 初期キリスト教時代の著述家によって精力的に奨励されたため, ヨーロッパ全土へ広がった. 聖ラウレンティウスの聖遺物は4世紀初期のバシリカ聖堂, ローマのサン・ロレンツォ・フオーリ・レ・ムーラに安置された. 宗教改革以前の英国では, 同聖人名を冠する教会が240もあった.

スペインの伝説によると, 聖ラウレンティウスはスペイン人として生まれたといわれている. 1557年8月10日, 聖ラウレンティウスの祝日に, スペイン軍はサン・カンタンの戦いでフランス軍を打ち破った. 当時のスペイン国王フェリーペ二世は, この勝利に捧げる感謝のしるしとして同聖人にエスコリアル宮を奉献した. また聖ラウレンティウスが「礼儀正しいスペイン人」と呼ばれるのは, つぎのような伝説に由来する. 聖ステファノ（Stephen, St*）の聖遺物がローマに遷移されたとき, 聖ラウレンティウスの傍らに埋葬されることになった. するとラウレンティウス

は，ステファノの埋葬場所を確保するために自分の場所をあけ，後から来た者に手を差し伸べたという．

美術では，助祭（deacon*）の祭服をまとい，手に福音書を持つ聖ラウレンティウス像が描かれる．ときどき脇にぶらさげる財布は，貧者に施しをする助祭の役割を示すものである．通常のエンブレムは炮烙（gridiron*）で，生きたまま炮烙の上で焼き殺されたという伝説に由来する．ただし，この伝説に歴史的な根拠はない．

Lazarus　ラザロ（1世紀）

ベタニアのマリアとマルタ（Martha, St*）の兄弟．イエスが，死んだラザロを蘇生させた物語は，イエスの行ったもっとも劇的な奇跡の1つである（『ヨハネ福音書』11, 1-46）．福音書には「イエスはマルタとその姉妹とラザロを愛しておられた」と述べられている．ラザロが病死したことを知ったイエスは，地元の

ユダヤ人の敵対を恐れる弟子たちの忠告を押し切って彼らの家を訪れた．東方正教会では，聖枝祭の前日にあたるラザロの土曜日が祭日とされていることから，ビザンティン・後期ビザンティン美術でも，ラザロの蘇生が美術の主題としてよく取り上げられた．

またラザロの蘇生は死と復活というテーマにも適しているので，3世紀から5世紀にかけての葬礼芸術でも同種の主題を取り上げた作品が残されている．地下墓地（カタコンベ）を装飾した芸術家たちは，奇跡を起こす人としてのイエスに焦点を当て，埋葬布で覆われたラザロの死体の上で杖を振るイエスを描いた．6世紀以降の芸術家たちは，福音書の細部描写から創作のヒントを得ようとした．たとえば「墓は洞窟で，石でふさがれていた」（『ヨハネ福音書』11, 38）とか，「すると死んでいた人が，手と足を布で巻かれたまま出て来た．顔は覆いで包まれていた．イエスは人々

に『ほどいてやって，行かせなさい』と言われた」(『ヨハネ福音書』11, 44) などの新約聖書のくだりが参照された．芸術家はまた「主よ，四日もたっていますから，もうにおいます」(『ヨハネ福音書』11, 39) と反論するマルタの現実的な考え方にも目をとめている．墓を覆う石が取り除かれ，長い包帯を巻いたような経帷子に包まれた死体が安置所から運び出される．すると傍らにいた人々は死臭のために鼻をふさぐ，といった情景を描いた作例もある．この集団にもう1人，イエスを見るなり足元にひれ伏したマリアという女性が入ると，すべての関係者が出揃うことになる (『ヨハネ福音書』11, 32)．同場面を描いた古典的な作品には，東西を問わず，上述した人々すべてが登場する．しかしラザロが出てきた墓は，切り立った岩肌をくりぬいた墓か，石棺か，あるいは教会の地下聖堂墓地の場合もある．最初の作例は，ほとんどのビ

ラザロの蘇生，6世紀，ラヴェンナ，サン・タポリナーレ・ヌオーヴォ聖堂

ザンティン・イコンがそうであるように，ラザロの墓は「洞窟」であったという『ヨハネによる福音書』の一節に従ったものである．最後の作例としては，オランダ人の画家アルベルト・ファン・アウワーテル作のパネル画 (15世紀中頃，現在はベルリン) がある．

ラザロは姉妹と同じように，福音書後もキリスト教の伝説の中で生き続けた．ある伝説によると，キプロスの主教になったといわれている．その一方で，マルセーユの司教となったとする11世紀のフランスの伝説もある．後者

の伝説によれば，ラザロの聖遺骨は，地下墓地（カタコンベ）のようなサン・ヴィクトール（聖ウィクトル）のバシリカ聖堂地下室に納められているという．

leek　リーキ（セイヨウニラネギ）

ウェールズの聖人，聖デイヴィッド（David, St*）の有名なエンブレム．ここから3月1日の聖デイヴィッドの日にウェールズ人がリーキを身につけるようになった．この慣習には大変古い歴史がある．シェイクスピアもこの慣習に言及しており，史劇の『ヘンリー五世』には，ウェールズ人のフルーエリンが同郷のウェールズ人の国王に「聖ディヴィッドの日には，陛下も躊躇されることなくきっと韮（ニラ）をお付けになられることと拝察いたします」と語る場面がある（4幕7場）．リーキと聖人との結びつきに関しては種々の説明がなされているが，その中に

は，聖人がウェールズ人に，敵のサクソン人と自分たちを区別するためにリーキをつけるよう教えたという伝説もある．しかしこの伝説とて，ケルトの神にまつわる異教の慣習をキリスト教的に再解釈したものかもしれない．

leg, horse's　ウマの足
⇨Eloi, St.

leg, human　人の足
⇨Cosmas and Damian, SS; Roch, St.

Leonard, St　聖レオナルドゥス（6世紀？）

フランスの隠修士で，囚人の守護聖人．レオナルドゥスの生涯に関しては確かなことが何も分かっていない．伝記は，11世紀の，歴史的価値の乏しい物語に基づく．⇨chains.

leopard　ヒョウ

狡猾で貪欲な猛獣で，悪魔の化身．『ダニエル書』（7, 6）

や『ヨハネの黙示録』(13, 1-2) によると，ヒョウのような獰猛な獣は，悪の諸力の化身であると考えられている．エレミアは「クシュ人は皮膚を／豹はまだらの皮を変ええようか」(『エレミア書』13, 23) と述べている．その意味は，ヒョウが皮の斑模様を変えるのは，悪に染まった人が善人の仲間入りをするのと同じくらい不可能なことで，絶対にありえないという意味である．

leviathan　レビヤタン

　海の怪獣 (『詩編』104, 25-26)．ヨナ (Jonah*) を飲み込んだクジラと同一視されることがあるので，単なる海の怪獣よりも一層不吉な側面を持つことがある．中世動物寓話集でレビヤタンの悪評が定着したのは，水夫をおびき寄せて破滅させる怪獣だと想像されたからである．軽率な水夫は，日差しをさんさんと浴びるレビヤタンをてっきり孤島だと思い込み，その巨大な背に舟を停泊させる．時には島に上陸さえする．すると怪獣は突如として海中深く潜水し，水夫を全員溺死させる．このように人間を欺くレビヤタンの性質は，まさに悪魔のそれと共通するところがある．詐欺師の長である悪魔も，人間をだまして安心させて破滅させる．中世の美術と演劇に見られる地獄の入口 (hell-mouth*) は，人を飲み込むレビヤタンの口として表現されることがある．美術で

レビヤタン，中世動物寓話集の挿し絵

のレビヤタンは，魚のヒレとヘビのような尻尾を持つのが一般的であるが，全体としてはクジラやイルカに似た格好である．

イザヤはレビヤタンを「曲がりくねる蛇」(『イザヤ書』27, 1) と描写する．したがってレビヤタンは，ヘビ (snake*) のイメージを通して悪魔とも繋がってゆく．15世紀初頭の英詩では，天から追放された最初の悪魔がはっきりとレビヤタンと呼ばれている．

light　光

全ての主要な宗教的伝統において，神の不可知の力，美，神秘を表わす普遍的シンボル．このような観点から，芸術家，著述家，および神秘思想家に影響を及ぼした聖書の一節をあげるとすれば，『ヤコブへの手紙』の中の神を描写したくだり，「良い贈り物，完全な賜物はみな，上から，光の源である御父から来るのです．御父には……陰

もありません」(1, 17) であろう．キリストもヨハネによって「まことの光」(『ヨハネ福音書』1, 9) と形容されている．スペイン，カタルーニャ，サン・クレメンテ・デ・タウルの教会を飾る絵画 (1120年頃) には，「わたしは世の光である」(EGO SUM LUX MUNDI, エゴ・スム・ルクス・ムンディ，『ヨハネ福音書』8, 12) というラテン語の一節を記した本を手に持つパントクラトール (Pantocrator*) のキリスト像が描かれている．シチリアのモンレアーレ聖堂の後陣にも，12世紀後期の同じような構図のモザイクが残っている．

美術では，神の存在を示す光線が雲間から洩れることもあるし，手 (hand*)，目 (eye*)，モノグラム IHS* の周囲を取り巻くこともある．

lily　ユリ

もっとも頻繁に聖母マリアを連想させる花で，特に受胎告知 (Annunciation*) の場面でよく描かれる．白いユリ，

あるいはニワシロユリ（トキワユリ）もまた，数人の童貞聖女のエンブレムであり，特にシエナの聖カタリナ（Catherine of Siena, St*）との結びつきが深い．カタリナ以外では，純潔な生涯を送ったことで名高い聖フランチェスコ（Francis, St*），聖ドミニクス（Dominic, St*），パドヴァの聖アントニウス（Antony of Padua, St*）のエンブレムとなることがある．またユリは，聖母マリアの受胎告知を予言したといわれるエリュトレアの巫女の持物でもある（⇨sibyls）．

最後の審判（Last Judgement*）を題材にしたロヒール・ファン・デル・ウェイデン作の多翼式祭壇画（ポリプテイク）には，ユリとキリストの口から出る両刃の剣（sword*）が描かれているが，前者はキリストの右手に座す罪のない者への報酬，後者はその左手に座す者の罪と処罰を象徴している．

ロヒール・ファン・デル・ウェイデン，最後の審判の祭壇画，15世紀，オテル・デュ美術館

lion　ライオン

4人の福音書記者の4つの動物（Four Evangelical Beasts*）の1つで，聖マルコ（Mark, St*）の伝統的シンボル．

マルコ以外でライオンと関係のある聖人といえば、ペットのライオンを常に従える聖人、聖ヒエロニュムス (Jerom, St*) があげられよう。隠修士の聖パウロス (Paul the Hermit, St*) も2頭のライオンを伴うことがある。このライオンは、エジプトの聖アントニオス (Antony of Egypt, St*) の求めに応じ、パウロスの墓掘りを手伝ったといわれる。砂漠でライオンが墓堀りをするという同種の物語は、エジプトの聖マリア (Mary of Egypt, St*) や聖オヌフリウス (Onuphrius, St*) にも認められる。

年代不詳の初期の殉教者、聖プリスカ (Prisca, St) は、命を奪おうとして2頭のライオンの中に投げ込まれたが、ライオンは同聖女を襲撃しなかった。このため、プリスカ殺害のもくろみが失敗に終わったといわれている。聖テクラ (Thecla, St*) にも同種の物語がある。聖パンタレオン (Panteleimon, St*) とライオ

ンとの結びつきは、同聖人のイタリア名、「パンターレオ (ン)」(Pantaleo [n]) の語尾がライオン (レオ [ン]) を意味することから生まれた伝説であり、旺盛な想像力の産物といえるであろう。つぎにキプロスの民間伝説の英雄、隠修士の聖ママス (Mamas, St) があげられる。この聖人は、小アジア、カッパドキアの羊飼いママスと同一視される年代不詳の初期の殉教者である。ママスは税金未納の罪で逮捕され処罰を受けることになったので、ライオンに乗って裁きを受けに行くことにした。ライオンにまたがったママスが宮殿に入って行くと、地元の支配者は狼狽自失し、洞窟に住む隠修士は不動産税を免除すべきであるという隠修士の意見に即刻同意したという。

子を連れたライオンは、復活のエンブレムである。中世の動物寓話集では、このエンブレムの由来が明らかにされている。その由来は、ライオ

ライオンとその子, 中世動物寓話集の挿し絵

ンの子は仮死状態で生まれるが, ちょうど神がイエスを3日目に死から復活させたように, 父親のライオンも3日目に生命を吹き込むという古い信仰である. このようなライオンの親子像を象徴的に配置した典型的な作例としては, ロベルト・カンピンの二連版の聖画像（ディプティカ）,「聖三位一体と聖母」のパネル画があり, 神の玉座の肘掛けの上にライオンの親子が登場する（15世紀初期, エルミタージュ美術館, サンクト・ペテルブルグ）.

素手で若いライオンを殺した旧約聖書の英雄サムソンも, 戦利品であるライオンの毛皮を身にまとう（『士師記』14, 5-6）. 悪のシンボルとしてのライオンについては, ⇨adder. ライオンの穴のダニエルについては, ⇨Daniel.

loaves パンの塊

エジプトの聖マリア（Mary of Egypt, St*）と使徒フィリポ（Philip, St*）のエンブレム. エジプトの聖マリアの伝説によると, 悔悛者として砂漠に隠遁するときに, 食料としてパンの塊を3つ買い求めたという. 聖フィリポの持つパンの塊は, 5000人への食べ物の供与（Feeding of the Five Thousands*）で同使徒が果たした役割を示唆するものである.

ノルウェーの聖ウーラフ（Olaf, St*）は, 石のパンの塊を持つ. これは聖ウーラフと女中との物語に由来する. ウーラフが出会った女中の話によると, 女中は無理やりに一窯分のパンを焼くよう命じられたため, 祈りに出かけられないという. そこでオラフは, 女の持っていた3つのパ

ンの塊を石に変えた. ⇨bas-
ket.

Longinus, St　聖ロンギヌス

　人気を博した古い伝説によ
ると, キリストの磔刑と埋葬
の際にローマ兵士を指揮した
百卒長（centurion*）. ロンギ
ヌスという名前が, 「槍」を
意味するギリシア語と類似し
た言葉に由来するのは, この
百卒長とキリストの脇腹を槍
で突き刺した兵士とが同一視
されたからである（『ヨハネ
福音書』19, 34）. しばらくす
ると, 福音書後のロンギヌス
の行動や殉教を伝える空想物
語も流布し始めた. 『ニコデ
モ福音書』には, ロンギヌス
は盲目であったが, キリスト
の脇腹から流れ出た血が目に
降りかかると, 奇跡的にもそ
の視力が回復したという, 信
じがたい伝説が記されてい
る. このために両手で顔を押
さえるロンギヌスの姿が描か
れることがある.
　ロンギヌスはマントヴァの
守護聖人でもある. 聖ロンギ

ヌス崇拝は聖槍伝説と並行し
て盛んになる. 聖槍伝説がも
てはやされるのは特に第1回
十字軍以降からで, 十字軍遠
征の途中に聖槍（もっと正確
に言えば, 聖槍と称される複数
の槍の1本）が発見され, ア
ンティオキアで大評判と大論
争を巻き起こした.

Lot　ロト

　アブラハム（Abraham*）
の甥で, ヨルダン谷のソドム
の町に定住することを選ん
だ. 神は, 住人の度重なる悪
行を処罰するためにソドムの
破壊を決意した. そのとき天
使がロトのもとを訪れ, 妻と
娘を連れて町から脱出せよと
警告した. しかし, ロトの妻
は後ろを振り向いて, 天から
ソドムとゴモラの町に降り注
ぐ硫黄の火を目撃したため,
塩の柱に変えられた（『創世
記』19, 15-26）. この劇的な場
面に関しては, 多くの芸術家
がそれを題材として作品を描
いている. モラリストたち
は, ロトの妻が象徴するもの

レイデン派，ロトとその娘たち，16世紀，パリ，ルーヴル美術館

として，恩寵と許しを与えられても罪に舞い戻る罪人すべてを表わすと捉えた．

『創世記』19章には，ソドムの町から脱出した後，ロトと娘はともに山の洞窟に姿を隠したと記されている．山中では結婚相手が見つからないことを悟り，どうしても子どもを産みたくなった娘たちは，父親に酒を飲ませて性的関係を迫る．この関係から生まれた子供がモアブ人とアンモン人の先祖である．ロトと2人の娘は，芸術家の間でも人気を博した主題であった．

Lucy, St（Lucia） 聖ルチア（ルキア）（304年没）

シチリア島シラクーサ出身の童貞殉教聖女で，同地方の守護聖女．幾人かの求婚者の申し出を断り，自分の富を貧者に施したため，当時キリスト教徒を迫害していた皇帝ディオクレティアヌスの役人にキリスト教徒の一味であると訴えられた．数々の試練や拷問を受けても無傷であった

が，最後には剣で刺殺された．伝説によれば，拷問官によって両眼をえぐりだされたが，奇跡的にも傷は回復したといわれている．ルチア伝説の中には，求婚者がルチアの美貌ゆえに苦悶していると不平をもらすと，聖女は自らの手で両眼をえぐりだしたという異説も含まれている．ここから，皿の上に両眼を置くルチアの姿が描かれるようになった．また眼病に対しても，聖女の守護が祈願されるようになった．聖女の両眼にまつわる物語は，ルチアという名前（ラテン語の *lux* は「光」）から生まれた後代の粉飾であろう．

聖ルチア崇拝は，早い時期からイタリアに根をおろしていた．聖遺物はコンスタンティノープルへ遷移されたが，1204年にヴェネツィア十字軍がヴェネツィアへ持ち帰り，同市の教会に収めた．しかし同教会も，1863年には新鉄道駅の建設のために取り壊された．今では聖女名だけ

が駅名として残っている。現在，聖遺物は近くのサン・ジェレミア教会に安置されている。聖ルチア崇拝も早い時期にヨーロッパ北部へと広がった。聖女の祝日の12月13日は冬至に近いため，北半球ではもっとも暗い時期にあたる。スウェーデンではこの日に光の祭りが行われる。

Luke, St　聖ルカ　(1世紀)

福音書記者。第3番目の福音書『ルカ福音書』と『使徒言行録』の著者。4人の福音書記者の中でユダヤ人でないのはルカだけである。ルカは異邦人のために福音書を書いた異邦人であった。『ルカ福音書』に際立った特質が備わるのは，おそらくこのあたりに理由がありそうである。

ごく初期の伝説によると，アンティオキア出身のギリシア人であり，「愛する医者ルカ」と呼ばれるように（『コロサイ手紙』4，14）医者を職業としたといわれている。『使徒言行録』によると，宣教旅行で聖パウロ（Paul, St*）と行動をともにしており，パウロもローマからテモテに宛てた書簡で「ルカだけがわたしのところにいます」（『テモテ手紙二』4，11）と述べている。その後のルカの足取りについては何も分かっていないが，ギリシアで高齢を迎えて死去したという伝説もある。聖遺物は537年までボイオティア地方のテーベに安置されていたが，ユスティニアヌスによってコンスタンティノープルへ遷移された。

他の福音書記者と同様に，本や巻き物を手に持つか，あるいは机で書き物をするルカの姿が描かれることがある。福音書記者としてのシンボルは，いけにえの動物の雄ウシ（ox*）である。ルカの福音書の物語は，神殿でのザカリアのいけにえで始まることから，ルカにふさわしいシンボルと考えられている。

ルカが医者の守護聖人となることは予測できようが，芸術家の守護聖人も兼ねるよう

ヘームスケルク，聖母を描く聖ルカ，16世紀，レンヌ美術館

になるとは誰もが意外な印象を覚えるだろう．ビザンティンの伝説によると，御子キリストを左腕に抱く聖母マリア（Virgin Mary*）像を描いた人物がルカであるといわれている．聖母マリアはルカの描いた絵画に祝福を与えたという．ルカは聖母像を福音書のテキストと一緒にアンティオキアの「敬愛するテオフィロさま」に送った．その後，ルカの描いた聖母イコンは，コンスタンティノープルに遷移され，ホデゲトリア（Hodegetria*）の聖母像として知られるようになった．ホデゲトリア型聖母イコンは全イコンの中でもっとも有名で，イコン画家が新しいイコンの作成に取り組むときは，現在でも

聖ルカに祈りを捧げるのが東方正教会の伝統である．

中世後期とルネッサンスでは，聖母子を描く聖ルカという主題が，幾人かの主要なフランドル画家やイタリア画家の関心を引いた．また画家，彫刻家，金属細工師，その他の芸術家を含めた中世職人同業者組合（ギルド）の中にはルカの名を冠したものがある．

Lust 淫欲

七つの大罪（Seven Deadly Sins*）の1つ．

lute リュート

中世後期の美術では，聖カエキリア（Cecilia, St*）の持物となる場合が多い．

M

ィのチマブーエとジョット，シエナのドゥッチョとシモーネ・マルティーニの作例は，荘厳の聖母を主題にした，もっとも初期の傑作である．

Madonna　マドンナ

（イタリア語で「奥様（お嬢様）」の意．昔，イタリアで婦人に対して用いた正式の呼称）

聖母マリア（Virgin Mary*）の呼称．主として同呼称を用いるのはローマ・カトリック教会であるが，この教会だけに限られるわけではない．御子キリストを伴うときも，そうでないときも，聖母を描いた絵画や彫像に対し同名称を用いる．

Maestà　荘厳の聖母 (マエスタ)

（イタリア語で「荘厳」の意）

栄光の座につき，御子キリストを抱き，聖人と天使に付き添われた聖母マリア（Virgin Mary*）の絵画．この構図は 13 世紀後半にイタリアで発達したようで，ウフィツ

Magi　東方の三博士 (マギ)

⇨Three Magi.

man　人間

4 人の福音書記者の 4 動物（Four Evangelical Beasts*）の 1 つで，聖マタイ（Matthew, St*）の伝統的シンボル，マタイは有翼で描かれることが多いが，マタイの登場する状況を見れば，天使と区別することが可能である．つまり，他の 3 人の福音書記者の動物である雄ウシ，ライオン，ワシとの関連，あるいは机で書き物をする福音書記者マタイに描き添えられたもので見分けがつく．

mandorla　マンドルラ

⇨*vesica piscis.*

Mandylion　マンディリオン

⇨*acheiropoietos.*

Man of Sorrows　悲しみの人

　聖痕を示すキリスト像. ときどき受難具（Instruments of the Passion*）を持つことがある. キリストは蓋の開いた墓の中に立つため, 上半身しか見えない場合が多い. また死亡したキリストは頭を垂れ, 両眼を閉じられている. 両手はだらりと垂れ下がるか, あるいは交差させている. これ以外では, キリストが正面を直視し, 脇腹の傷を指さすような仕種をする場合もある.

　「悲しみの人」という名称は, 受難の僕（しもべ）として知られる人物に関するイザヤの予言から取られたものである.『イザヤ書』に「彼は軽蔑され, 人々に見捨てられ多くの痛みを負い, 病を知っている……彼が担ったのはわたしたちの病, 彼が負ったのはわたしたちの痛みであった」(『イザヤ書』53, 3-4) と記されているように, 僕はキリス

トの受難を予言したものと解釈される. 悲しみの人を題材にした絵画や彫刻は, 礼拝の目的とする信心業で使用されることもある.

　同図像は「憐れみのキリスト」としても知られている. ローマ, サンタ・クローチェ聖堂を飾る 14 世紀初期のモザイク・イコンは, おそらく西欧における憐れみのキリスト図像の原型といえるだろう. しかしギリシア教会では, 西欧よりも以前に憐れみのキリストのイコンが発達し, アクラ・タペイノシス (*Akra Tapeinosis*) と呼ばれている. アクラ・タペイノシスとは, 文字どおり「へりくだりの極み」を意味するギリシア語で, 同様にイザヤ書を典拠とする.

　悲しみの人は十字架像 (crucifix*) に登場するのが一般的であるが, ロベルト・カンピン作の「聖グレゴリウスのミサ」（ブリュッセル市立美術館）のような祭壇画に描かれる場合もある.

Margaret of Antioch, St (Marina) アンティオキアの聖マルガレータ (マリナ) (3世紀後期?)

トルコ中部，ピシディア，アンティオキアの童貞殉教聖女．出産をする女性の守護聖女．

494年に教皇ゲラシウス一世がマルガレータ伝説を偽物と宣言してから，1969年の聖マルガレータ崇拝禁止に伴い教会暦から除外されるまで，教皇から聖人の認可を受けることはなかったが，中世後期において最も崇敬された聖女の1人であった．イングランドでは150を超える教会が同聖女名を冠し，教会で崇敬される聖人の中では上位10位に迫るほどである．さらにイングランドでは，100を超える中世の鐘に同聖女名が冠せられている．これだけでも同聖女への崇敬の厚さを示す根拠となるだろう．東方教会ではマリナの名で賛美され，教会入口にはマリナの肖像画が飾られた．その後は内陣に至る「王門の扉（ロイヤル・ドア）」を飾ることもあった．というのも，マリナの肖像画があれば，悪の力を寄せ付けず，聖所への悪の侵入を阻止できると考えられたからである．この役割を担うマリナは手に小さな十字架を持ち，まるで招かれざる者を追い払うかのような身振りを見せている．頭から肩にかけてすっぽりと真紅のヴェール（ワラブル）をかぶっているので，すぐに見分けがつく．

マルガレータが実在の人物だとしても，伝記の中核はロマンティックな粉飾ですっぽりと覆われてきたといってよいだろう．伝説によると，アンティオキアの異教の神官であった父親は，自分の娘がキリスト教に改宗したことを知り，家から追放する．その後，人知れず羊飼いとして暮らしていたところ，アンティオキアのローマ総督の目に留まり，誘惑を受け，むりやりに結婚を迫られる．しかし，

キリスト教の信仰を宣言して総督の申し出を拒否したため，拷問にかけられた後，投獄される．獄中では，竜の姿をした悪魔と論争する．竜はマルガリータを生きたまま飲み込むが，聖女が祈りを捧げると，竜の内臓が破裂し，無傷で竜の腹から脱出する．美術では，もだえ苦しむ竜を足で踏みつけるマルガレータ像が描かれる．しかし，最後には斬首刑に処される．

中世期から聖マルガレータ伝説には多くの異説が生まれている．マルガレータが人気を博したのは，同聖女が死を前にして残した約束によるところが大きい．その約束とは，庇護を乞うて聖女名を唱える者，聖女を厚く崇敬する者，特に聖女名を冠した教会を建てる者は天国で報われるというものである．具体的にいえば，マルガレータ伝説を読む者，あるいはそれを書写する者には天の王冠が授けられるという約束も，マルガレータ伝説に数多くの異説が存在する大きな要因の1つであろう．また出産の床につく女性や幼児への援助と保護も約束した．その後，マルガレータの守護対象はさらに拡大され，より一般的な子孫繁栄や婦人病の治癒にまで及ぶ．末期の言葉として残した約束には強い影響力があったため，マルガレータは十四救難聖人（Fourteen Holy Helpers*）の1人にも列せられた．

Mark, St　聖マルコ
（74年頃没）

福音書記者．第2番目の福音書，『マルコによる福音書』の著者．ゲッセマネの園でイエスが逮捕され，すべての弟子たちが逃亡したとき，最後までイエスに従うと主張した若者がいた．この若者とマルコとを同一視する言い伝えがある．しかし結局のところ，この若者も自分に逮捕の手が及びそうになると，亜麻布を捨て裸で逃げ去ったとある（『マタイ福音書』14, 51-52）．

マルコに関しては，『使徒

聖マルコとそのシンボル

されていた間も行動を供にした．ペトロはその書簡で，「わたしの子マルコ」と明らかに好意的な言い方をしている（『ペトロ手紙一』5，13）．ごく初期の伝説によれば，ペトロの「通訳」も務めたといわれている．このため『マルコ福音書』は，マルコを秘書として使ったペトロの発案によるものであるという考え方が起こった．

　教会史家エウセビウス（260年頃-340年頃）は，新約聖書から得られる情報以外に，最終的な殉教地のアレクサンドリアで，マルコが初代司教に叙階されたことを付け加えている．828年頃，ヴェネツィアの商人が，マルコのものとされる遺体をアレクサンドリアの地下墓地（カタコンベ）で発見した．商人たちはそれをヴェネツィアへ持ち帰ったが，帰国の旅の途中，種々の奇跡的な出来事が起こったという．マルコは同市の守護聖人となり，貴重な聖遺物は共和国の首長（ドージェ）の私的な礼

言行録』の中から，より正確な伝記的資料を読み取ることができる．すなわち，「マルコと呼ばれていたヨハネ」は，様々な使命を担うペトロ，パウロ，バルナバに付き添っていた．母親のマリアは，エルサレムにある自分の家を初期のキリスト教徒たちの集会場として開放した（『使徒言行録』12，12）．「マルコ」はバルナバのいとこにあたり（『コロサイ手紙』4，10），ペトロがローマで投獄

拝堂に安置された．壮麗な聖マルコ聖堂を中心に建てられた現在のバシリカ聖堂，サン・マルコ大聖堂は，11世紀後期の建造物である．聖マルコの聖遺体にまつわる伝説は，現存のバシリカ聖堂を飾るモザイクの題材であるばかりでなく，数人のヴェネツィア芸術家が取り上げた画題にもなった．その中の1人にティントレットがいる．

福音書記者マルコのシンボル，有翼のライオン（lion*）は，ヴェネツィアによる地中海東部の支配を示すしるしになった．ライオンの持つ開かれた書物には，PAX TIBI, MARCE, EVANGELISTA MEUS（『汝に平和を，マルコ，我が福音書記者』）と書かれている．聖マルコにまつわる伝説には，宣教旅行で実際にマルコが到着した場所が後のヴェネツィアであったという物語も含まれる．同地で出会った天使は，上述の言葉でマルコと挨拶を交わし，将来マルコの遺体が同地に眠ることになろうと予言したという．

他の福音書記者のように，マルコも机で物を書くか，本あるいは巻き物を持つか（⇨Four Evangelists），単にエンブレムの有翼のライオンだけで表現されるかのいずれかである．書記という役柄のマルコは，聖ペトロと一緒にいる場合もある．他の福音書記者と比較すると，イングランドで同聖人名を冠した教会は非常に少なく，6つの教会が存在するのみである．

Marriage at Cana　カナでの婚礼

イエスが最初に奇跡を行った舞台．ガリラヤでの結婚式の宴会に出席したイエスは，水をブドウ酒に変えた（『ヨハネ福音書』2, 1-12）．宴会の客の中には，マリアとイエスの弟子たちも含まれていた．同場面には，召し使いたちがイエスの指示に従って水を注いだ広口瓶や，その他の容器が目立つ場所に置かれているので，カナ以外の宴会を描い

たものと区別できる.

この出来事が重要なのは,それがイエスの行った最初の奇跡であり,イエスに備わる神の力の顕現であるというだけでなく,水をブドウ酒に変えることが聖体のシンボルとなるからである.地下墓地（カタコ／ンベ）の美術では,水瓶を指差すイエスか,あるいは召し使いが水を注ぐ水瓶の上で杖を持つイエス像が描かれた.その後は,結婚式に招待された客と「宴会の世話役」が登場するようになる.一様に驚く仕種を見せる人々,イエスを見つめるマリア,あるいは

イエスにささやきかけるマリアが描かれる.ビザンティン教会美術では,5000人への食べ物の供与（Feeding of the Five Thousand*）の場面のつぎにカナでの結婚の場面が配置されることがある.後者は聖体のパンを,前者はブドウ酒を表わし,両者が並置される場合がある.

Martha, St　聖マルタ
（1世紀）

ベタニアの女.兄弟のラザロ（Lazarus*）,姉妹のマリア（⇨Mary Magdalane, St）とともに,イエスを何度か自

ジョット,カナの婚宴,14世紀,パドヴァ,アレーナ礼拝堂

宅に招いた．ある日イエスが彼らの家を訪問したとき，マルタは「いろいろともてなしのためせわしなく立ち働いて」いた（『ルカ福音書』10, 40）．姉妹のマリアはイエスの話を聞くのに精いっぱいで，もてなしの準備をすべて自分に押し付ける，とマルタがイエスに不平をもらす．マリアにも手伝ってほしいと申し出ると，イエスは「マルタ，マルタ，あなたは多くのことに思い悩み，心を乱している．しかし必要なことはただ一つだけである．マリアは良い方を選んだ．それを取り上げてはならない」と述べてマルタの要求を退ける（『ルカ福音書』10, 41-42）．マルタはまたラザロ（Lazarus*）の蘇生の奇跡でも目立つ存在である．

その後，このイエスの友人となった一家の周辺には途方もない物語が発達し，その中でマルタは重要な役割を演じることとなる．中世のプロヴァンス地方の伝説によると，福音書後の時代に，彼らはフランス南部を訪れたという．その地でマルタは，タラスコンの町を恐怖に陥れたタラスクと呼ばれる竜のような怪物を退治した．マルタは悪竜に聖水をふりかけておとなしくさせてから，自分の帯を竜の首に巻き付け，アルルまで連行して退治したといわれている．マルタのものとされる聖遺物は，タラスコンの同聖女名を冠した教会に安置された．

美術では，帯でタラスクを引くマルタ像が描かれる．また身の回りに鍵の束，ひしゃく，箒など，中世の主婦の家庭用品をつけることもある．家庭の主婦の守護聖女であるため，瞑想的な生活を送る者とは対照的に，活動的で実際的な生活者が鏡と仰ぐべき聖女と考えられた．つまり「彼らが等しく困っている時その人自身に合ったものを与えるだけの単純なもてなし」（キプリング，『マルタの息子たち』，1907）を提供するのである．

Martin of Tours, St　トゥールの聖マルティヌス

（315年頃-397年）

　宣教活動に従事した司教. フランスの守護聖人の1人. 生涯を飾る出来事は, 友人のスルピキウス・セウェルスの著したマルティヌス伝に記録されている. 有名な伝記ではあるが, 必ずしも全幅の信頼を置けるものではない.

　マルティヌスは, 古代ローマの属州パンノニア（現在のハンガリー）に生まれた. 一家は異教徒の軍人であった. 数年間, 兵役に就いたのちキリスト教に改宗した. 信仰上の理由から軍務拒否を申し出たため, 投獄され, 軍隊を首になった. その後, 各地を転々と旅するうちに, ポワティエの司教ヒラリウスの弟子となる. ヒラリウスは, 異端のアリウス派からフランスの正統キリスト教信仰を守るため多大な貢献をした学者, 神学者である. マルティヌスはポワティエから8キロほど離れたリギュジェに居を構え, 他の人々とも協力して, 同地にフランスで最初の修道院を設立した.

　372年, トゥールの司教となったが, この叙階はどうも不本意なものだったらしく, 同年, 近くのマルムティエに大修道院を創立した. 精力的に宣教活動を行ったが, 時には情け容赦のない行動をとることもあった. 特に皇帝の権力に反抗する異端者を処置する教会の権利を強硬に守りぬいた. 奇跡を起こす人, ハンセン病患者を含めた病人をいやす聖人として高い名声を得た.

　マルティヌスをもっとも有名にした出来事が起こったのは, まだローマ軍兵士の頃であった. 寒さに震える貧者と出会ったマルティヌスは, 自分の着ていた軍服の外套を半分に切り裂いて貧者に分け与えた. そのとき貧者に与えた外套をキリストが身にまとうという幻視を体験し, これがきっかけでキリスト教徒にな

った．このエピソードは，新約聖書のヤギとヒツジのたとえ話を想起させるものである（『マタイ福音書』25, 31-46）．キリストは正しき者に「お前たちは，わたしが飢えていたときに食べさせ……裸のときに着せた」(35-36) と述べた．このキリストの言葉に当惑した者たちが，そのような慈善行為をいつ行ったのかと聞き返すと，イエスは「わたしの兄弟であるこの最も小さい者の一人にしたのは，わたしにしてくれたことである」(40) と答えた．マルティヌスと乞食の主題は，中世の芸術家の間でもすこぶる人気があり，数多くの美術作品が生み出された．美術では，常にウマにまたがり，剣で外套を引き裂くマルティヌス像が描かれる．

聖マルティヌスは，現在知られているイングランドの全教会に冠された聖名の中で，もっとも初期の聖名の１つである．同聖人名を冠した最古の教会は，597 年，キリスト教伝道のために英国に派遣された聖アウグスティヌス（Augustine of Canterbury, St*）が，カンタベリーで継承したローマ・カトリックの英国教会である．イングランドには，同聖人名を冠した教会が 170 以上もある．ユトレヒトとフローニンゲンの守護聖人であったことから，マルティヌスの名声は，北海沿岸低地帯を通して北方へ，ライン地方を通ってドイツへ，南東部を経由して北イタリアへ，さらには南西部のスペインにまで轟いた．しかし，聖マルティヌス崇拝がもっとも広範囲に及んだ国はフランスであり，4000 を超える教会関係施設と 500 を超える村が同聖人名を冠する．フランスのカロリング朝の国王の時代に入ると，トゥールのマルティヌスの墓は主要な巡礼地となった．フランスではすでに 710 年に有名な外套が権威ある聖遺物として取得されていた．

ドイツでは，同聖人が埋葬された 11 月 11 日に，異教の

祝祭に代わって聖マルティヌス祭が挙行されるようになった．マルティヌスが陽気な酒宴や改心した酒飲みの守護者であるのは，このあたりに原因があるかもしれない．スコットランドの暦では，聖マルティヌス祭が節季にあたる．イングランドの多くの地域でも，この時期にたくさんの市がたち，召し使いを雇うことができた．また聖マルティヌス祭の頃に見られる穏やかで暖かい天候は「聖マルティヌスの夏」と呼ばれている．

美術では，乞食と外套のエピソード以外に，聖マルティヌスのミサの場面が題材として取り上げられる．ミサを執行中のマルティヌスの頭上には，超自然的な火の玉が描かれる．これ以外では，ガン（ガチョウ）がマルティヌスのエンブレムとなる．聖人とガンとの関係に関しては種々の説明がなされている．その中には，ガンがヨーロッパ北部へ渡る季節，あるいは家禽を太らせるために囲いに入れる時期が，マルティヌスの命日と重なると指摘する説がある．またトゥールでの司教叙階にまつわる伝説に由来を求めようとするものもある．その伝説によると，司教叙階を知らせに来た人々との面会を嫌うマルティヌスが身を隠したところ，ガチョウがうるさく鳴き声を上げため，隠れ場所がばれたというものである．

Mary, the Virgin 聖母マリア

⇨Virgin Mary.

Mary of Egypt エジプトのマリア（5世紀?）

悔悛者．長年アレクサンドリアで娼婦で生計を立てていたが，聖地巡礼団に紛れ込み，一緒に巡礼旅行に出かけた．エルサレムの聖墳墓教会に入ろうとすると，超自然的な力によって入堂を阻まれ，砂漠に隠遁して悔悛せよとのお告げを聞いた．お告げに従い，余生を砂漠で過ごした．死去する少し前に，ゾシムス

という名の修道士から聖体拝領の秘跡を受けた．しかしゾシムスが再度訪れると，すでにマリアは死亡していたので，墓を掘るために2頭のライオンの助けを借り聖女を埋葬した．

エジプトのマリアの毛髪は体全体を覆うほど長い．あまりにも長髪なので，砂漠での隠遁中に着古した衣装の代用品となったほどである．この点では，マグダラのマリア（Mary Magdalene, St*）と混同されやすいし，実際にも混同された．しかし，エジプトのマリアは3つのパンの塊を持物とするので，両者を区別できる場合がある．これは，砂漠に隠遁する際に準備した食料である．マリアの埋葬を手伝ったライオンが一緒に描かれることもある．また，髭を伸ばし，痩せ細った修道士ゾシムスが付き添うこともある．

エジプトの聖マリア崇拝は早い時期からギリシア東部で盛んであった．またナポリでも重要視された．可能性としては7世紀末，確実な線としては9世紀に，ナポリを経由してイングランドへ伝えられたと思われる．悔悛を強調するエジプトの聖マリア崇拝は，12世紀に盛んになったが，その後はマグダラの聖マリア信仰に継承され，やがて吸収されていった．

Mary Magdalene, St（Mary of Magdala）マグダラの聖マリア（1世紀）

イエスの弟子．新約聖書に記されたマリアの「伝記」は，おそらくマリアと呼ばれる数人の女性のエピソードを1つにまとめたものらしく，学者の間ではその信憑性が疑問視されている．

マグダラのマリアは，イエスの受難を記した福音書に言及されている．イエスの磔刑に臨んだ後，イエスの墓に香料を持って訪れたが，墓が空であることを発見したと述べられている（⇨*Noli me tangere*, Three Marys）．ルカ（『ル

カ福音書』8, 2）もマルコ（『マルコ福音書』16, 9）も，イエスがマリアから「七つの悪霊を追い出した」ことを記している．この一節を根拠とし，『ルカ福音書』に登場する無名の女性と同一視されている．同福音書には「この町には1人の罪深い女がいた」と記されている．この「罪深い女」とは，ファリサイ派のシモンの家でイエスの足に高価な香油を塗り，それを自分の髪の毛でぬぐった女性である（『ルカ福音書』7, 36-50）．しかし，マルタ（Martha, St*）とラザロ（Lazarus*）の姉妹，ベタニアのマリアも，イエスが最後にエルサレムを訪れる前，イエスの足に香油を塗ったとヨハネは述べている（『ヨハネ福音書』12, 1-9）．したがって，彼女もまたマグダラのマリアと同一視されることがある．ただしこの場合は，ガリラヤからイエスに従った女性の中にマグダラのマリアがいたと記されているため（『マタイ福音書』27, 55-56），

両者が同一人物であることは疑問視されている．マグダラのマリアの生まれた町は，ガリラヤ湖西岸のタリケアエだといわれている．

福音書後のマリアの身の上に関しては，マリアがベタニアのマリアと同一人物であることを受け入れるか否かに大きく依存する．もしそうなら，ベタニアの家族がフランス南部に移住したとき，同行者の中の1人にマリアがいたことになる．その後，フランスで悔悛者として孤独な生活を送った後，ヴァール県のサン・マクシマン・ラ・サント・ボームの町で亡くなった．13世紀には，マリアのものとされる墓が同地で発見された．以前，フランス中東部のヴェズレーの修道士がマリアの聖遺物発見を公表していたので，前者の発見は修道士の話と抵触し，深刻な問題に発展していった．

東方には，マグダラのマリアが，聖母マリアと福音書記者聖ヨハネ（John the Evange-

ロヒール・ファン・デル・ウェイデン，マグダラのマリア，15世紀，パリ，
ルーブル美術館

list, St*）の家族と合流し，とともに小アジアの西沿岸にあるエフェソスを訪れたという伝説がある．その後，この物語にさらに粉飾が加えられ，ヨハネが世俗へのあらゆる執着を捨ててイエスに従う前は，マグダラのマリアの婚約者であったという物語も生まれた．中世になると，エフェソスにあるマリアの墓は早くも巡礼地と化した．

芸術家たちは，マグダラのマリア像を描く上で，誰にでもわかりやすい，つぎのような際立った2つの特徴をつかんでいる．まず第1は長い毛髪．娼婦であることを示すために，入念に整える場合もあれば，悔悛を意味してだらりと垂れ下げる場合もある．第2は，香油を入れた瓶あるいは広口瓶．15世紀以降になると，マリアの登場する場面では，その他の聖女と区別するために，香油瓶をマリアの持物として描くようになる．罪を懺悔する罪人と瞑想的な生活を送る者たちの守護聖女として，マグダラのマリア崇拝はさらに他の地域へも伝播し，フランスとイングランドでは，同聖女名を冠した教会や鐘が20以上もある．

Marys, the Three　3人のマリア

⇨Three Marys.

Mass of St Gregory　聖グレゴリウスのミサ

⇨Gregory I (the Great), St.

Matthew, St　聖マタイ
（1世紀）

使徒で福音書記者．第1の福音書，『マタイ福音書』の著者．ローマの属州パレスティナ政府の徴税人（ラテン語 *publicanus*）として働くマタイは，人々から蔑まれていた．イエスはマタイが「収税所に座っているのを見て」（『マタイ福音書』9, 9），12人の弟子に加わるよう呼び出した．マルコとルカの福音書では，マタイはレビと呼ばれて

聖マタイの殉教，15世紀，ウィリアム・キャックストン版『黄金伝説』

聖マタイ
（左＝西方，右＝東方）

いる．

　イエスの昇天後，他の弟子たちと一緒にエルサレムへ出かけたと記されているが（『使徒言行録』1, 13），その後のマタイの動向に関する確かな情報は何も残されていない．殉教死を遂げたと信じられているが，殉教地がペルシャなのか，エチオピアなのか説明はまちまちである．殉教の兇器も同様で，剣の一撃で殺されたといわれているが，戈槍（ほこやり）や槍が兇器となる場合もある．美術では，3つの武器のいずれかが描かれる．

　上述した持物より特徴的なのは，財布，金袋，銭箱，金の重量秤で，使徒となる以前に職業とした収税人に関係したものである．イエスが収税所に座すマタイを呼び出す場面では，机の上にこれらの品々と金銭が一緒に描かれる．中世後期の芸術家たちが眼鏡をかけたマタイ像を描くのは，眼鏡を事務職や会計業務に就く者にふさわしい持物

と考えたからであろう.

福音書記者のマタイは, 机で物を書くか, あるいは本または巻き物を手に持つ. 福音書記者としてのエンブレムは有翼の人間である. このエンブレムは, イエスの系図が冒頭を飾る『マタイ福音書』に特にふさわしいと考えられた. 近代以前のイングランドでは, 同聖人名を冠した教会が 33 ほどあった.

聖マティア

Matthias, St 聖マティア
（1 世紀）

イスカリオテのユダの裏切りによって 12 人の使徒が 11 人に減ったため, その穴を埋めるべくユダの代わりに選ばれた使徒（『使徒言行録』1, 15-26）. 東西とも教会暦にマティアの祝日が定められている（東方 8 月 9 日, 西方 5 月 14 日）. 技師と肉屋の守護聖人.

マティアに関しては, 信頼できる事実は何も分かっていない. マティアゆかりの地としては, 小アジア, カスピ海周辺, エチオピアなど, 種々の伝説がある. さらにマティアとアンデレとを結びつける, 空想的な聖アンデレ（Andrew, St*）の冒険物語もある. しかし, このようなことが起こるのは, アンデレの冒険物語のいくつかの版で重要な役割を演じる聖マタイ（Matthew, St*）とマティアとが混同されたためである. また戈槍（ほこ やり）がマティアのエンブレムとなることにも, 両者の混同が認められる. それ以外の場合では, 斧を持って登場する. したがってマティ

アに関しては，その殉教の兇器でさえも不明瞭である．

Maurice, St　聖マウリキウス（3世紀）

エジプト生まれの兵士聖人で殉教者．美術では，ローマ兵の鎧を身につけたアフリカ人として描かれる．伝説によると，エジプトのテーベ地方で徴兵されたキリスト教徒のローマ軍団，いわゆるテーベ軍団の指揮官であったという．ガリア地方で兵役に就いたとき，異教の神々にいけにえを捧げよという命令，あるいは罪のないキリスト教徒を虐殺せよという命令を受けた．殉教物語に関しては種々の異説がある．一説には，軍隊を指揮して命令を強引に無視したため，アガウヌム（現在のスイスのサン・モーリス・アン・ヴァレ）で殉教したといわれている．

兵士以外では，職工と染物工の保護者 (_(ば)) である．殉教地に隣接する地域では特に有名で，ピエモンテやサヴォワの守護聖人でもある．遥か遠方の地方にも同皇人名を冠した教会があり，この中にはイングランドの8つの教会も含まれる．またオーストリアとイタリアの都市マントヴァの守護聖人でもある．

Melchizedek　メルキゼデク

アブラハム（Abraham*）の時代のサレム（エルサレム）の国王で大祭司．アブラハムは，甥のロトを連れ去ったカナン諸国王の連合軍を破るため，遠征討伐軍を組織した．勝利を収めて帰還したアブラハムを，メルキゼデクはパンとブドウ酒で祝福した（『創世紀』14, 18-20）．

ヘブライ人への手紙の著者は，このエピソードを取り上げ，国王と祭司というメルキゼデクの2つの役割がキリストを予表するものと解釈した．したがってメルキゼデクによる食べ物と飲み物の供給は，最後の晩餐のシンボルとみなされるようになった（⇨sacrifice）．

Menas, St (Mennas) 聖メナス （300年頃没）

エジプトかフリギアで生まれた殉教者. 商人と砂漠の旅人の守護聖人. アレクサンドリアに近い西方砂漠に建つメナスの大聖堂は, 4世紀以降に巡礼の中心地として有名になった. メナスの聖なる泉から巡礼者が水を汲んだとされる祭瓶（フラ）が, 広い地域で数多く発見されている. 12世紀頃になると, ベドウィン族の度重なる襲撃によってメナスの聖堂は破壊され, 1959年になるまで再建されなかった.

伝説によると, ローマ軍兵士であったが, キリスト教信仰を告白したために小アジアで殉教したという. 仲間のキリスト教徒がメナスの最後の願いを叶えるために, 同聖人の遺体をエジプトへ運んだ. 遺体を載せたラクダが立ち止まり, それ以上前進しない地点に墓を建てた. 美術では, ローマ兵士の軍服をまとい, ラクダを1頭か2頭従えるメナス像が描かれる.

menorah　七枝の燭台

ユダヤ教を象徴する7枝の燭台.

mice　ハツカネズミ

⇨mouse.

Michael, St　聖ミカエル

大天使. サタンとその使いたちを天から投げ落とした天使軍の隊長（『黙示録』12, 7-9）. 同天使名を冠した教会はヨーロッパ全土に散在し, イングランドでも聖ペトロの聖名を冠した教会についで多い. 聖ミカエル崇拝の発祥地は東方であり, 同天使名を冠した最初の教会がコンスタンティノープルに建てられた. それはコンスタンティヌス一世自身の手で建立されたものといわれている. その後, イタリア南部でも聖ミカエル崇拝が確立した. 490年代には, アプーリアのモンテ・ガルガノとローマの2箇所に天

使ミカエルが出現した．この有名な出来事により，聖ミカエル崇拝は一層深く根を下ろすことになった．その後，聖ミカエル崇拝はローマからアイルランドへと普及し，アイルランド人の修道士によりイングランドとヨーロッパへ伝えられた．8世紀には，コーンウォールのセント・マイケルズ・マウントに天使ミカエルが出現したと報告されている．フランス北部沿岸のモン・サン・ミシェル修道院（966年に再興）には，ミカエルの盾と剣が聖遺物として安置されているという．ミカエルといえば特に高所を連想させる．死者の霊魂の案内役とも考えられたため，埋葬地や墓地とも結びつく．聖ミカエルの祝日は9月29日で，「聖ミカエルと全天使」を記念するミカエル祭が挙行される．

ラファエッロ，聖ミカエルと竜，16世紀，パリ，ルーヴル美術館

一般的に鎧をまとったミカエル像が描かれることが多く，勝利を告げるかのように剣や槍を振りかざし，退治したヘビあるいは竜を足で踏みつけている．

最後の審判（Last Judgement*）の場面では，ミカエルが天秤（scales*）をもって登場し，死者の魂を秤にかける．⇨archangels.

milk　ミルク

霊的な滋養物のエンブレム．新約聖書に「生まれたばかりの乳飲み子のように，混じりけのない霊の乳を慕い求めなさい」（『ペトロ手紙一』2，2）と記されているように，

特に新たに洗礼を受ける者に
ふさわしいエンブレムであ
る．また斬首された聖人の中
には，首の動脈からミルクが
流れ出た者もいた．そのよう
な聖人としては，アレクサン
ドリアの聖カタリナ（Cathe-
rine of Alexandria, St*），聖パ
ンタレオン（Panteleimon,
St*），聖パウロ（Paul, St*）
があげられる．

millstone　石臼

聖クリスティナ（Christina,
St*），サラゴーサの聖ウィン
ケンティウス（Vincent of
Saragossa, St*），聖フロリア
ヌス（Florian, St*）などの聖
人の二次的な持物．

mirror　鏡

一点の曇りもない鏡（ラテ
ン語 *speculum sine macula*）
は，聖母マリアのシンボルと
なることがある．この鏡のイ
メージは，旧約聖書外典の知
恵の描写，「神の働きを映す
曇りのない鏡，神の善の姿で
ある」（『知恵の書』7, 26）に

由来する．モデナの司教で守
護聖人，聖ゲミニアヌス（Ge-
minianus, St, 4世紀？）も，
聖母マリアの姿が映る鏡を持
物とする．

鏡はまた〈賢明〉の主要な
持物でもあり（⇨Four Cardi-
nal Virtues），熟慮の末に到達
した自己認識を意味する．

mitre　司教冠（ミトラ）

11世紀以降に西欧の教会
で司教や大司教が典礼で着用
した先の尖った帽子．教皇や
修道院長が司教冠を着用する
場合は少ない．祝日やほとん
どの日曜日に着用される司教
冠には，精巧な装飾が施さ
れ，宝石が散りばめられたも
のもある．飾りのついていな
い白色の絹の司教冠，あるい
は金色の布の司教冠は，上述
した場合以外で用いられる．

一般に司教冠は，地位の高
い聖職に就く聖人を他の聖人
と区別するための目印とな
る．司教冠以外の持物として
は，祭服，牧杖あるいは笏杖
（crozier*）がある．フランシ

スコ会托鉢修道士で，3つの司教職を辞退したシエナの聖ベルナルディーノ（Bernardino of Siena, St*, 1380年-1444年）の場合は，栄誉の拒絶を象徴して3つの司教冠が足元に置かれる場合がある．

model　模型
⇨building.

聖体顕示台

moneybag, _or_ money box
金入れ，銭箱
　聖マタイ（Matthew, St*）の持物．特に中世のイングランドで，画家たちが好んで描いた持物．⇨purse.

monk　修道士
⇨habit.

monsters　怪物
⇨devils, dragon, hell-mouth, leviathan.

monstrance　聖体顕示台
　聖体の聖別されたパンを信者に見えるように入れておく容器．通常の容器は，土台から上部に伸びる脚の上に光り輝く精巧なフレームが取り付けられ，そこにガラスの箱がはめ込まれている．聖別されたパンの容器以外の用途としては，聖遺物を展示するために使用されることがある．聖クララ（Clare, St*）は，聖体顕示台を持つ修道女姿で描かれることがある．ヨーロッパ北部の美術で聖体顕示台を持つ司教は，聖ノルベルトゥス（Norbert, St*）であろう．⇨pyx.

moon　月
⇨sun.

レンブラント，モーセと十戒の石板，17世紀，ベルリン国立美術館

Moses　モーセ

　律法を制定したユダヤ人．出エジプトとそれに続く砂漠放浪の旅でイスラエル人を指導した人物．ユダヤ教の伝説では，旧約聖書の最初の5書がモーセの作であるといわれている．旧約聖書を飾る第一級の人物であるモーセは，『出エジプト記』に記されたような波瀾万丈の生涯を送ったため，物語美術にも数多く

の主題を提供することになった．

　イスラエルの男児を殺害せよというファラオの命令が発布されたとき，赤子のモーセは，難を逃れてナイル川の葦の茂みの間に隠された．赤子を発見したファラオの娘により我が子として育てられた（『出エジプト記』2, 1-10）．やがてモーセは，1人のエジプト人を殺害したため，ミディアンの地への逃亡を余儀なくされた（2, 11-22）．砂漠で舅のヒツジの群れを飼っているときに神から召し出された．神は柴の間で燃え上がる炎からモーセに語りかけ（3, 2-4, 17），エジプトで囚われの身のイスラエル人を解放し，約束の地へと導くように命じた．

　アロン（Aaron*）の助けを借りて10の災いをエジプト人にもたらし，遂にはファラオにイスラエル人の解放を命じさせた．エジプト軍の追手がモーセの一行に迫ったとき，神は紅海を2つにわけ，イスラエル人を安全に渡した

後，エジプト軍を海中に沈めた（14, 5-31）.

イスラエル人たちは，主の栄光が現われる雲に導かれて砂漠を旅し，マンナと天から降るウズラを食料とした（16, 11-31）. 人々が喉の渇きを覚えると，モーセは岩を杖で打って水を確保した（17, 1-7）. シナイ山に辿り着いたイスラエル人たちは同地で天幕を張って野営をした. モーセは人々のために神より十戒を授かるべく山へ登った. モーセが留守の間，イスラエル人たちは黄金の子牛（Golden Calf*）の偶像を崇拝したので，モーセが下山したとき，厳しく罰せられた. モーセの生涯の最後を飾るのは，死去する少し前にネボ山の山頂から約束の地を見渡す場面である（『申命記』34, 1-6）.

新約聖書でモーセが登場するのは，イエスの変容（Transfiguration*）の場面である. モーセの出現は，降臨したイエスの成就する律法を表わす. 同様に，モーセの生涯を飾る数々のエピソードにも，キリスト教的な解釈が加えられた. たとえば，ヘビにかまれて苦しむ人々をいやすためにモーセが旗竿の先に掲げた炎のヘビ（『民数記』21, 6-9）は，信ずる者すべての生命を復活させる十字架上のキリストの予型と考えられた. またモーセが岩を叩いて水を出したことは，救済の賜物であるキリストの「霊的な飲み物」（『コリント手紙一』10, 4）を予表するものと解釈された.

どこでも見られるモーセの持物は，神の十戒を刻んだ2枚の石板である（『出エジプト記』31, 18）.「モーセは死んだとき百二十歳であったが，目はかすまず，活力もうせていなかった」という旧約聖書の一節に従い（『申命記』34, 7），指導者としての威厳に満ち，長い髭をたくわえた，円熟したモーセ像が描かれる. また頭部に角（horns*）の生えたモーセ像の作例は見られるが，顔から光線が放出され

たモーセ像の作例は少ない．一部のビザンティン美術に見られる伝統では，もっと若い頃の髭のないモーセ像が描かれる．

mountain　山

聖書では，神聖な場所である場合が多い．山頂で起こった新約聖書の出来事としては，キリストの変容（Transfiguration*）と昇天（Ascension*）がある．旧約聖書では，神がモーセ（Moses*）に十戒を授けた場所がシナイ山であった．モーセが約束の地を見渡したネボ山のように，山は眺めのよい場所でもある（『申命記』34, 1-4）．悪魔は「非常に高い山」にイエスを連れてゆき，「世のすべての国々とその繁栄ぶり」を見せて誘惑した（『マタイ福音書』4, 8）．聖ヨハネが新しいエルサレムを見たのも「大きな高い山」であった（『黙示録』21, 10）．4つの川の水源である山は，楽園のシンボルである．

mouse　ハツカネズミ

ニヴェルの聖ゲルトルディス（Gertrude of Nivelles, St*）のエンブレム．⇨rat.

Myrrophoroi　ミュロフォロイ（香油を携えた聖女たち）
　　⇨Three Marys.

N

nails　釘

　イエスの手足を十字架に打ち付けた釘は，一連の受難具（Instruments of the Passion*）の一部となる．釘は4本一揃えで描かれることもあれば，キリストの両足を1本の釘で打ち抜いた中世後期のキリスト磔刑図のように3本のときもある．後者のほうがより一般的である．中世のイングランドの少年（boy*）聖人，ノリッジのウィリアムは3本の釘を持つことがある．これはウィリアムが，ユダヤ人によりキリストの磔刑を風刺的にまねた殺害方法で，すなわち十字架にかけられて殺されたといわれたからである．釘はまた，真の十字架の発見者，聖ヘレナ（Helen, St*）を連想させる場合もある．

Name of Jesus　イエスの御名

　⇨IHS.

Nativity　イエスの降誕

　12月25日のクリスマスにおけるキリストの誕生．復活祭（イースター）につぐキリスト教の大祭．東方教会では十二大祭の1つであるが，神現祭（Epiphany*）があるためクリスマスの影がやや薄れた感がある．

　美術では，『ルカ福音書』を典拠とするクリスマスの物語（2, 1-20）と『マタイによる福音書』を典拠とする東方三博士（Three Magi*）の物語（2, 1-12）とが1つにされ，典型的なキリスト降誕の場面の登場人物と構成要素の大部分が描かれる．すなわち，馬小屋あるいは畜舎の中の聖母マリア，御子イエス，聖ヨセフ（Joseph, St*），天使，羊飼い，そして国王たちである．荒れ果てた馬小屋は，キリストが贖罪をなす以

前の世界の状態を象徴する. 東方のイコン画家たちは, 降誕の場面に赤子の産湯の準備をする産婆を描き加えることがある. また降誕の場所も, 馬小屋というよりは洞窟 (cave*) である. この特徴的な2点は, 聖書外典に由来す

フレマールの画家, イエスの降誕, 15世紀, ディジョン美術館

るものである. ⇨Adoration of the Shepherds, Adoration of the Virgin, ox and ass.

Navicella 小舟 (ナヴィチェッラ)
⇨boat.

necklace ネックレス
⇨rosary.

negro 黒人
聖マウリキウス (Maurice, St*) は, 古代ローマ軍団レギオンの兵士の鎧を着用した黒人姿で描かれる. ⇨Cosmas and Damian, SS.

Nicholas of Myra (or of Bari), St ミュラ (またはバリ) の聖ニコラオス (4世紀)
小アジア南部沿岸のミュラの司教. ロシアの守護聖人. 東西双方で, 奇跡を起こす聖人として厚く崇敬され, 数多くの守護対象を持つ. また, 事実内容がほとんど伝説と化した伝記も残っている. 無力な者, 特に子供を慈しんだため, 群れを養う良き羊飼いた

る司教の鏡となった. ロシアには「神様に万一のことが起こっても, いつも聖ニコラオス様がついていらっしゃる」という格言があるが, これは慈悲深い万能の聖人ニコラオスがいかに人々の尊敬を集めたかを物語るものである. 西欧では, 子供たちへ心のこもった贈物を授ける聖人の特質と, 12月6日の聖ニコラオスの祝日とが重なりあい, クリスマスのサンタクロースなる人物が誕生するに至った.

東西を問わず, 司教 ([正]主教) 服姿のニコラオス像が描かれる. 東方正教会の芸術家たちは, 主教用肩衣 (omophorion*, オモフォル) をまとった老人のニコラオスを描く. その肉体的特徴は, きれいに刈り込まれて波打つ白髪まじりの顎鬚, 白髪まじりの頭髪, 後退した額である. またニコラオス像の周囲には, その生涯を描いた小場面が配置されることが多い. たとえば, 赤ん坊の頃に水曜日と金曜日に母親の授乳を拒む場面, 金の入

った3つの財布を貧窮した貴族の家に投げ込む場面（⇨ball），船旅で嵐に遭遇し，浸水した舟が危うく沈没しそうになったときに嵐を鎮める場面，同じような海難に遭遇した3人の水夫を救助する場面，殺害されて塩水の樽に投げ込まれた3人の子供たちを蘇生させる場面などが描かれる（⇨child）．すでに未

聖ニコラオスと3人の子供，『時祷書』，13世紀，カルパントラ図書館

婚女性と質屋の守護聖人であったが，上述したことから子供と水夫の守護聖人にもなった．

　東方では，少なくとも6世紀に同聖人名を冠した教会が建立されていた．数々の奇跡を記した9世紀の「伝記」が人気を博したことにより，聖人の名声はますます広まった．11世紀にイスラム教徒が小アジアに侵入したとき，ニコラオスの聖遺物はミュラからイタリア南部のバリへ遷移された（1087年）．この聖遺物を安置するために壮麗な教会が建立され，ヨーロッパ全土から巡礼者が聖ニコラオスの聖堂を訪れた．バリはいわゆる「ミルラ樹脂，没薬」あるいは「マンナ」の生産地だったことから，香料商の守護聖人にもなった．ヨーロッパ諸国の港，あるいは海岸に近い教会の中には，水夫の守護聖人である同聖人名を冠したものが多い．イングランドでは同聖人名を冠した教会が約430ほどある．この数字

は，聖ペトロ（Peter, St*）と
聖アンデレ（Andrew, St*）
を除けば，他の使徒をも凌駕
し洗礼者の聖ヨハネ（John
the Baptist, St*）に次ぐもの
である.

Nicholas of Tolentino, St
トレンティーノの聖ニコラウ
ス（1245年-1305年）

　イタリアの托鉢修道士. ミ
ュラの聖ニコラオスにあやか
りニコラウスと名づけられ
た. ニコラウスの両親は，息
子のためにバリの聖ニコラオ
スの聖堂で祈りを捧げたとい
う. アウグスティノ会の修道
士だったので，常に黒い修道
服姿のニコラウス像が描かれ
る. 生まれはアンコーナ近郊
のポンターラのサンタンジェ
ロであるが，1275年，生ま
れ故郷からさほど離れていな
いトレンティーノに居を定め
た. 説教者としても，貧者，
病人，死の床にある者の世話
をする聖職者としても大きな
名声を博した. ニコラウスの
行った慈善活動は「聖ニコラ

ウスのパン」に集約されてお
り，パンを配る聖人像が描か
れることもある（⇨basket）.

　胸に輝く星は，誕生時にき
らきらと輝く1つの星が現わ
れ，サンタンジェロから大空
を横切ってトレンティーノま
で流れたという伝説に由来す
る. また，純潔な生涯を象徴
してユリのついた十字架を持
つこともある.

nimbus　後光
⇨halo.

Nipter　（東方教会の）洗足
式
⇨Washing of the Feet.

Noli me tangere　ノリ・
メ・タンゲレ
（ラテン語で「われに触れる
な」）

　死から復活したイエスが，
墓の外の園でマグダラのマリ
ア（Mary Magdalene, St*）に
出会ったときにもらした言葉
（『ヨハネ福音書』20，14-17）.
この言葉は，2人の出会いを

描いた美術作品の題名として
も用いられる.

**Norbert, St 聖ノルベルトゥ
ス**（1080 年頃-1134 年）

　ドイツの司教. プレモント
レ修道会の創設者. 同修道会
は, 修道士が白い修道服を着
用するため, 「白衣の修道士
団」（White Canons）という
名称でも知られている. ノベ
ルトゥスは高貴な家系の出身
であり, 人生の初期と司教座
聖参事会員の経歴を見る限

ル・シュウール, ノリ・メ・タンゲレ, 17 世紀, パリ, ルーヴル美術館

り，後に見られるような世俗性の拒否を示唆するものは何もない．1115 年，大きな心境の変化を体験し，フランスを巡回する説教者になった．1120 年にはラオンの近くのプレモントレを訪れ，修道会の礎を築いた 13 人の弟子とともに落ち着いた．1126 年，ドイツ北東部のマクデブルクの大司教に叙階された．どのような役割に就いても，教会内の悪習を一掃するため，終始精力的に活動した改革者であった．

美術では，司教服を身にまとい，聖体顕示台，あるいはクモの入った聖杯を持つ．聖体顕示台（monstrance*）を持つのは，プレモントレという修道会の名称と関連があるからである．クモに関しては，ミサを執行したある日，ノルベルトゥスの聖杯の中に毒グモが潜んでいたという物語に由来する．ノルベルトゥスは聖別したブドウ酒を無駄にするのを嫌って飲み干した．しかしクモの毒に冒されなかったという．

Notburga, St　聖ノトブルガ
（1265 年頃-1313 年頃）

ティロル地方のラッテンベルクで全生涯を送った家の召し使い．ティロルとバイエルンの召し使いや労働者の守護聖人．自ら赤貧の生活に甘んじていたが，それでも自分の食べ物を貧者に与えて援助した．鎌をエンブレムとする．それは，ノトブルガの雇い主が，日曜日に同聖女の良心に反して労働を強要したところ，鎌が手の届かないくらい空中高く浮揚したという物語に由来する．

nun　修道女
⇨habit.

O

ointment pot（or ointment jar）香油瓶

マグダラの聖マリア（Mary Magdalene, St*）のエンブレム.

Olaf, St（Olaf Haraldsson）聖ウーラフ（オーラフ）

（995年-1030年）

ノルウェーの国王で守護聖人. ヨーロッパ北部全域をまたにかけ, ヴァイキングの略奪者として次々に成功を収めたが, ノルマンディーでキリスト教に改宗した. ノルウェーの王冠を手中に収めた後, 動乱続きの祖国に厳しい法律や規則を施行した. それにあきたらず, 高圧的手段に訴えて臣下にキリスト教信仰を強要したため, 貴族の間にも不満がつのり, ついに祖国を失うに至った. 翌年, 王座奪回を試みたが失敗し, トロンヘイムの近くのスティークレスタにて絶命した.

その後まもなくしてウーラフの墓で奇跡が起こったことが報告されると, デーン人をノルウェーから追放した息子のマグヌスが, トロンヘイムの大聖堂に父親の聖遺物を安置した. やがてトロンヘイムは聖ウーラフ崇拝の中心地となり, スカンジナビア諸国から巡礼者が集まった. 英国では, ヴァイキングの影響を色濃く残す地域に同聖人名を冠した教会が40以上もあった. ウーラフという名前は, オラーヴ（Olave）, オウラ（Ola）, トウラ（Tola）, トウリー（Tooley）などの名称に転訛されている.

美術では, 戦闘斧あるいは3つのパンの塊（loaves*）を持つ戦士で王子のウーラフ像が描かれる.

olive branch　オリーブの枝

平和のシンボル. 大洪水の

水が地上からひき始めたとき，ハトが口にオリーブの葉をくわえてノアの箱舟へ戻って来た（『創世記』8，11）．そのオリーブの葉は，神が人間とともに創造する平和を象徴する（⇨rainbow）．嘴にオリーブの小枝をくわえたハトの図は，キリスト教葬礼美術でも頻繁に見られ，死者の霊魂の平安を表わす．

受胎告知（Annunciation*）を描いた絵画の中には，通常のユリ（lily*）ではなく，平和のしるしとしてオリーブの枝を持つ天使ガブリエルを描いたものがある．中世では，特にシエナの芸術家の作品にこの作例が多い．これは最大のライバル都市，フィレンツェのエンブレムのユリを避けようとする傾向があったからである．

olive tree　オリーブの木

昇天（Ascension*）の描写では，オリーブ山での昇天の場所を示すために，オリーブの木が描かれることがあ

る．聖パンタレオン（Panteleimon, St*）は，オリーヴの木の下で首をはねられた．

Omega　オメガ

⇨Alpha and Omega.

Omobono, St（Homobonus）聖ホモボヌス（オモボヌス）（1197年没）

イタリアの商人で，洋服屋の守護聖人．クレモナで生まれ育った．クレモナでの慈善活動と敬虔な生活は，同地域で暮らすキリスト者の模範となり，死後わずか2年にして聖別されるに至った．美術では，洋服屋のハサミをエンブレムとし，慈善を象徴して財布を持つ．

omophorion　肩衣（オモフォル）

白色の長細い布製の帯で，十字架の刺繍が施されている．東方正教会では主教の地位を示す．片方の端を前に，もう一方の端を後部に垂らし，ゆったりと首と肩にかける．材質は，伝統的にウール

が好まれた. 早くも5世紀頃から, 良き羊飼いたる主教が導く小羊を象徴するものと解釈された. 西方教会でオモフォルに相当する祭服は, Y型の肩衣 (pallium*, パリウム) である.

Onuphrius, St 聖オヌフリウス (4世紀)

エジプトの隠修士で, 60年間も砂漠で孤独な隠遁生活を送った. 美術では, やせ細った老人として描かれ, 身につけるのは木の葉の冠と, 体を覆うほど長く伸ばした頭髪と顎髭のみである. 2頭のライオンが傍らに控えることがある. ライオンは数人の砂漠の聖人を想起させる動物で, 聖人の亡骸の埋葬を手伝ったといわれている.

orange オレンジ

人間の堕落で, サタンがエバを誘惑するために用いたと想像されたことのある果物. ただし, リンゴ (apple*) ほど一般的ではない. リンゴのように聖母子像にも登場し, 受肉という贖罪の目的を意味する場合がある.

オレンジの白い花は純潔のシンボルであり, 聖母マリアを連想させる. もっと一般的には婚礼の花冠を連想させる. オレンジとレモンの木は同時期に花と実をつけるので, 両者とも乙女と母親の2役を担う聖母マリアにふさわしい.

orans 祈禱像

(オランス, ラテン語で「祈ること」)

両手を頭部あるいは肩部の高さまで上げ, 手の平を上にむけて祈る人物の立像. 特に

祈禱像

初期キリスト教の葬礼美術によく見られた. 地下墓地（カタコンベ）の墓石や掻き絵（壁などにひっかいて描いた絵）のオランスの人物は, 死者の霊魂を表わす.

この祈禱像に見られるような祈禱形態は, 古代末期には廃れていった. しかし, 聖母祈禱像（ヴィルゴ・オランス）として知られる美術様式に従った作品, すなわち哀願する聖母マリア像では, 同祈禱形態がその後も継承され続けた. このような聖母イコンは, 「ブラケルニティッサ型聖母像」（Virgin Blachernitissa）と呼ばれることがある. この名称は, 10世紀にコンスタンティノープルのブラケルネ修道院に安置された大理石の聖母像にちなんで名づけられたものであろう. 同聖母像の上にあげた両手からは聖水が流れ出たという（⇨Platytera）.

orb 宝珠

⇨globe.

organ オルガン

ルネサンス美術では, 音楽の守護聖女, 聖カエキリア（Cecilia, St*）のエンブレム.

オルガン

Oswald of Northumbria, St
ノーサンブリアの聖オスワルド（605年頃-642年）

殉教したノーサンブリアの国王. 若い頃に亡命先のアイオナ島でキリスト教に改宗した. アイルランドの聖エイダン（Aidan, St, 651年 没）の下, オスワルドが陣頭指揮をとってキリスト教の宣教活動を推進し, ノーサンブリアで

のキリスト教の定着を確かなものとした．しかし異教徒のマーシア国王ペンダとの戦闘で命を失い，その統治もわずか8年たらずで終焉を迎えた．臨終の際は，息を引き取りながら自分の周囲で戦死した衛兵たちの魂の冥福を祈ったという．

オスワルドの遺体は，ペンダの命令でばらばらに切断されたが，後に聖遺物として回収された．8世紀以降になると，アングロ・サクソン人の宣教師たちが，聖オスワルド崇拝をイギリス諸島からフリジア，ドイツ，そしてさらに遠方の地域へと広めた．殉教地では，奇跡が起こったと報告されている．ビードは『イングランド教会史』（iv, 14）の中で，仲介者としてのオスワルドの徳行を取り上げている．それによると同聖人は，数年後の命日にブリテンを襲っていた致命的な伝染病を終息させたという．イングランドには，同聖人名を冠した教会が70ほどあった．大陸に

も同種の教会が多く散在する．美術では，王冠をかぶった戦士として登場する．

owl　フクロウ

闇の鳥．キリスト教美術では，キリストをメシアとして認めない無知蒙昧なユダヤ人を象徴することがある．聖ヒエロニュムス（Jerome, St*）のお供で登場するときは，古代異教における知恵の鳥としての性格が強く，女神アテナを連想させる．

ox　雄ウシ

4つの福音書記者の動物（Four Evangelical Beasts*）の1つで，聖ルカの伝統的シンボル．聖トマス・アクィナス（Thomas Aquinas, St*）を連想させることもある．

ox and ass　雄ウシとロバ

キリスト降誕（Nativity*）の場面に必ずといってよいほど登場する動物．ただしウシとロバに関する記述は，福音書にも8世紀以前の外典福音

ボッティチェッリ，神秘のキリスト降誕，16世紀，ロンドン，ナショナル・ギャラリー

書にも見当たらないようである．両者とも馬小屋という舞台には格好の動物ではあるが，神の子が地上に最初に姿を現わす場にウシとロバが登場することについては，旧約聖書のイザヤの言葉を出典としてあげることができよう．「牛は飼い主を知り，ろばは主人の飼い葉桶を知っている．しかし，イスラエルは知らず，わたしの民は見分けない．」（『イザヤ書』1，3）したがってこの動物たちは，イエスをメシアとして認めないユダヤ人とは対照的に，イエスを主と認める自然界を象徴する場合がある．またイエスの前にひざまずく動物たちが描かれることもある．

これ以外では，雄ウシは旧約聖書を，ロバは新約聖書を表わすと解釈される場合もある．

P

painter 画家

聖母子画を描く画家は，聖ルカ（Luke, St*）である．

pallium 肩衣（パリウム）

前後に垂れてYの形になる細帯のついた白いウールの帯状の標章で，大司教が肩にかける．黒糸で十字架模様の刺繍が6つ施されている．教皇から授けられた司教の権威の証なので，美術では高位聖職者のしるしとして頻繁に描かれる．cf. omophorion.

palm frond シュロ（なつめやし）の葉

普遍的な殉教者のエンブレム．シュロと殉教者との関係は，『ヨハネの黙示録』のつぎの一節，「だれにも数えきれないほどの大群集が，白い衣を身につけ，手にはなつめやしの枝を持ち……彼らは大きな苦難を通ってきた者……」を典拠とする（7, 7-17）．個々の殉教者は，シュロに加えて各々エンブレムを持つことがある．

福音書記者の聖ヨハネが持つシュロの葉に関しては，⇨Dormition. 枝の主日（［正］聖枝祭）にキリストの前にまいたシュロに関しては，⇨Entry into Jerusalem.

palm tree シュロの木

隠修士の聖パウロス（Paul the Hermit, St*）のエンブレ

シュロの葉

ム．したがってシュロの葉を身にまとって描かれることがある．聖クリストフォロス（Christopher, St*）は，木を1本引き抜いて杖とし，キリストを背負って川を渡った．後にその杖を地面に植えたところ，芽を出したといわれている．クリストフォロスの場合も，シュロの木が描かれることがある．

Panteleimon, St（Pantaleon, Pantaleone, Pantalon）聖パンタレオン（パンテレイモン）（305年頃没）

殉教者．最も詳しい伝説によると，小アジア，ニコメディアの元老院議員で異教徒の父を持つ．ただし後で説明するように，パンタレオンという名前は本名ではない．医学を学んだ後，キリスト教に改宗した．そしてキリストの御名を唱えては奇跡的な治療を行った．その際，施術料を1銭も受け取らなかったので，アナルジロイ（Anargyroi*）の1人に数えられている．

キリスト教の信仰を守ったがために逮捕され拷問を受けた．しかし，皇帝のライオンの餌食にされようと，煮えたぎる鉛を浴びようと，剣士の太刀を受けようと，無傷であったという．さらに拷問官のためにも祈りを捧げたことから，ギリシア語で「博愛」を意味するパンタレオンという名がつけられた．十四救難聖人（Fourteen Holy Helpers*）の1人でもある．最後は斬首刑に処されたが，はねられた首からは血ではなくミルクが流れだし，処刑場のオリーヴの木がすぐに実を一杯につけたという．

その生涯と受難の一連の場面を別にすれば，ビザンティン芸術では巻き毛で髭のない若者として，医者の道具であるピラミッド型の箱かメス，あるいはその両方を持って登場する．その名声は西洋にまで広がり，とりわけイタリアのラヴェッロの聖堂は，医療の助けを望めそうもない人々に治療がなされたことで有名

になった.

Pantocrator（Pantokrator）
パントクラトール（全能のキリスト）

（ギリシア語で「万物を支配する」の意）

父なる神と子なる神に使用される形容辞. 特にビザンティン美術では, 絵画やモザイクに描かれたキリストのイコン類型に対しても用いられる. その場合, キリストは胸像または半身像で, 祝福あるいは訓戒を与える右手は上にあげるか, あるいは左手に持つ福音書を指差す. 髭の生えた顔は, 厳しくも堂々とした風貌である. 正面を直視する視線は, 絵画の鑑賞者に向けられる. 光輪上には十字架が描かれる. ギリシア語で「イエス・キリスト」の最初と最後の文字からなる IC XC モノグラムが, 頭部の両脇, あるいは光輪自体の中に配置されることもある.

ビザンティン教会では, パントクラトールのキリスト像が, 教会装飾の頂点を示すものとして中央ドームに配置される. ドーム以外の場所としては, 身廊中央入口上部がある. その意図は, キリストが救済の門（door*）であるという思想を伝達することにある.

パントクラトール（救世主）, 14世紀, スコピエ, マケドニア美術館

パントクラトール

Parousia 再臨

（パル
シア, ギリシア語で文字どお
り「降臨」の意）

キリストの再臨のこと. 初
期ビザンティン美術では, 栄
光のキリストが座すヘティマシ
ア (*hetimasia*), すなわち玉座
(throne*) という象徴的な形
態で表現されることがある.

Passion 受難

受難具については, ⇨In-
struments of the Passion.

Patriarchs 族長

旧約聖書に登場する人類の
始祖で, アダム, ノア, アブ
ラハム, イサク, ヨブが含ま
れる. 白髭を生やし, 尊敬に
値するような風貌で描かれ
る. 地獄への降下 (Harrow-
ing of Hell*) や復活 (Resur-
rection*) の描写で, キリス
トが地獄から救い出す義人の
一団である.

Patrick, St 聖パトリキウス

（390 年頃-460 年頃）

ローマの属州のブリテンの
司教. アイルランドの守護聖
人. 生涯に関しては, パトリ
キウス自身の著作に依存する
部分が大きいが, 後世になっ
て伝説が追補された伝記は,
大幅に粉飾されている. それ
によると, 16 歳のとき, ア
イルランドの海賊に誘拐さ
れ, 奴隷になったという. 連
行された場所は, アイルラン
ドのメイヨー県であったとも
いわれている. それから 6 年
後, 教義を身をもって実践す
るキリスト教徒となった. そ
の後自由の身になったか, 逃
亡したかは定かでないが, フ
ランス, オセールの聖ゲルマ
ヌス (Germanus of Auxerre,
St*) から司教となるべく薫
陶を受けた可能性がある. あ
る夢を見たことがきっかけ
で, アイルランドで福音を伝
道する決意を固め, 再び同地
を訪れる. 宣教活動の中心地
はアイルランド北部で, 444
年にはアーマーに司教座を設
立した.

美術では, 司教服をまと

い，ツメクサあるいはコメツブツメクサとおぼしき三つ葉を持ったパトリキウス像が描かれる．異教徒の地に遣わされたパトリキウスは，その3枚の葉を用いて1つのうちに3つが存在する三位一体の本質を教え，彼らをキリスト教に改宗させたといわれている．また，足でヘビを踏みつけるパトリキウスが描かれることもある．それは同聖人がアイルランドからヘビを駆除したという伝説を取り上げたものである．聖パトリキウス崇拝は，アイルランドだけにとどまらず，イギリス諸島や大陸へも広がり，現在では，アイルランド人の共同体がある場所なら世界中いたるところで認められる．

Paul, St 聖パウロ
（65年頃没）

使徒で殉教者．パウロの伝記の大部分は，『使徒言行録』や，形成過程にあったキリスト教団宛ての書簡を通して構築することができるが，初期の外典文書にも同使徒の活動は詳述されている．その中でもっとも有名な外典は，2世紀に著された『パウロとセクラの行伝』である．模範的な生涯を送った人物であるのみならず，偉大なキリスト教思想家でもあったので，東西両キリスト教世界で崇敬された．

パウロは名をサウロといい，敬虔なユダヤ教徒として養育された．当初，キリスト

聖パウロ，14世紀，モザイク画，カハリエ・ジャミィ修道院聖堂

教徒の迫害者であったパウロは，聖ステファノ（Stephen, St*）が投石された場面にも姿を見せている．『使徒言行録』には，「証人たちは，自分の着ている物をサウロという若者の足もとに置いて」と記されている（7, 58）．しかし，さらに迫害の手を広げようとダマスカスに旅をしたときにキリストの幻を見る．そして一時的に失明したことがきっかけとなりキリスト教に改宗する．これら一連の出来事は，多くの芸術家たちの関心を引きつけた．

大規模な宣教旅行を3度も行ったことから，「異邦人への使徒」と呼ばれるようになった．どのような生涯の結末を迎えたかは曖昧であるが，古い伝説によると，ネロ皇帝の治世下，キリスト教徒が迫害されたローマで斬首刑に処されたといわれている．パウロの殉教地といわれる場所は，トレ・フォンターネ（Tre Fontane「3つの泉」の意）と名づけられた．この地

名は，はねられた首が3度地面を転がったところ，3つの泉が湧き出たという説話に由来する．パウロの墓所には，現在，サン・パオロ・フオーリ・レ・ムーラ聖堂が建つ．聖パウロと聖ペトロ（Peter, St*）は同日に殉教したという信仰があるが，それは2人の祝日が同日であることから生まれたものだろう．両者とも「使徒のプリンス」として知られている．美術でもっとも人気を博した主題は，殺害される直前のパウロとペトロの出会いであり，そのときの両者の抱擁は教会の調和を意味する．『使徒言行録』には，ローマから来た「兄弟たち」が，パウロがやって来ることを耳にして，「アピイフォルムとトレス・タベルネまで」出迎えに来たと記されている（28, 15）．そのときパウロは，エルサレムからの旅行の最終段階にあり，番兵がつけられていた．『使徒言行録』には述べられていないが，パウロを出迎えた人々の中には

ペトロもいたと推測される.

　後退する茶色の毛髪，先の尖った顎髭という，一際目立つ伝統的なパウロの風貌は，早くも4世紀に定着したものである．美術ではパウロと一緒に描かれることが多い伝統的なペトロ像もこの頃に定着した．特にビザンティン美術では，生え際の後退した広い額，くっきりとした眉毛，長い鼻，眼光紙背に徹するような眼差しを持つパウロ像が描かれる．このような堂々とした肉体的特徴は，パウロの卓越した知性を表現したものである．もっとも，伝統的なパウロ像を構築する典拠の一部となる『パウロとセクラの行伝』では，背が低く，足が湾曲した人物として描かれている．パウロは本と剣の2つのエンブレムを持つ．前者は思想家と教師の地位を，後者は斬首された殉教具を表わす．

　パウロは，素性が曖昧なマティア（Matthias, St*）の代わりに，十二使徒（Twelve Apostles*）の1人として登場する場合が多い．たとえば，2つのグループに分割された使徒群像が教会袖廊の両側に配置される場合には，パウロとペトロがそれぞれのグループの先頭に配置される．このように重要人物であるため，東方の芸術家たちは，特にキリストの昇天（Ascension*）や五旬節（聖霊降誕節，Pentecost*）の場面でパウロを登場させる．ただし『使徒言行録』に記された出来事の歴史的な順序からすれば，昇天と五旬節は，パウロ

聖パウロ

自身が改宗する以前に起こった出来事である。東西双方でパウロは非常に崇敬されている。しかし、ペトロとの密接な関係や、新約聖書と美術から浮かび上がる厳格なパウロ像が、パウロの個人的崇拝の発達に対し不利に作用したらしい。たとえばイングランドでは、ペトロとパウロ両者の名前を冠した教会のほうが、パウロだけの名を冠した教会よりも6倍も数が多い。

Paul the Hermit, St (Paul the Theban) 隠修士の聖パウロス（テーベの聖パウロス）(343年頃没)

エジプトの禁欲主義者で、最初の隠修士とみなされている。エジプトのテーベ地方の住人であったため、テーベのパウロスと呼ばれることもある。同聖人名を冠した修道院は、おそらく5世紀初頭に創立されたものであろう。現在でも、紅海近くの東部砂漠に行けば、同修道院を見ることができる。聖遺物はコンスタンティノープルからヴェネツィアへ遷移され、最後にはブダペストに落ち着いたと信じられている。15世紀には、ハンガリーに聖パウロスの修道会が創設された。

美術では、エジプトの聖アントニオス（Antony of Egypt, St*）と一緒に登場する。エンブレムは、同once人に食料と避難場所を提供したシュロの木、砂漠で食料を運んだワタリガラス、墓を掘った2頭のライオンである。

peacock クジャク

不死のシンボル。古代の世界では、クジャクの肉は朽ち果てないと信じられていた。ここから、死なずに肉体が天に上げられた聖母マリアを表わす格好のシンボルとなった（⇨Dormition）。受胎告知やキリスト降誕の場面、そしてそれ以外の聖母マリアの肖像画にも、クジャクが登場することがある。また、もう1人の天の女王、ローマの女神ユノとゆかりの深い鳥でもある。

クリヴェッリ，受胎告知，15世紀，ロンドン，ナショナル・ギャラリー（右上にクジャク）

この天の女王，あるいは元后という荘厳な意味合いからしても，聖母マリアにふさわしい鳥である．

初期の教会建築や葬礼美術では，一対のクジャクのモチーフが高い人気を博し，モザイクやレリーフ彫刻を飾る題材となった．4世紀以降になると，楽園の庭に頻繁に登場する．この場合，泉や井戸から水を飲むクジャクは，死後のキリスト者の永遠の生命を象徴する．聖バルバラ（Barbara, St*）の持物のクジャクの羽に込められた意味も同様である．

熾天使（seraphim*，セラフィム）やその他の天使像の中には，天使の翼がクジャクの羽根，すなわち「目」のような模様のある羽根で被われるものがある．それは，「その周りにも内側にも，一面に目があった」（『黙示録』4, 8）黙示録の動物の翼の目を表わす．

Pedilavium　洗足 (ペディラウイウム)
⇨Washing of the Feet.

pelican ('in her piety')（「献身の」）ペリカン

無私の愛のエンブレム．世界に対するキリストの愛のエンブレムでもある．ペリカンは嘴で自分の胸を突き刺し，流れ出る血を雛への滋養物として与えると信じられている．したがって中世美術では，自己犠牲をなす献身のペリカンがよく描かれた．磔刑の場面でも，十字架上に献身のペリカンが描かれることがある．しかしこのモチーフは，牧杖の先端装飾，ミゼリコルディアやその他の座席に刻まれる場合のほうが多い．

pen (and book)　ペン（と本）
⇨writer.

pentangle　五芒星形

星形五角形の図形は，英語で「ペンタクル」（pentacle）あるいは「ペンタグラム」（pentagram）と呼ばれることもある．円内に描かれた五芒星形は，現在でもシナゴーグ

やフリーメーソンに見ることができる．ソロモンの封印とも呼ばれ，ソロモンが建てたエルサレムの神殿の上に配置されたと信じられている．したがって魔術的な連想を持つ．ピタゴラス学派などの古代の人々も，完全を表わすシンボルとして星形五角形を用いた．中世のキリスト教世界では，キリストの5つの聖痕，あるいは聖母マリアの5つの御喜び（Five Joys of the Virgin*）を想起させるために使用されたようである．中世の英詩，『サー・ガーウェインと緑の騎士』では，「終わりなき結び目」（the endless knot）と呼ばれている．オックスフォードシャーのアダーベリー教会の南側の外壁にも同型の五芒星形を見ることができる．

Pentecost（Whit Sunday）
五旬節

（[カ] 聖霊降誕の大祝日 [正] 聖霊降誕の主日）

イエスが約束したように（『ヨハネ福音書』14, 16-17; 14, 26），弟子たちに聖霊が降ったことを記念する教会の祝祭．五旬節の名称は，ギリシア語の「第50番目」に由来する．ユダヤ教の七週の祭りで祝われ，過越の祭りから50日，つまり復活から50日目に催されるからである．東方正教会では十二大祭の1つである．

芸術家たちは，この祝祭を表現するための手がかりを『使徒言行録』（2, 1-3）に求める．『使徒言行録』では，聖霊の「炎のような舌が分かれ分かれに現れ」，テーブルを囲む12人の弟子たち1人1人の頭上に止まったと述べられている．ジョット以降の西欧の芸術家たちは，弟子たちの頭上を舞うハトの形の聖霊を描くようになるが，東方の伝統を継承する芸術家は，『使徒言行録』の記述から逸脱するという理由から，このような描写を避ける傾向にある．

しかし聖パウロ（Paul, St*）

エル・グレコ, 聖霊降誕, 17世紀, マドリード, 国立プラド美術館

や, 対峙する位置を占める伝統がある. 2人の福音書記者, 聖ルカ (Luke, St*) と聖マルコ (Mark, St*) も同場面に登場することがあるが, 聖パウロの場合と同様に, 両者とも最初に選ばれた十二使徒の中には入っていない. 東方正教会のイコンでは, 王冠をかぶり, 12本の巻き物を持つ老人が, 薄暗いテーブルの下に控えることがあるかもしれない. この老人は愚昧暗黒の世界を表わす. これに対し世の闇は, 十二使徒の教説によって照らされ啓蒙されるからである.

Peter, St 聖ペトロ
(64年頃没)

使徒で殉教者. ペトロは, 兄弟のアンデレ (Andrew, St*) とともに, イエスにより選ばれた12人の弟子の最初の1人であり, 福音書の多くの出来事で重要な役割を演じる. もとはシモンと呼ばれていたが, イエスがその卓越した人柄ゆえに弟子として選

については, 関連する記述が聖書にはないけれども, 東西双方とも常に弟子たちの中で名誉ある場所, すなわち聖ペトロ (Peter, St*) に次ぐ位置

び出し，ペトロと名づけた（ギリシア語のペトロス，「石」の意）．福音書には「あなたはペトロ，わたしはこの岩の上にわたしの教会を建てる」（『マタイ福音書』16, 18）というイエスの言葉が記されている．福音書の物語によると，その言動には頑固で向こう見ずな側面はあったものの，いつの間にか弟子たちをまとめる指導者，代弁者となっていた．また，イエスの変容（Transfiguration*）を目撃すべく選ばれた弟子の1人でもある．

ペトロの重要性は，イエスの受難の物語の進展とともに増大してゆく．ヨハネは，イエスがペトロの足を洗ったときのペトロの反応を記しているし（13, 6-10），大司祭の手下の耳を切り落とした弟子もペトロであると述べている（18, 10）．4つの福音書すべてに，オンドリ（cock*）が3度鳴く前，イエスの弟子の1人であることをペトロは否定するというイエスの予言が述べられている．イエスは復活後もペトロの前に姿を現わし，「わたしの羊を飼いなさい」と命じた（『ヨハネ福音書』21, 15-19）．したがってペトロは，五旬節の後もエルサレムで宣教や救済活動をする弟子たちを指導した．ヘロデ王によって投獄されたときは，天使がペトロを解放し逃亡を助けた．投獄の際の聖ペトロの鎖（chains*）は有名となり，聖遺物として広く流布することになった．

エルサレムで会議が開かれた紀元50年を過ぎる頃になると，ペトロはすでに弟子たちも認める指導者になっていたが，その後の人生や足取りについては『使徒言行録』の著者も沈黙する．しかし，ペトロが書いたとされる2つの書簡に加え，多くの外典や古い伝説をひもとくと，ローマへ赴いた後，同地で殉教したと伝えられている．十字架に逆さにつけられて殉教したとも考えられるが，斬首刑に処された可能性のほうが高い．

聖ペトロ
（左＝西方，右＝東方）

ローマのペトロの墓の上には，小礼拝堂が建てられた．その後の326年にはバシリカ聖堂が，16世紀にはブラマンテやミケランジェロによる大建造物が建立された．したがってペトロは特にローマ，中でもペトロから直接に権威を継承するローマ教皇とのつながりが深い．このような傑出した関係に後押しされ，聖ペトロ崇拝は瞬く間に西欧全土へと広がった．627年に創設されたヨーク・ミンスターは，聖ペトロに奉献された英国最古の教会の1つであり，その後1100を超える教会がこの先例に倣った．これとは対照的に，東方では，使徒の指導者として自然に頭角を現わしたペトロの威厳がやや減少する．それは東方正教会とローマ・カトリック教会の分裂後，ペトロとローマ教皇とが親密な関係を維持したからである．

「使徒のプリンス」と呼ばれるように，ペトロは聖パウロ（Paul, St*）と結びつけられることが多い．短く刈り込んだ白髪，あるいは聖職者の剃髪，きれいに丸く刈り込んだ顎鬚という伝統的なペトロ像は4世紀頃に定着した．これと同じ頃に，鬚の長い，禿げかかったパウロ像が定着した．ビードが731年に完成した『イングランド教会史』には，2人の使徒の幻視を体験した少年の物語が記されている．少年は司祭に「1人は司祭のような剃髪で，もう1人は鬚を長く伸ばしていた」（iv, 14）と語った．すると司

nōc a°. mplateis ponebant i fir

聖ペトロの殉教，15世紀，イタリアの写本

祭はこの話を聞いただけで，誰が少年のもとを訪れたか察しがついたという．というわけで，ペトロとパウロが一緒に美術作品に登場することもある．

美術では，上述した肉体的な特徴以外に，鍵（keys*）でペトロと他の聖人とを区別できる．中世後期とルネッサンスの芸術家が描いたペトロ像は，教皇あるいは司教の祭服をまとい，全キリスト教会の創立者の地位を示すしるしとして，教会の建物（building*）の模型を持つことがある．十二使徒の中では常に最前列を占め，使徒の登場する出来事を描いた場面でも常に目立つ位置を占める．この作例と比較すると，キリストを否定したことを想起させるオ

ンドリを持つペトロや，十字架に逆さにつけられたペトロ1人を単独で描いた作例は少ない．

Peter Martyr, St 殉教者の聖ペトルス（ピエトロ）
（1205年-1252年）

イタリアのドミニコ会托鉢修道士．異端のカタリ派の家庭に生まれたが，ミラノや北イタリアの周辺地域で熱烈な異端反対運動を起こし名声を得た．最後には待ち伏せにあい暗殺された．1253年にドミニコ会最初の殉教者として聖別された．特にドミニコ会の教会やペトルスの埋葬地のあるミラノでは崇敬されている．芸術家は托鉢修道士服をまとったペトルス像を描く．致命傷もはっきりと描かれ，頭や肩に剣や短剣が刺さっている場合も多い．

Petroc, St（Petrog, Petrox）聖ペトロク（6世紀）

コーンウォールの修道院長．彼のエンブレムは雄ジカ（stag*）．ウェールズ南部やブルターニュでも崇敬されている．

phial ガラスの小瓶

聖油や聖血を入れるための細長いガラス製の小容器．本の上に置かれた2本のガラスの小瓶は，ナポリの聖ヤヌアリウス（Januarius, St*）のエンブレムである．ヨーロッパ北部で小瓶を持つ修道女といえば，聖ウァルブルガ（Walburga, St*）の可能性がもっとも高い．聖コスマスと聖ダミアヌス（Cosmas and Damian, SS*）も，医療器具として小瓶を持つことがある．

Philip, St 聖フィリポ（ピリポ）（1世紀）

使徒で殉教者．イエスが宣教活動を始めた頃に弟子となったが，五旬節後の行動に関しては明確なことは何も分かっていない．小アジアで殉教し，聖遺物はローマに遷移されたともいわれている．ごく初期から小ヤコブ（James the

聖フィリポ
（左＝西方，右＝東方）

Less, St*）と関係があり，両者とも伝統的に5月1日を祝日とする．フィリポに奉献された古代ローマのバシリカ聖堂は，現在，サンティ・アポストリ聖堂と呼ばれている．

ビザンティン美術では，フィリポに顎鬚がないので，他の使徒たちと区別できる．ただし，常にこのように描かれるわけではない．西欧美術で人目をひくフィリポのエンブレムはパンの塊で，5000人への食べ物の供与（Feeding of the Five Thousand*）で同聖人が果たした役割をふまえ

たものである．これ以外では，十字架を持つ場合がある．これは，磔刑に処されて殉教したという伝説，あるいは十字架で大蛇を退治したという伝説に由来する．

Philip Neri, St 聖フィリッポ・ネリ（1515年–1595年）

イタリアの司祭．オラトリオ修道会の創立者．ローマで慈善活動に生涯を捧げたことから，「ローマの使徒」として知られている．美術では，聖母マリアの幻の前で恍惚の中に祈りを捧げるネリが描かれる．その傍らの地面には，ユリ（lily*）が配置されることもある．

philoxenia アブラハムの歓待

（ギリシア語で「歓待」の意）

アブラハム（Abraham*）がマムレの樫の木の下で，3人の人（天使）を歓待したこと．その時，3人の人はアブラハムとサラに息子が授かるであろうと告げた（『創世記』

18, 1-5). ビザンティンの聖書解釈者は，3人の御使いが三位一体（Trinity*）の三位格を表わし，3人に振る舞われた食事は聖体を予表すると解釈した．ローマ・カトリック教会では，東方教会ほど同エピソードに重要性を認めないので，西欧でアブラハムの歓待を主題として取り上げた作例は東方よりも少ない．

歓待の場面の中心は，テーブルに座す3人の有翼の天使である．テーブルの上には聖体のパンあるいは小羊（lamb*），または聖杯（chalice*）が配置される．アブラハムは御使いと挨拶を交わすか，あるいは食事を運ぶ．背景の建物の扉口では，彼らの会話を立ち聞きするサラが描かれることもある．

phoenix　不死鳥

古代の伝説によればアラビア砂漠の鳥で，500年ごとに火葬用に積んだ薪の上で自らの体を焼き，灰の中から蘇るといわれている．1度に1羽の不死鳥しか存在しないという独自性と自己犠牲から，早くも1世紀にはキリストと同一視されていた．初期キリスト教時代の葬礼芸術でも，死に対する勝利の象徴として不死鳥が登場する．中世の美術や文学全般を通し，復活のシンボルとして人気を博した．

Pietà　ピエタ

イエスの亡骸を支え，あるいは抱き，悲しみにくれる聖

ミケランジェロ，ピエタ，16世紀，ローマ，サン・ピエトロ大聖堂

母マリアを描いた絵画や彫刻.

pig　ブタ

エジプトの聖アントニオス（Antony of Egypt, St*）のエンブレム. 同聖人とブタの関係を物語る伝説が残っている. それは, アントニオスがフランスを訪れたときの話である. フランス国王の息子は, ブタの頭を持って生まれたため, 王位継承者としての資格を剝奪されていた. 国王に謁見した直後, アントニオスは子ブタを連れた雌ブタに出会うが, その中の1匹の子ブタは生まれつき盲目であることを知る. それを不憫に思ったアントニオスは子ブタの目が見えるようにしたところ, 雌ブタはいたく感謝し, 望むものを何でも与えると申し出た. そこでアントニオスは国王の息子を正常な人間に戻すように頼んだ. 聖人が王子に触れると, ブタの頭が見る見るうちに人間の顔に変わったという.

放蕩息子（Prodigal Son*）のたとえ話を主題とした作品では, みすぼらしい身なりをし, やせ細ったブタ飼い姿の放蕩息子が描かれている. また新約聖書には, ガダラ人の地方のブタの物語が記されている（『マタイ福音書』8, 28-32）. それには, イエスが2人の男にとりついた悪霊をブタの群れの中に追い出したと述べられている. 美術ではあまり馴染みのない主題であるが, イエスの一連の奇跡の一場面として取り上げられる場合がある.

pilgrim　巡礼

西欧中世美術では, 大ヤコブ（James the Great, St*）がコンポステラの自分の聖堂を訪れる巡礼者の格好で常に登場し, つばの広い帽子, 杖, 財布（合財袋）, 椀, ホタテガイの徽章をつける. 聖ロクス（Roch, St*）もまた巡礼者の衣服をまとうことが多い. 女性の巡礼者は, 聖ボナ（Bona, St*）の場合がある.

pillar 柱

イエスは柱に縛りつけられて鞭打たれた. ここから受難具 (Instruments of the Passion*) の1つに加えられる. その柱には奇跡的にもイエスの体の跡がくっきりと印されたと信じられている (⇨ *acheiropoietos*).

pincers やっとこ

聖アポロニア (Apollonia, St*) のエンブレム. ⇨tongs.

Platytera 祈れる生神女 (いのれるしょうしんじょ)

東方正教会の聖母子イコン類型の1つ. 全身像あるいは半身像のプラテュテラ型聖母は, 古代の人々が祈りを捧げるような格好で (cf. orans) 両手を上にあげる. 御子キリストの胸像あるいは全身像が, 聖母の前の円形または楕円形の枠内に描かれる. プラテュテラの聖母イコン類型は早くも4世紀から知られている. ギリシア語で「(天空よりも) 広い」という意の形容

祈れる生神女, 13世紀, モスクア, トレチャコフ美術館

辞,「プラテュテラ」は, 聖バシレイオスの聖体礼儀の祈り, 神母讃歌の一節から取ったものである.

plumb rule 下げ振り

建築家でもあった聖トマス (Thomas, St*) の持物となることがある.

pomegranate　ザクロ

永遠の生命に至る復活のシンボル．特に聖母や聖母子を描いた絵画に見られる．たとえば，ボッティチェッリの「マニフィカトの聖母」（フィレンツェ，ウフィツィ）で は，幼子キリストの左手により正式な球体（globe*）にかわり，ザクロが握られる．聖母もザクロに手で触れ，贖罪の業への関与を表わす．

中世のキリスト教の著述家も，内部に多くの種子をつけ

フィリッポ・リッピ，聖母子，15世紀，フィレンツェ，ピッティ美術館
（御子の左手にザクロ）

るザクロが，多くの教会の信徒を象徴するものと解釈した．

pope　教皇

1073 年からローマ・カトリック教会の頭（かしら）に対して用いられてきたローマ司教の称号．初期キリスト教時代には，他の司教も同称号を用いた．聖ペトロ（Peter, St*）は，時代錯誤的にも，中世の教皇の祭服と三重冠を着用した姿で描かれることが多い．聖クレメンス（Clement of Roma, St*）と聖グレゴリウス一世（Gregory I, St*）も，同様に教皇の祭服をまとうので判別できるが，同時に聖人個人の持物も描かれるのが一般的である．

pot　瓶，壺

蓋がつく場合は，マグダラの聖マリア（Mary Magdalene, St*）のエンブレム．

powers　能天使

天使（angels*）の階級で，力天使（virtues*）の下に位置し，権天使（principalities*）の上に位置する霊的存在．悪の諸力と戦闘状態にあると想像されたため，完全武装の天使像が一般的である．

preacher　説教者

弁舌の才能で名を馳せた数多くの聖人たちが，説教者として描かれる．4 つの福音書すべてに記された洗礼者の聖ヨハネ（John the Baptist, St*）の説教は，生涯の一連の出来事としても，独立した主題としても描かれることがある．聖ウィルフリッド（Wilfrid, St）や聖デイヴィッド（David, St*）のような宣教活動をした司教，そして説教をする托鉢修道士としても知られるドミニコ会士も，説教を垂れる姿で描かれることがある．小鳥に説教をする聖フランチェスコ（Francis of Assisi, St*）も，好まれた主題である．

Presentation in the Temple　神殿での奉献

ユダヤ教の律法で定められ

た儀式．初子であるイエス
も，この律法に従い，生後
40日目に神殿へ連れてこら
れた．この時期は出産を終え
た女性の清めの期間でもある
ので，同祭儀は聖母マリアの
清めの儀式としても知られて
いる．祝日は2月2日で，西
欧ではロウソクをともして祝
福するため聖燭節とも呼ばれ
ている．ロウソクによる祝福
は，世界の光としてのキリス
トの顕現を意味するものであ
る．中世後期に入ると，ロー
マ・カトリック教会では，一
連の聖母マリアの悲しみ
(Sorrows of the Virgin*) にお
ける第1の悲しみとして，こ
の神殿での奉献を位置づける
ようになった．というのも，
祭司シメオンが，キリストの
受難と聖母の悲しみを予言す
る言葉を聖母に伝えたからで
ある．東方のギリシアでは，
この出来事はギリシア正教会
の十二大祭の1つであり，ヒ
ュパパント (Hypapante*) と
して知られている．ヒュパパ
ントとは，文字どおりイエス

とシメオンの「出会い」を意
味する．

『ルカ福音書』(2, 22-39)
はこの出来事を記した唯一の
福音書であるので，美術で同
場面を描写する際の典拠とな
った．一方から，両親が赤子
イエスを抱いて近づく．ヨセ
フあるいは付き添いの女性
が，ユダヤの律法で同儀式の
いけにえと定めた2羽のハト
を持つ．彼らと会うのは，年
老いたシメオンと女預言者ア
ンナである．ルカによると，
アンナは84歳の高齢であ
る．年老いたシメオンが何歳
であるかは特定されていない
が，イエスを見てもらした言
葉，「いま汝は私を逝かせ給
う」(Nunc dimittis) から推測
できるだろう（「主よ，今こそ
あなたは，お言葉どおりこの僕
を安らかに去らせてくださいま
す」）．ルネッサンス期の美術
では，神殿での奉献と割礼
(Circumcision*) は一緒にさ
れることが多い．

神殿でのキリストの奉献
は，表面的には聖母の清めの

儀式（Presentation of the Virgin*）と類似しているが，両者は混同されるべきではない.

Presentation of the Virgin 聖母の神殿奉献

祭司ザカリアが，神殿に連れてこられた３歳になる聖母マリアを受け入れたこと. この出来事は聖書外典の『ヤコブ原福音書』にしか記されていない. しかし東方正教会では十二大祭の１つであり，西欧でも 11 月 21 日を聖マリアの奉献の祝日と定めている. 美術における聖母の神殿奉献の場面を構成する要素としては，次のものが１つ以上含まれる. 両親と階段をかけ上がるか，または小躍りして階段を登る乙女の行列につき添われた少女が，祭司へと近づき，神殿の中に座して天使からパンを受ける.

Pride 傲慢

七つの大罪（Seven Deadly Sins*）の１つ.

Princes of the Apostles 使徒のプリンス

聖ペトロ（Peter, St*）と聖パウロ（Paul, St*）のこと.

principalities 権天使

天使（angels*）の階級において，大天使（archangels*）のすぐ上に位置する霊的存在. 剣と笏を手に持ち，堂々とした冠をかぶる. ただし，権天使より地位の高い主天使（dominations*）が身にまとう冠ほど精巧ではない.

Prochoros プロコロス（プロコロ）

⇨John the Evangelist, St.

Prodigal Son 放蕩息子

イエスのもっとも有名なたとえ話の主題の１つ（『ルカ福音書』15, 11-32）. 放蕩息子のたとえ話は，芸術家にいくつかの主題を提供した. もっともよく描かれる場面は，放蕩息子の放埒な生活，ブタ飼いに身を落とし飢えた状態での悔悛，そして帰郷である.

最後の場面では，父親が暖かく息子を出迎え，帰宅を祝う宴会を開く．

Prodromos　プロドロモス
（ギリシア語で「先駆者」）

東方正教会で洗礼者聖ヨハネ（John the Baptist, St*）につけられた名称．ヨハネは，「見よ，わたしは使者を送る．彼はわが前に道を備える」という旧約聖書の預言を成就する者と信じられていた（『マラキ書』3, 1）ギリシア語のアンゲロス（*angelos*）には「使者」および「天使」の両方の意味があるので，特に16世紀以降の正教会イコンでは，洗礼者聖ヨハネが天使のように有翼で描かれることがある．

prophets　預言者

旧約聖書の預言書を著した賢人たち．ユダヤ教では伝統的に3人の大預言者（イザヤ，エレミア，エゼキエル）と12人の小預言者に分類する．ただし近年の聖書学で

は，歴史的に個人として存在したことを疑問視される預言者もいる．ビザンティン教会では，上述の3大預言者にダニエル（Daniel*）を加えて4大預言者とする．大預言者4人に小預言者12人を加えて16人とすれば，福音書記者4人と使徒12人を合わせた数と同数になり，旧約聖書と新約聖書の視覚化に役立つ構成をなす上で調和的な均衡が創出される．これ以外の旧約聖書の人物も，モーセ（Moses*），ダビデ（David*），エリア（Elijah*）を含めて，一般に預言者といわれている．

初期キリスト教徒は，イエスがメシアであることの正当性を立証できるような記述を求めて旧約聖書を克明に調べた．その結果，預言者たちはキリスト教美術や文学で栄誉ある地位を与えられるようになった．預言者たちは顎鬚を生やした偉人として描かれるのが一般的であり，個人的な性格描写を意図した作例はないが，巻き物を持つことがあ

る．その巻き物には，イエスの生涯と何らかの関連を持つと考えられる旧約聖書の一節が記されている．異教徒の女予言者，巫女（sibyls*）と一緒のときもある．もっともよく描かれる預言者は，4大預言者とヨナ（Jonah*）である．

財布

Prudence　賢明

⇨Four Cardinal Virtues.

Purification of the Virgin　聖母マリアの清めの儀式

⇨Presentation in the Temple.

purse　財布

中世やルネッサンス期の人々が腰紐や肩紐につけた小さな袋，すなわち財布．十二使徒では，聖マタイ（Matthew, St*）の持物となることがある．最後の晩餐（Last Supper*）の場面では，『ヨハネ福音書』の記述に従い，イスカリオテのユダが財布を持つことがある．『ヨハネ福音書』には「そこでイエスは『しようとしていることを，今すぐしなさい』と彼［ユダ］に言われた．座に着いていた者はだれも，なぜユダにこう言われたのか分からなかった．ある者は，ユダが金入れを預かっていたので，『祭りに必要な物を買いなさい』とか，貧しい人に何か施すようにと，イエスが言われたのだと思っていた．ユダは……すぐ出ていった」（13, 27-30）と記されている．磔刑（Crucifixion*），キリスト哀悼（Lamentation*），埋葬（Entombment*）の場面で財布を持つ老人あるいは中年男は，『マ

タイ福音書』で「金持ち」と呼ばれているアリマタヤのヨセフ（Joseph of Arimathea, St*）である（27, 57）.

巡礼者の所持品の1つに「合財袋」（scrip）と呼ばれるものがある. これは貝殻（shell*）の巡礼徽章で飾られた財布で, 中世の巡礼者の格好で登場する大ヤコブ（James the Great, St*）や聖ロクス（Roch, St*）のような聖人の持物となる. また財布は, 家庭的な役割を担う聖女, 聖マルタ（Martha, St*）や聖ジタ（Zita, St*）を連想させる. 聖ラウレンティウス（Laurence, St*）も財布を持つことがある. ラウレンティウスの場合は, 貧者に施し物をする助祭の役割をふまえたものである. 聖ホモボヌス（Omobono, St*）の財布も, 同様の慈善の目的が暗示されている.

pyx 聖体容器

聖体を収めるための蓋付きの小箱で, 十字架のしるしが施されている. 聖クララ（Clare, St*）は, もっと見栄えのする聖体顕示台（monstrance*）の代わりとして聖体容器を持つことがある. 磔刑の場面では, ロンギヌス（Longinus, St*）が聖体容器を持つことがあるが, それは彼がイエスの血を数滴その容器の中に集めた人物だといわれるからである.

聖体容器

Q

**Quattro Coronati　クァト
ロ・コロナーティ**
　⇨Four Crowned Martyrs.

quill pen　鷲ペン
　4人の福音書記者（Four
Evangelists*），あるいは学識
や著作で名を馳せた聖人たち
のエンブレムになることがあ
る．⇨writer.

R

Rage (*or* Anger) 憤怒

七つの大罪（Seven Deadly Sins*）の1つ.

rainbow 虹

洪水の後に神がノアと結んだ契約のしるし. 神は今後2度と洪水によって世界を破壊しないと述べた（『創世記』9, 12-17）. これ以外の文脈で虹が現われる場合は, 神と人間の和解という一般的なシンボルと解釈される. 最後の審判（Last Judgement*）や栄光のキリストの場面では, 『ヨハネの黙示録』(4, 3) の記述に従い, キリストの玉座の周囲に虹が見られる.

Raising of Lazarus ラザロの蘇生

⇨Lazarus.

ram 雄ヒツジ

イサク（Issac*）の代わりにいけにえとなった動物で, キリストの予型と解釈されている. ⇨lamb.

Raphael ラファエル

旧約聖書外典の『トビト記』によれば, 敬虔なユダヤ教徒のトビトの家族を助けるため, 神より遣わされた大天使（archangel*）がラファエルである. トビトは, ニネベに捕囚として連行されてから貧困に苦しみ失明する. ラファエルは, トビトの縁者のアザリアに姿を変えてトビトの息子トビアに付き添い, 預けておいた金を取りにメディアまで一緒に旅をする. トビアは, 天使の助言に従い, チグリス川で捕えた魚の肝臓と胆嚢を持って行く. エクバタナに着いたトビアはトビトのいとこの娘サラと結婚する. トビアは魚の肝臓を使い, 結婚初夜に出没してサラの夫をすでに7人も殺した悪魔を追

い散らす．魚の胆嚢は，帰郷して父親の失明を治療するために使われる．

この物語のいくつかの場面は芸術家を魅了したが，もっとも好んで描かれた場面は，旅をするトビアである．トビアはラファエルとイヌを伴い，手に大きな魚を持つ．

ボッティチーニ，ラファエルとトビト，15世紀，フィレンツェ，アカデミア美術館

rat　ネズミ

悪と破壊の一般的なシンボル．聖女との関連では，イタリアの聖フィナ（Fina, St. 13世紀）のシンボルである．フィナは全身麻痺の病気で床についていたときにネズミに襲われたという．

raven　ワタリガラス

人里離れた場所に住む，縁起のよい鳥．神の命を受け，預言者エリヤに食べ物を運んだ（『列王記上』17, 6）．砂漠で生活する隠修士に対しても同様の役割を果たす．その中には隠修士の聖パウロス（Paul the Hermit, St*）も含まれる．聖ベネディクトゥス（Benedict, St*）の場合は，悪魔がワタリガラスに変身して同聖人の前に姿を現わす．

reed　葦

つぎの新約聖書の出来事との関連において，洗礼者ヨハネ（John the Baptist, St*）を連想させる植物．砂漠で宣教

活動を行うヨハネについて，イエスは集まった群衆に向かい，「あなたがたは，何を見に荒れ野に行ったのか．風にそよぐ葦か」（『マタイ福音書』11, 7）という疑問を投げかける．ヨハネが手に持つ長細い十字架が，葦の棒のように見えることがある．

葦はまた受難具（Instruments of the Passion*）の１つでもある．イエスが右手に葦の棒を持たされて侮辱を受け，葦の棒を取り上げられて頭を叩かれたからである（『マタイ福音書』27, 29-30）．また磔刑のとき，十字架上のイエスに飲ませるために，酸いブドウ酒を含ませた海綿を取りつけた棒も葦であった

フラ・アンジェリコ，笞刑，15世紀

（『マタイ福音書』27, 48）.

Resurrection 復活

礫刑の3日後にキリストが死から蘇ること. 復活祭はキリスト教のもっとも重要な祝祭であるが, 美術上の取り扱いは東西で大きく異なる.

復活を題材にした西欧の美術作品では, 実際にキリストが墓から蘇る瞬間を描く伝統がある. 脇腹の聖痕や茨の冠などのキリストの受難を示すシンボルが描かれる場合もあるが, 手には復活の勝利を示す旗（banner*）あるいは十字架, そして三角旗を持つ. もう片方の手は上にあげて祝福を与える. イエスの墓は石棺で, 蓋は開いて脇に置かれる. 福音書の物語にあるような岩をくりぬいた墓ではない. 墓の周囲では, ローマ兵士の服装か, 当時の鎧を着用した衛兵が仮眠を取る. 西欧で復活を取り上げた古典的作例としては, イタリアの画家, ピエロ・デッラ・フランチェスカ作の15世紀後期の

フレスコ画（イタリア中部, サンセポルクロ）がある.

復活を描いた中世イングランドの作品では, ノッティンガムのノッティンガム城博物館蔵の雪花石膏（アラバスター）パネル（1400年頃-1430年）のように, 実際に眠る兵士の上に足を踏み出すキリストを描いたものもある. 同時代の大陸の美術ではまず見られない作例で, 復活を主題としたイングランド聖史劇の影響によるものかもしれない.

復活を題材とした東方の作品では, キリストの地獄への降下（⇨Harrowing of Hell）を描いたものが非常に多い. ちなみにギリシア語で復活を意味する「アナスタシス」（*Anastasis*）は, キリスト自身の復活とキリストによる死者の復活の両方を指す. キリストの地獄への降下が, 東方教会の一連の祝祭において復活祭と同義になったのはこのためである. キリストの本性を論じた学説が難解であったことや, 墓の中で3日間眠っ

メムリンク，キリストの復活，15世紀，パリ，ルーヴル美術館

たキリストに何が起こったのかについても論議が巻き起こったため，アナスタシスの場面でさえ定着するにはかなりの時の経過を必要とした．ごく初期のキリスト教美術では，キリストではなく，墓を訪れた3人のマリア（Three Marys*）によって復活が表現された．フルナのディオニュシオスは『画家の手引き』（1730年-1734年）で復活の描写法を解説しているが，実際にキリストが墓から蘇る場面は比較的新しい作品の部類に入り，東方正教会の美術ではあまり見られない．死者の復活に関しては，⇨Last Judgement.

ring 指輪

聖エドワード証聖王（Edward the Confessor, St*）のエンブレム．14世紀後期のウィルトン二連板（ディプティカ）の聖画像では，実際に王冠をかぶり，宝石を象嵌した指輪を掲げるエドワード像が描かれる．伝説によれば，自分の指

指輪

輪をウェストミンスターで出会った乞食に与えたという．しばらくしてイングランドの巡礼者が聖地を訪れ，ある老人と出会う．老人は自分が使徒ヨハネであることを明かし，証聖王からもらった指輪を巡礼者に手渡す．そのとき老人は，6か月以内に命を失うと警告して証聖王に指輪を返せと告げる．その言葉どおりのことが実際に起こる．

ルネッサンス期には，聖カタリナの神秘的な結婚をテーマとした絵画が多く描かれたが，指輪はその場面でも重要な役割を果たしている．題材としてもっともよく取り上げ

られた聖女は，アレクサンドリアの聖カタリナ（Catherine of Alexandria, St*）のほうである．しかし15世紀以降のイタリアの芸術家たちは，シエナの聖カタリナ（Catherine of Siena, St*）にまつわる同種の幻視の場面を描いた．フィレンツェ，ピッティ美術館にあるフラ・バルトロメオの16世紀初期の絵画のように，シエナのカタリナは修道女服をまとうので，アレクサンドリアのカタリナと区別できる．サケと指輪に関しては，⇨fish.

river　川

イエスの洗礼（Baptism of Christ*）の舞台となったヨルダン川は，洗礼を象徴する．ここから，罪を洗い流す清めの川という概念が一般の河川にまで適用されるようになった．

エデンの園から湧き出る4本の川，あるいは流れは，『創世記』でピション，ギホン，ヒデケル（チグリスのこと），ユーフラテスと名づけられている（2, 10-14）．川の神を擬人化する古代からの伝統に従い，中世初期の美術では4本の川が水神として描かれることがある．また黄道十二宮の水瓶座のように，革袋や水瓶から水を注いで川の流れを創り出す水神が登場することもある．たとえば，イタリア北部のコモ近郊に建つサン・ピエトロ・アル・モンテ・チヴァーテ聖堂には，そのような情景を描いたロマネスク様式の絵画がある．

エデンの園を背景とする場面ばかりでなく，栄光のキリストの玉座から流れ下る川を題材とした作例でも写実的な描写がなされる．後者は初期キリスト教美術でよく用いられたモチーフで，4本の川はイエスという水源から流れ出て全世界を潤す4つの福音書を表現する．川の流れ出す岩（rock*）をキリストと見る思想は，早くから美術や文学に現われた．たとえば，ラヴェンナのガッラ・プラッチーデ

ィアの廟堂に収められた5世紀初期のコンスタンティヌス3世の石棺には，キリストが小羊姿で岩の上にたち，そこから4本の流れがほとばしる情景を描いた浮彫が施されている．

ヒッポの聖アウグスティヌスは，4本の川に関し別の解釈を提示した．それによれば，4本の川は四枢要徳（Four Cardinal Virtues*）を表わす．

robe　外衣

紫の衣は，キリストの受難にまつわる2つの事柄を間接的に言及したものである．紫は，四旬節（受難節）と降臨節の悔悛期間における典礼の色である．またビザンティン帝国ともゆかりの深い紫色は，高貴な王族を示唆する．『ヨハネ福音書』には，兵士たちがイエスに紫の服をまとわせ，「ユダヤ人の王，万歳」と叫んで侮辱したと記されている（19, 2）．

ローマ兵士たちが十字架の下で籤引きをして分け合った縫い目のない衣（あるいは外套）（『ヨハネ福音書』19, 23-24）は，受難具（Instruments of the Passion*）に含まれることがある．後の著述家の中には，縫い目のない外套が教会の理想的な統一を象徴すると解釈した者もいた．

Roch, St（Roche, Rock, Rocco）聖ロクス
（1350年頃-1380年頃）

人生の大半を巡礼に費やしたフランスの隠修士．悪疫に罹った人々の世話や治療も行ったが，最後にはピアチェンツァでロクス自身が病気となる．ロクスを助けるものは誰もいなかったが，奇跡的にも1匹のイヌが聖人のもとにパンを運び世話をした．イタリアか，生まれ故郷のモンペリエの牢獄で殉教したようである．

病気をいやす術にたけたロクスは，イタリア，フランス，ドイツ，ダルマティア沿岸地域で崇敬された．特に蔓

延するペストの伝染病に対し, ロクスの守護が祈願される. 美術では, 伝統的な巡礼者 (pilgrim*) の衣装をまとい, 自らの足を指差すロクス像が描かれる. すね当てを捲り上げた足には, よこね (鼠径リンパ腺種による腫れ物) が見える. その傍らには, 口にパンの塊をくわえたイヌが描かれる場合がある.

rock 岩

キリストと聖ペトロ (Peter, St*) のシンボル. 岩とペトロとの関連は地口によるものなので, 美術では, 岩とキリストとを結びつけた作例よりも数が少ない (⇨river). 旧約聖書には, 荒れ野でモーセがイスラエルの民のために岩を杖で打って水を出したという物語が記されている (『出エジプト』17, 1-6). 初期キリスト教時代の著述家たちは, それがイエスを予表するものと考えた. その典拠として新約聖書には「彼らが飲んだのは, 自分たちに離れずに

ついて来た霊的な岩からでしたが, この岩こそキリストだったのです」(『コリント手紙一』10, 4) と記されている.

rod 杖

モーセとアロンの物語で, エジプトの魔術師と対決するために奇跡を起こした道具として人目を引く (『出エジプト』4, 1-4; 7, 8-12 他). 杖を

杖

持つ修道士は，聖ベネディクトゥス（Benedict, St*）を表わす．聖フィデス（Faith, St*）も杖の束を持つことがある．⇨staff.

Romuald, St　聖ロムアルドゥス

⇨ladder.

rosary　ロザリオ

ロザリオは祈りを数えるために用いる数珠．ロザリオの数珠は，特にドミニコ修道会を連想させるだけでなく，聖ドミニクス（Dominic, St*）自身の持物でもある．ただし，ロザリオの祈りが中世後期に盛んになったことを考えると，ロザリオのドミニクスとの関連はおそらく時代錯誤といってよいであろう．ドミニクスが聖母マリアからロザリオを受ける幻視は，16世紀以降のドミニコ会系の画家が好んだ主題であり，多くの絵画が描かれた．

ロザリオはまた，もう1人のドミニコ会士，シエナの

カタリナ（Catherine of Siena, St*）とも深く結びつく．カタリナも聖ドミニクスの幻視の場面に登場することがある．聖ジタ（Zita, St*）やアッシジの聖フランチェスコ（Francis of Assisi, St*）のような聖人は，ロザリオの使用が普及する以前の聖人であるが，修道士，修道女，聖人が聖母マリアを崇敬し，祈りの生活を実践したことを示すために，ロザリオを持って描かれるのが一般的である．最後の審判（Last Judgement*）の場面では，ロザリオを天秤（scales*）の上に載せ，その重みで天秤にかけられた死者を助けようとする聖母マリアが描かれることもある．

ロザリオの祈りは15の玄義より構成され，さらに3つの祈りに分割される．まず，5つの喜びの玄義（⇨Joys of the Virgin）．つぎに受難の5つの出来事で構成される5つの苦しみの玄義，その出来事とは，ゲッセマネの園での憂い，イエスの鞭打ち，茨の戴

冠，十字架の運搬，磔刑である．そして復活，昇天，聖霊降臨，聖母の被昇天，聖母の戴冠よりなる5つの栄光の玄義へと続く．

rose　バラ

　純潔のシンボルである白バラは，聖母マリアを連想させる．キリスト教文学の作家たちは，聖母マリアを棘のないバラと呼ぶことがある．中世とルネッサンス期の画家は，木陰の休息所（bower*）あるいはバラ園に座す聖母を頻繁に描いた．聖母が昇天した後（⇨Assumption），聖母の墓でバラとユリが発見されたという．また聖母マリアとの関連でバラの花冠といえば，ロザリオ（rosary*）を示唆する．

　赤バラは殉教者の血の色を想起させる．ここから，現世での試練に打ち勝ち，天で祝福を受ける霊魂を飾る花冠として，赤白のバラが用いられるようになった．バラはまた数人の聖女のエンブレムでもあり，この中にはつぎのような聖女が含まれる．バラをエプロンに入れて運ぶハンガリーのエリザベト（Elizabeth of Hungary），他の果物や花と一緒に籠かエプロンでバラを運ぶドロテア（Dorothy*），ラテン・アメリカ最初の聖女であるリマのロサ（Rose of Lima, 1585年-1617年）と，リジューのテレーズ（Theresa of Lisieux*）があげられよう．

rush　イグサ

　⇨reed.

S

sacra conversazione 聖なる会話 (サクラ・コンヴェルサツィオーネ)

数人の聖人が集合した構図で，聖母子を囲むものがある．特にヴェネツィアの芸術家が好んで用いた伝統的手法．

sacrifice いけにえ

神への献げ物．キリスト教にいけにえという宗教儀式はなく，キリストだけが唯一の「全き，完全なる，十分なるいけにえ」(full, perfect, sufficient sacrifice) である（『聖公会祈禱書』，聖別の祈り）．したがって，キリスト教美術のいけにえの場面も，神殿での奉献 (Presentation in the Temple*) のように，ユダヤ教の宗教儀式の一部，あるいは旧約聖書の出来事として扱われる．

もっともよく登場するのは，旧約聖書を題材とした2つの場面である．カインとアベル (Cain and Abel*) のいけにえ，そしてアブラハムが捧げようとしたイサク (lssac*) のいけにえである．前者の場合は，カインの捧げた麦の束とアベルが捧げた小羊が描かれる．神がアベルのいけにえを受け入れ，カインのそれを拒否する場面が描かれることもある．イサクのいけにえでは，すでに祭壇上に置かれた少年めがけて，まさにアブラハムがナイフを打ち下ろさんとするとき，天使が介在して制止する劇的な瞬間が描かれることもある．この2つの場面から想起されるのは，キリスト自身のいけにえである．

美術では，神が受け入れたアベルとアブラハムのいけにえは，最後の晩餐を予表するメルキゼデク (Melchizedek*) の献げ物へと繋がってゆく．たとえば，ラヴェンナのサン・ヴィターレ教会に

は，アベルとメルキゼデクの
いけにえを描いた6世紀のモ
ザイクがある．

**salmon（with a ring）（指
輪を持った）サケ**
⇨fish.

**Salvator Mundi　サルウァ
ール・ムンディ**
（ラテン語で「世の救い主」）
特にルネッサンス期の美術
に見られるキリスト像で，左
手に球体（globe*）を持ち，
右手で祝福を与える．キリス
トが茨の冠をかぶることもあ
る．

**Samaritan Woman at the
Well　井戸のサマリアの女**
ヤコブの井戸と呼ばれる井
戸の傍らでの，イエスとサマ
リア人の女の出会い（『ヨハ
ネ福音書』4, 5-30）を描いた
絵画の題名．ヤコブの井戸
は，シカルという町のはずれ

イエスと井戸の傍らにいるサマリアの女，4世紀，ローマ，ヴィア・ラティー
ナの地下墳墓

にある．この場面は，4世紀
初期の頃のものと推定される
ローマの地下墓地（カタコ ンベ）の
壁画にも描かれている．その
後も，東西双方の美術で人気
を博し続けた主題であった．
『ヨハネ福音書』には，イエ
スとサマリアの女が交わした
会話も詳述されていて，イエ
スは「生きた水」という重要
な象徴を用いながら，「生き
た水」は「その人の内で泉と
なり永遠の命に至る水がわき
でる」と述べている．

　クレタ島の15世紀後期の
イコンにもサマリアの女が登
場する．ゆったりと流れるよ
うな毛髪は，道徳的に怪しげ
な女性であることを示す．イ
タリアの芸術家たち，中でも
ヴェロネーゼは，髪を丁寧に
編み込んだサマリアの女を描
いたが（ウィーン美術史美術
館），編み込んだ髪型は高級
な娼婦のしるしである．これ
とは対照的に，福音書後のサ
マリアの女の伝記では粉飾が
なされ，彼女は家族とともに
殉教したと述べられている．

ギリシアでは，聖フォティニ
（Fotini, St, ギリシア語で「フ
ォテイニ」*photeini*は「光を与
える」の意）として慎ましく
崇敬されている．祭日は2月
25日である．

Samaritan, Good　善いサマ
リア人

　⇨Good　Samaritan.

Samson　サムソン

　剛力で有名なイスラエルの
指導者．サムソンの生きた時
代は，イスラエル人と周辺の
ペリシテ人との間にいざこざ
が絶えない時代であった．し
たがってサムソンの物語も，
ペリシテ人との戦闘でのサム
ソンの勝利が中心に取り上げ
られている（『士師記』13-16）．
　サムソンの生涯に起こった
出来事の中には，イエスの生
涯と対応関係にあるものがい
くつか含まれる．このため中
世の聖書注解者や芸術家たち
は，サムソンをキリストの予
型と見なした．サムソンの誕
生は，キリストの降誕のよう

マンテーニャ，サムソンとデリラ，15世紀，ロンドン，ナショナル・ギャラリー

に，天使によって告げられた（『士師記』13，2-21）．サムソンのライオン退治は（14，5-9），キリストの悪魔に対する勝利を予表するものである．またサムソンがガザの門の扉と門柱を引き抜き持ち去ったことは（16，3），キリストによる地獄の門の破壊に対応すると考えられた（⇨Harrowing of Hell）．さらにサムソンが妻の背信行為により最終的にペリシテ人に捕らえられたことも，キリストの逮捕を予表するものと解釈された．

美術に描かれたサムソンは，異教のヘラクレスのように，自らの手で退治したライオンの毛皮を身にまとう．また，千人のペリシテ人を殺したロバのあご骨を振り回す場面もあれば（15，14-17），サムソンの最期の場面もある．後者では，建物の支柱を押し倒し，集まった敵を道連れに崩壊する建物の下敷きとなったサムソンが描かれる（16，25-30）．しかし，芸術家がもっとも好んだ場面は，サムソンとペリシテ人の妻デリラである．遂にサムソンの怪力の秘密を聞き出したデリラが，ペリシテ人たちにサムソンを売り渡すために頭髪を切る場面が描かれる．

Samson, St 聖サムソン
（565年没）

ウェールズ生まれの宣教修道士．後にブルターニュ，ドルの司教となる．アイルランドとコーンウォールへ旅をした後，フランスへ渡った．10世紀初期には，聖遺物の一部がドーセット，ミルトン・アバスの修道院に安置された．聖サムソン崇拝は，イングランド南部，ウェールズ，ブルターニュのいくつかの地域で高まりを見せた．エンブレムはハトと本であり，常に十字架あるいは旅人の杖を持つ．

sandals サンダル
⇨shoes.

Satan サタン
聖書で悪魔を指すために頻

繁に用いられる名称. 語源は「敵」を意味するヘブライ語である. 美術でのサタンは, 人間の堕落（Fall of Man*）のときに姿を変えたヘビ（snake*）か, あるいは『ヨハネの黙示録』にあるように, 天上の戦争で変身した竜（dragon*）の姿で描かれることがある. これ以外では, うろこのある翼, ヘビの尻尾, グロテスクで角の生えた動物の頭を持ち, 見るも恐ろしい堕天使の姿で登場する.

saw 鋸

聖シモン（Simon, St*）の持物. 殉教伝の中には, シモンが体を鋸で真っ二つに切り裂かれて殉教したことを伝える異説もある. フランスでは, シモンと鋸との関連が地口の要素によって一層深まったといえるだろう. シモンの名は「シ」と「モン」からなるが（scie-mon）, 前半の「シ」（scie）はフランス語で「鋸」を意味するからである.

scales (*or* balance, for weighing) 天秤

正義（⇨Four Cardinal Virtues）のエンブレム. 天使の階級では, 座天使（thrones*）のエンブレム. 最後の審判（Last Judgement*）を描いた

鋸

天秤

中世の絵画では，大天使ミカエル（Michael, St*）が死者の霊魂の軽重を計るために一対の天秤を持つ．悪魔が天秤の片方の皿に重しをかけて計量の邪魔を試みるが，聖母マリアがもう一方の皿の上にロザリオを置き，死者の霊魂の運命が平衡を保てるように援助の手を差し伸べる．

ルネッサンス期においては，天秤は擬人化された〈論理学〉のシンボルでもある（⇨Seven Liberal Arts）．

scallop shell　ホタテガイの貝殻

⇨shell.

scalpel　外科用メス

病をいやす聖人は，外科用の医療器具を持つことがある．そのような聖人でもっとも広く崇敬されているのは，聖コスマスと聖ダミアヌス（Cosmas and Damian, SS*），聖パンタレオン（Panteleimon, St*）である．

sceptre　笏

権威のシンボルで，地上の支配者はもとより父なる神も笏を持つことがある．大天使ガブリエル（Gabriel*）は，受胎告知の場面で，先端に白ユリの紋章の装飾を施した笏を持つことがある．

Scholastica, St　聖スコラスティカ（スホラスティカ）
(480 年年-543 年)

イタリアの童貞聖女．聖ベネディクトゥス（Benedict, St*）の妹で，ベネディクト女子修道院の守護聖女．その生涯についてはほとんど知られていない．モンテ・カッシーノ近郊に住み，兄のベネディクトゥスとは1年に1度だけ面会したという．死去する3日前，年に1度の面会に来たベネディクトゥスにもう少し滞在を延ばし，天の喜びについて語ってほしいと依頼する．しかし，ベネディクトゥスはこの申し出を断る．そこでスコラスティカが祈りを捧げると嵐が発生し，ベネディ

クトゥスは出発を中止せざるをえなくなる．スコラスティカが息を引き取ったとき，ベネディクトゥスは，ハトの姿で天に飛翔するスコラスティカの霊魂の幻を見た．美術では，この伝説からハトが同聖女のエンブレムとなる場合がある．

スコラスティカは，ベネディクト会の修道服をまとって描かれることがある．ハトに加え，ユリまたは十字架を持つ場合もある．聖スコラスティカ崇拝の中心地は北フランスのル・マンであった．聖遺物は兄と一緒にモンテ・カッシーノの墓に埋葬されたが，その後ル・マンに遷移された．

scissors 鋏

洋服屋の守護聖人，聖ホモボヌス（Omobono, St*）のエンブレム．

scorpion サソリ

特にイスカリオテのユダを連想させる悪のシンボル．聖デメトリオス（Demetrius, St*）の持物となる場合がある．サソリを足で踏みつけたデメトリウスは，イエスが弟子と交わした約束，「蛇やさそりを踏みつけ，敵のあらゆる力に打ち勝つ権威を，わたしはあなたがたに授けた」（『ルカ福音書』10，19）という一節を想起させる．

scourge 鞭

受難具（Instruments of Passion*）の1つ．聖アンブロシウス（Ambrose, St*）のエンブレムでもある．390年，ローマ皇帝テオドシウス一世は，テッサロニキで皇帝の役人が殺害されたことに憤慨し，その報復処置として都市の全市民の虐殺を兵士に命じた．このことを知ったアンブロシウスはテオドシウス一世に悔悛を行うよう迫ったという．

イングランドの隠修士，聖グスラック（Guthlac, St, 673年頃～714年）の所有した鞭は，死後に妹のペガがクロウランドの聖堂に奉納したもの

である．同聖人は禁欲的な生活で有名ではあるが，鞭は自責のためではなく，悪魔の攻撃をかわすためのものである．というのも，同聖人はリンカンシャーの沼沢地帯で隠遁生活を送っていたが，悪魔がその孤独な生活を妨害しようと出現したからである．この伝説にもとづき，鞭を持つか，あるいは守護聖人の使徒バルトロマイ（Bartholomew, St*）から鞭を受け取るグスラック像が描かれる．

巻き物

scroll (*or* banderol) 巻き物

多くの美術作品で巻き物を持つ聖人像が描かれるが，巻き物に書かれた言葉が判読できれば，持ち主の身元や作品の場面を特定する鍵を持ったことになる．たとえば，受胎告知（Annunciation*）の場面では，聖母と天使の言葉がラテン語で巻き物に記される場合がある．

中世の芸術家たちは，エンブレムの代わりに，あるいはエンブレムに加えて巻き物を用い，巻き物に記された名前で登場人物が誰かを表わすことがある．十二使徒（Twelve Apostles*）の場合は，使徒それぞれの信経条項が巻き物に記される場合がある．使徒や福音書記者を描いた初期の作品では，教師としての役割を示唆するために巻き物を持たせた（⇨Pentecost）．その後は同様の内容を示唆するため，巻き物ではなく本（books*）を持たせた．旧約聖書の預言者（prophets*）や巫女（sibyls*）も，預言の聖句を記した巻き物を持つことがある．

4世紀と5世紀のレリーフやモザイクには，キリストが聖ペトロに巻き物を手渡す場面が描かれている．シナイ山で神がモーセに石板を授けることが古い律法の伝授を表わすように，それは新しい律法の伝授を表現するものである．モーセとキリストとの類似を明確にさせるため，キリストが小さな丘上に配置されることもある．ナポリ，ソテルの洗礼堂を飾るモザイクには（400年頃），世界を象徴する宝珠の上に立ち，ラテン語で DOMINUS DAT LEGAM（「主は律法を与え給う」の意）と書かれた巻き物を見せるキリスト像が描かれている．この言葉は，同場面の題名としても用いられることがある．

scythe 大鎌

擬人化された〈時〉と〈死〉を連想させ，生命を刈り取る力を象徴する．穀物の刈り入れをする道具を持つ老人の姿で〈時〉を表現する伝統は，古代ギリシアの神クロノスとローマの神サトゥルヌスにまつわる異教神話に由来する．

大鎌は種々の農耕守護聖人のエンブレムとなることがあるが，聖人崇拝に関しては，地域色の非常に濃いものが大部分を占める．イングランドでは，エクセタの聖シドウェル（Sidwell, St）とノーフォークの聖ウォルスタン（Walstan, St*）があげられる．「鎌」と「井戸」からなる前者の名前（scythe-well）は，刈り手に首を切り落とされた同聖人の伝説を伝えるだけでなく，鎌と井戸がエンブレムとなった由来も説明する．⇨sickle.

Sebastian, St 聖セバスティアヌス（3世紀）

ローマ人の殉教者．伝説によると，ローマ皇帝ディオクレティアヌスの近衛兵でありながら，迫害されたキリスト教徒を密かに援助したという．キリスト教徒であることが発覚すると，皇帝はこの若

マンテーニャ，聖セバスティアヌス，15世紀，パリ，ルーヴル美術館

い兵士に対し弓矢による処刑を命じた．処刑後，ある女が柱に縛り付けられたセバスティアヌスの縄を解いた．すると，まだ息があったので，女はセバスティアヌスの健康が回復するまで傷の治療と身の回りの世話をした．怪我が治ったセバスティアヌスは果敢にも暴君と対決し，為政者としての態度を非難した．皇帝は，再び棒による撲殺刑を命じた．セバスティアヌスの殉教は，ルネッサンスの芸術家の間で特に人気を博した主題であり，柱あるいは木に裸同然の姿で縛られ，身構えた兵士に弓で矢を射られる若者が描かれる．

セバスティアヌスは兵士と弓兵の守護聖人である．また十四救難聖人（Fourteen Holy Helpers*）の1人として，特に悪疫に対し守護が祈願される．聖セバスティアヌス崇拝はヨーロッパの大部分の国々で盛んであったが，イングランドでは同聖人名を冠する古い教会がたった2つしか存在しない．イングランド出身で人気のある殉教者，聖エドムンド（Edmund, St*）と殉教死の状況が類似していたことが，同地にセバスティアヌス崇拝が受容される上で不利に働いたのかもしれない．

seraphim　熾天使

9つの天使（angels*）の階級で最高位にある天使．美術では，天高く御座に座す神を幻視したイザヤの言葉にもとづき（『イザヤ書』6, 1-8），火の霊的存在として描かれる．一般には人間の姿であるが，6つの翼を持つ．キリスト教

熾天使，13世紀，ヴェネツィア，サン・マルコ大聖堂

の伝統によると，熾天使の炎は，神への燃えるような敬愛を表現するものと解釈されている．熾天使の図像（イコノグラフィー）は，一階級下の智天使（cherubim*，智ケルビム）と混同されることがある．

Sergius and Bacchus, SS
聖セルギウスと聖バックス

（303年頃没）

ローマ軍将校だったが，異教神の崇拝を拒んだため，ローマ皇帝マクシミアヌス帝の命により階級を剥奪され処刑された．聖セルギウス・聖バックス崇拝の中心地および殉教死を遂げたと伝えられる場所は，セルギオポリス（シリア北東部のレサファ）である．両聖人の崇拝は，東方教会でも広く普及した．常に2人一緒に登場し，ビザンティンの宮廷の衣装をまとうことが多いが，ローマ軍将校の着用した貴金属の鎖（チェーン）の首飾りをつけ，槍を持つ場合もある．

serpent　ヘビ
⇨dragon, Satan, snake.

Seven Deadly Sins　七つの大罪

神の律法への人間の拒絶を示す伝統的な主要形態．6世紀に聖グレゴリウス一世（Gregory the Great, St*）が列挙した七つの罪は，中世後期の美術と文学で標準的なものとして定着し，一般的に受容されるようになった．通常，七つの大罪とは，怠惰（Accidie or Sloth, *Accidia*），貪欲（Avarice or Covetousness, *Avaritia*），憤怒（Anger or Rage or Wrath, *Ira*），嫉妬（Envy, *Invidia*），大食（Gluttony, *Gula*），淫欲（Lust, *Luxuria*），傲慢（Pride, *Superbia*）を指す．美術では，擬人化された女性の姿で描かれるか，特定の悪徳を表わす奇怪な人間の姿に具象化される．たとえば，〈大食〉はまるまると太った大食漢，〈憤怒〉は武器を振りかざして殴りかかろうとする激怒した人物といった具合であ

る.

貪欲と淫欲は男女特有の悪徳と考えられたため，対になって描かれることが多い．この2つの大罪に対する処罰を描いた作例が，南フランス，モアサックの教会の南袖廊内壁を飾っている．そこには，悪魔が守銭奴に擬人化された〈貪欲〉の両肩にまたがり，ヘビが女性の死体で表わされた〈淫欲〉を貪り食う情景が描かれている．

Seven Liberal Arts　自由七学芸

中世の人々が学んだ世俗的学芸で，文法，論理学，修辞学，算術，天文学，幾何学，音楽を指す．「自由」という言葉がついたのは，元来，自由人が学ぶに価する学芸であるという意味合いがあったからである．つまり，独創性において劣る機械的（技術的）学芸と対立する学芸と考えられた．

自由七学芸は，北アフリカの文法学者マルティアヌス・カペラが5世紀前半に考案した定式に従い，人間の女性として擬人化されることが多い．カペラがラテン語で著した寓意的な論文，『フィロロギアとメルクリウスの結婚』は，中世初頭から高い評価を受け，いみじくも同論文で自由七学芸は哲学の花嫁であると描かれているように，多大な影響力を及ぼした．美術と文学では，三対神徳（Three Theological Virtues*）や四枢要徳（Four Cardinal Virtues*）の道徳的特質と均衡を保つ知的特質として自由七学芸が提示されることがある．ロマネスク様式やゴシック様式の彫刻にも七学芸が登場し，特にイタリア美術ではルネッサンス期に至るまで人気は衰えなかった．

自由七学芸の擬人化形態にはいくつかの異形もあるが，通常，つぎのような持物で擬人化された学芸名を判別できる．〈文法〉は読書に没頭する2人の若い学生を伴う．女性に擬人化された〈文法〉は

鞭で彼らの間違いを正す.
〈論理学〉はヘビやトカゲを
持つ. 後には真理の軽重を計
る天秤を持つようになる.
〈修辞学〉は剣と盾を持ち,
後に本あるいは巻き物を持つ
ようになる.〈算術〉は書字
板か算盤を持つ.〈天文学〉
は球体, 渾天儀(アーミラリ
ー天球), 四分儀, あるいは
その他の天体観察器具を持
つ.〈幾何学〉の持物は, コ
ンパスかディヴァイダーであ
る.〈音楽〉は一列に並んだ
鐘を持つ. 中世後期とルネッ
サンスには, リュートのよう
な楽器も持つ.

　自由七学芸は, それぞれ独
自の持物以外に, あるいは持
物に加えて, 各学芸に著しく
秀でた歴史的人物を伴うこと
もある. たとえば〈修辞学〉
はキケロ,〈論理学〉はアリ
ストテレス,〈幾何学〉はエ
ウクレイデス(ユークリッド)
を伴う. あるいは各々の人物
が各学芸を表現する場合もあ
る.

Seven Sacraments　七秘跡

　ローマ・カトリック教会と
東方正教会の7つの神聖な儀
式で, 秘跡を受ける者には特
別の恩寵が授けられるとい
う. 七秘跡とは, 洗礼, 聖体
(拝領), 悔悛(告解, 痛悔),
堅信, 叙階([正]神品), 結
婚, 病人の塗油(終油)であ
る. プロテスタント教会で
は, キリストが福音書で認め
た最初の2つを強調する.

　特に中世の教会では, 聖水
盤の装飾や祭壇画として七秘
跡すべてを描いた場面が見ら
れる. これ以外で秘跡を題材
とした作品としては, 新約聖
書の中から適切なエピソード
を選んで秘跡に充当したもの
がある. 特に反宗教改革の時
期に同種の作品が盛んに描か
れた. たとえば, 悔悛を表わ
すために, イエスの足に香油
を注ぐマグダラのマリア
(Mary Magdalene, St*)が,
聖体拝領を表わすために, 最
後の晩餐(Last Supper*)が
描かれる.

Seven Sleepers of Ephesus
エフェソスの眠れる七聖人

　250年，ローマ皇帝デキウスの治世下でキリスト教徒が迫害されたとき，エフェソスの洞窟の中に身を隠した伝説上の聖人．追手が洞窟の入口を塞いだため，深い眠りに落ちてしまい，約190年間も眠り続けた．この期間に関しては伝説にも種々の異説があり，それぞれに食い違いがある．聖人たちが目覚めると，すでに世界はキリスト教化されていたという．

　眠れる七聖人の伝説は東西双方で（イスラムでも）広く知られ人気があった．エフェソスの聖人の墓所と思われる場所は，中世初期に巡礼地となった．しかし，この伝説が美術作品に登場することはあまりなく，岩の洞窟で眠る7人の若者を描いたとされる絵画が2，3枚あるのみである．

Seven Sorrows of the Virgin
聖母の7つの悲しみ

　⇨Sorrows of the Virgin.

Seven Women at the Tomb
イエスの墓の七婦人

　東方の伝統では，イエスの石棺へ香料と香油を運んだ婦人は7人とされている．しかし『ルカ福音書』(23, 55-56)では，イエスと一緒にガリラヤからついて来て，イエスの体に香油を塗る準備をした婦人の数は特定されていない．西方の伝統では，3人のマリア（Three Marys*）がこの役割を担った婦人だとされる．

shamrock　コメツブツメクサ

　聖パトリキウス（Patrick, St*）のエンブレム．ここからアイルランドのエンブレムでもある．

sheep　ヒツジ

　文学や美術では，キリストの従者を表わすシンボルとなることが多い．旧約聖書では，イスラエルの民を「羊」と言及するくだりが数箇所認められる．たとえば『詩編』

には，「わたしたちはあなた
の民／あなたに養われている
羊の群れ」(79，13) とある
し，『イザヤ書』にも「わた
したちは羊の群れ／道を誤
り，それぞれの方向に向かっ
ていた」(53，6) とある．こ
の隠喩は新約聖書にも継承さ
れ，イエスの格言やたとえ話
の中でも数箇所用いられてい
る．イエスは，自分と自分に
従う者たちとの関係を，良い
羊飼い (shepherd*) とヒツ
ジの群れとの関係で捉える．
たとえば，『ヨハネ福音書』
の一節 (10，11-15)，迷える
羊のたとえ話 (『ルカ福音書』
15，4-7)，「わたしの羊の世話
をしなさい」というイエスの
ペトロへの命令 (『ヨハネ福音
書』21，15-17) などがある．
さらに最後の審判 (Last
Judgement*) での義なる者と
悪なる者との選別が，羊飼い
によるヒツジとヤギ
(goats*) の分別として描か
れる (『マタイ福音書』25，32-
33)．
　聖書にはキリストの信奉者

をヒツジとして描写する十分
な根拠があるので，すでに初
期キリスト教時代から，その
ような描写が美術上の伝統と
なり，モザイク，壁画，彫刻
などで広く行われた．またヒ
ツジは十二使徒を表わすこと
もある．この作例としては，
ラヴェンナのサンタポリナー
レ・イン・クラッセ聖堂後陣
を飾るモザイクがある．この
モザイクには，一列に並んだ
6頭のヒツジの群れが2組描
かれている．しかし，この作
例ほど様式化されていない作
品では，ヒツジは単に忠実な
者を表わすシンボルにすぎな
い．⇨Adoration of the
Shepherds.

shell　貝殻

　大ヤコブ (James the Great,
St*) のエンブレム．帽子や
財布にホタテガイの貝殻を取
りつけることがあるが，12
世紀以降は，スペイン北西
部，コンポステラの聖ヤコブ
の聖堂を訪れる巡礼者の徽章
として用いられるようなっ

貝殻

た．ここからホタテガイの貝殻が，特に十二使徒（Twelve Apostles*）の群像において，ヤコブを他の使徒から区別するしるしとなった．

コンポステラは世界に名だたる巡礼地であったため，西欧のキリスト教世界では，貝殻が一般の巡礼者の徽章としても用いられるようになった．ヤコブ以外の巡礼聖人，たとえば聖ロクス（Roch, St*）や聖ボナ（Bona, St*）なども，衣服のどこかに貝殻をつける場合が多い．

shepherd　羊飼い

キリストの従者との関連でキリストを表わす隠喩．新約聖書には「羊の大牧者，わたしたちの主イエス」（『ヘブライ人手紙』13, 20）とある．イエス自身も自らを羊飼いにたとえるが（⇨sheep），これに関しては旧約聖書に先例がある．たとえば『詩編』では，神を形容して「イスラエルを養う方」（80, 2）と記されている．

キリストがキリスト者の群れを養う羊飼いであるという思想は，「善い羊飼い」（ラテン語で Bonus Pastor, ボヌス・パストール）と呼ばれる図像でもっとも力強く表現され，両肩にヒツジを担ぐ若い羊飼いのキリスト像が描かれる．その場合のヒツジは，「そして見つけたら，喜んでその羊を担いで」（『ルカ福音書』15, 5）とある迷える羊のたとえ話のように，羊飼いが荒れ野で探し求めた迷える霊魂を表わす．初期キリスト教時代でも，救済のメッセージを伝える良い羊飼いの図像が頻繁に描かれた．それは，地下墓地（カタコンベ）の美術装飾，シリアの古代都市遺跡ドゥラ・エウロポス壁

シャンパーニュ, 善い羊飼い, 17世紀, フランス, トゥール美術館

ツジ番のような日常の牧畜作業に従事する姿が描かれている. キリストを羊飼いと同一視した, もっとも力強い描写の作例としては, ラヴェンナのガッラ・プラッチーディアの廟堂を飾るモザイクがある (425年頃). そこでは, 楽園と見まごう情景の中に座すキリストと, 周囲に散在する6頭のヒツジが描かれている. その後, 同図像は廃れ, 何世紀にもわたり美術作品から姿を消すことになる. しかしヴィクトリア朝時代を迎えると, キリストを羊飼い, 子供たちを小羊と表現する作品が再び登場する.

画, 石棺の側面など, 広い地域で数多くの作例が見られ, 常に作品の中心的人物像となっている. しかし5世紀以後になると, これとは別のキリスト像を描くしきたりに完全に取って代わられる.

初期キリスト教美術には, 「善い羊飼い」ほど様式化されていない羊飼いの図像も頻繁に登場し, ミルク搾りやヒ

中世後期の美術では, 『ルカ福音書』(2, 8-20) の羊飼いたちがキリスト降誕 (Nativity*) の場面に登場する. そして羊飼いの礼拝 (Adoration of the Shepherds*) も, 別個の主題として取り上げられるようになる. 後者の場合は, 天使による羊飼いへの受胎告知が, 絵画の背景に小さく描かれる場合がある.

ship 船

聖ウルスラ (Ursula, St*) と〈希望〉(望徳, ⇨Three Theological Virtues) の持物. ⇨ark, Noah's; boat.

shoes 靴

靴職人と製皮業者の守護聖人, 聖クリスピヌスと聖クリスピニアヌス (Crispin and Crispinian, SS*) のエンブレム. クリスピヌスとクリスピニアヌスは2人とも身元不明の殉教者であるが, 3世紀にフランス北部のソワッソンで靴屋を営むローマ人宣教者であったといわれている. 靴以外のエンブレムとしては靴型がある. 両者はイングランド, ケントのファヴァシャムでも崇敬された.

旧約聖書の出来事を主題とした作品に, 神の命令に従って靴あるいはサンダルを脱ぐモーセを描いたものがある. 『出エジプト記』には神がモーセに「足から履物を脱ぎなさい. あなたの立っている場所は聖なる土地だから」(3, 5) と述べたと記されている. この神の命令は, イコンにおけるキリストの変容 (Transfiguration*) の描写にも影響を及ぼす.

shower にわか雨

⇨rain.

sibyls 巫女

異教の予言者・初期キリスト教時代から, 巫女の言葉は, イエスに関する謎めいた予言だと信じられていた. およそ紀元前100年から紀元600年までの間に, ギリシアの影響下のローマ帝国で, いわゆる巫女の信託が, ギリシアとユダヤを発信源にして次々と発せられた. しかし予言の多くは, エジプトで生まれたものと思われる. 巫女の呼び名には, 巫女と縁の深い地域名が用いられた. キリスト教護教学者ラクタンティウス (Lactantius, 紀元3世紀) は, ローマの学者ウァロ (Varro, 紀元前1世紀) を引

用し，10人の巫女の名をあげている．ペルシャ（カルデア）の巫女，デルフォイの巫女，リビアの巫女，キンメリアの巫女，エリュトレイアの巫女，サモスの巫女，クマエの巫女，ヘレスポントスの巫女，フリュギアの巫女，ティブル（アルブニア）の巫女である．しかし中世では，巫女の名がこのように一定しておらず混同が見られた．たとえばエリュトレイアの巫女とクマエの巫女は同一人物と見なされたことがある．

推定される巫女の数は，1人から10人あるいは12人まで様々である．装飾上の必要性から，旧約聖書の12人の小預言者と数を合わせるために，巫女も12人となる場合がある．キリスト教徒にもはっきりと分かるような形で巫女の信憑性を高めた人物は，コンスタンティヌス大帝である．325年に行った公開演説で，エリュトレイア（小アジア西部）の巫女の予言の一節は，紛れもなくキリストに関するものと受け取れると公言した．ウェルギリウスの『牧歌第四歌』についても同様の解釈を示し，「クマエの歌」（4行目）は，クマエの巫女がキリストの降誕を予見したことを示唆すると主張した．

中世になると，真の予言者としての巫女の地位は広く受容された．たとえば，タウンリーの奇跡劇の1つ，受胎告知の劇には，神が旧約聖書の預言者の最後に巫女を位置づけ，「聡き巫女，いつも正しきを語った」(Sybyll sage, that sayde ay well) ともらす場面がある．預言者の1人に組み入れられた巫女は，預言者とともにキリスト教美術でも重要な役割を演じる場合がある．特に有名な作品としては，システィナ礼拝堂の天井に描かれたミケランジェロの絵画がある．巫女像に関しては，エリュトレイアの巫女に長寿の贈り物をしたアポロの物語を受けて，魔女のような老女姿で描かれることもあれば，様々な東洋の衣装を身に

まとう魅力的な乙女姿で描かれることもある．持物としては，手に巻き物あるいは本を持つ．中世後期になると，場合に応じて巫女に個々の持物を持たせることが美術上の伝統となった．その持物は，特定の巫女が予言した特定のイエスの生涯の場面に言及するものである．したがって，手（hand*）はティブルの巫女，受胎告知のユリ（lily*）はエリュトレイアの巫女の持物となる．

美術における典型的な巫女像は，イアン・プロヴォストが天の元后，聖母マリアを描いた絵画（ロシア，サンクト・ペテルブルグ，エルミタージュ美術館）に登場する３人の巫女である．前景に位置するペルシャの巫女は，GREMIUM VIRGINIS ERIT SALUS GENCIUM（『聖母の胎は人類の救済となるであろう』）という予言の言葉を記した巻き物を指差す．残りの２人の巫女は，ひざまずく２人の人物，ローマ皇帝アウグストゥ

スとダビデ王の背後に立つ．ティブルの巫女（アルブニアの巫女としても知られている）は特にアウグストゥスと深い関係があり，皇帝にイエスの降臨を明かしたといわれている．巫女の集団，あるいは集団の一部が多くの美術作品に登場する．この作例としては，シエナ大聖堂の大理石をはめ込まれた床装飾，南フランス，オーシュ大聖堂のステンドグラスなどがあげられよう．

sickle 鎌

種々の農耕聖人のエンブレム．ただし，これらの聖人崇拝は一定の地域に限定される場合がある．スペインでは，聖イシドルス（Isidore, St, 1070 年頃-1130 年）のエンブレムである．イシドルスはマドリッドの守護聖人であったが，一生涯農夫として働いた．バイエルンとオーストリア西部で鎌を持つ聖女というと，聖ノトブルガ（Notburga, St*）の可能性が高い．エジ

プトへの逃避（Flight into Egypt*）を扱ったヨーロッパ北部の作品には，鎌で穀物を刈る人々がよく登場する．⇨scythe.

Silvester, St　聖シルヴェステル

⇨Sylvester, St.

Simon, St　聖シモン

（1世紀）

使徒で殉教者．シモン・ペトロ（Peter, St*）と区別するために，福音書では「熱心党のシモン」と呼ばれる（『マタイ福音書』10, 4；『マルコ福音書』3, 18；『ルカ福音書』6, 15）．『欽定訳聖書』で「カナン人のシモン」となっているのは，アラム語の言葉を誤訳したためである．さて熱心党のシモンという名称からは，かつてユダヤ教の急進派，ゼロテ派の一員として活動していたことが推測される．あるいは単に「激しい情熱」の持ち主というほどの意味にすぎないかもしれない．

五旬節にエルサレムに集まった弟子たちの中には含まれていたが，その後のシモンの足取りについて明確なことは何も分かっていない．聖ユダ（Jude, St*）と合流するまで，エジプトで宣教活動に従事していたのかもしれない．伝説や教会暦でも，シモンとユダは密接な関係にあり，2人ともペルシャで殉教したといわれている．東方でのシモンの祭日は5月10日である．エンブレムは，鋸（saw*），偃月刀（falchion*）あるいは十字架である．典拠

聖シモン
（左＝西方，右＝東方）

とする殉教物語により持物も
変わる.

Sitha, St 聖ジタ
⇨Zita, St.

skeleton 骸骨
擬人化された〈死〉，ある
いは普遍的な死のシンボル.
〈死〉が戴冠した髑髏の姿で
人々を導く踊りは，中世と
ルネッサンス初期に好まれ
た「死 の 舞 踏」（Dance of
Death*）という主題である.
中世後期の高位の人々の墓に
立つ彫像の下に髑髏が置かれ
るのは，人間の誇りと輝きが
必ず終焉を迎えることへの警
告で あ る. ⇨Three Living
and Three Dead.

skin 皮
聖 バ ル ト ロ マ イ（Bar-
tholomew, St*）の持物. 生皮
を剥がれたナイフと自分の生
皮を持つことがある. 洗礼者
のヨハネ（John the Baptist,
St*）の着用する毛衣につい
ては，⇨camel.

皮

skull されこうべ
東方の磔刑（Crucifixion*）
イコンでは，されこうべとそ
の他の骨がイエスの十字架の
もとに描かれることが非常に
多い. この美術上のしきたり
は，東方ほど系統的でなく様
式化もなされていないが，西
欧の中世美術でも作例を見る
ことはできる. 新約聖書で
は，ゴルゴタの丘が「されこ
うべの場所」と説明されてい
るので（『マタイ福音書』27,
33），磔刑場でのされこうべ

の配置はこの聖書の解釈と一致する.

アダム (Adam and Eve*) の墓はヘブロンにあるとするユダヤ教の伝統とは相反するが, 少なくとも3世紀頃には, ゴルゴタの丘にアダムが埋葬されたという伝説が発達した. したがって, 磔刑場のされこうべはアダムのものと解釈された. 第2のアダムであるキリストが, 第1のアダムの死の証しが残るまさにこの場所で, アダムの子孫の救済をもたらすというわけである.

中世以降から, されこうべは「汝, 死を覚悟せよ」(memento mori, メメント・モリ) を想起させるものとして頻繁に用いられた. また, 聖ヒエロニュムスや聖フランチェスコのように, 宗教的生活の追求のために世間から隠遁した聖人, あるいは世間を拒絶した聖人にとって, されこうべは格好の瞑想の対象となった. されこうべを持ち, 白衣をまとう老修道士は, イタリアのベネディクト修道会の改革者, 禁欲的なカマルドリ会創立者, 聖ロムアルドゥス (Romuald, St*, 950年頃-1027年) である.

Sloth (or Accidie)　怠惰

七つの大罪 (Seven Deadly Sins*) の1つ.

snake　ヘビ

エデンの園でエバを誘惑し, 人間の堕落 (Fall of Man*) を引き起こそうと悪魔が変身した動物. 神によって呪われたヘビは (『創世記』3, 14), 悪の一般的なシンボルとなった (⇨dragon). 頻繁に描かれる福音書記者ヨハネ (John the Evangelist, St*) の持物としては, 身をくねらせた小さなヘビ, あるいは竜が外に這い出しそうな杯 (cup*) がある. 聖パトリキウス (Patrick, St*) はヘビを足で踏みつけることがある.

以上のような否定的な連想を除けば, 肯定的な意味を持つヘビもある. たとえば, 十

字架の周囲に巻きつくヘビは，キリストと同一視されることがある．この同一視の思想は，つぎの『民数記』のエピソードに由来する．荒れ野をさ迷ったとき，イスラエルの民は口々に不平をもらした．それに対する処罰として，彼らは毒ヘビの呪いに苦しめられ，ヘビに噛まれて多くの死者がでた．モーセ（Moses*）は，神の指示に従って青銅で炎のヘビを造り，旗竿の先に掲げた．ヘビにかまれた者がそれを見ると命が得られ，傷がいやされた（21, 4-9）．命を与えるモーセのヘビとキリストとの関連については，キリスト自身が「モーセが荒れ野で蛇を上げたように，人の子も上げられねばならない」（『ヨハネ福音書』3, 14）と述べている．これ以外に，モーセが杖をヘビに変えた出来事については，⇨rod.

ヘビはまた〈賢明〉の持物でもあり（⇨Four Cardinal Virtues），旅立つ弟子たちに

メムリンク，福音書記者聖ヨハネ，15世紀，ロンドン，ナショナル・ギャラリー

イエスが与えた訓戒，「蛇のように賢く」（『マタイ福音書』10, 16）を想起させる．

soldier 兵士

初期キリスト教時代では，かなりの数の殉教者がローマ軍兵士で，皇帝や異教の神々にいけにえを捧げるのを拒否したため死刑に処された．武器を持ち，ローマ兵士あるいはビザンティン兵士の鎧（armour*）をまとう殉教者としては，聖ハドリアヌス（Adrian, St*），聖デメトリオス（Demetrius, St*），聖ゲオルギウス（George, St*），聖ゲレオン（Gereon, St*），聖マウリキウス（Maurice, St*），聖テオドロス（Theodore, St*）などがあげられよう．その後，特に西欧では上述した聖人の鎧が，画家と同時代の鎧に描き変えられ，中世の騎士の格好をした聖人像が描かれるようになる．前述した聖人たちは鎧をまとうのが一般的だが，例外として聖障（イコノ スタシス）を飾る天上の聖人像がある．たとえば東方教会の戦士聖人は，戦う教会（チャーチ・ミリタント）の鎧を脱ぎ捨て，チュニカ，外套，あるいは一般市民の衣装にまとう．

鎧を着た聖ジャンヌ・ダルク（Joan of Arc, St*）の影像は，フランス全土で親しまれている．ジャンヌ・ダルク以外でも，特定の地域と深い繋がりを持つ戦士聖人がいる．たとえば聖ゲレオン像はケルン近郊だけに見られる．聖デメトリオス像は東方正教会の国々ならどこでも見られるが，西欧ではほとんど知られていない．⇨centurion.

Sorrows of the Virgin 聖母の御悲しみ

聖母の御喜び（Joys of the Virgin*）に対応するものとして，ローマ・カトリック教会が記念する聖母マリアの生涯での悲しむべき出来事．その悲しみとは，シメオンの預言（⇨Presentation in the Temple），エジプトへの逃避（Flight into Egypt*），迷子のキリスト（イエスが12歳の少年だったとき，神殿の学者たちと議論するために，両親のもとに帰らずエルサレムに残ったこ

と，『ルカ福音書』2，41-51)，十字架を担うキリスト（十字架をカルヴァリの丘に運ぶイエスと聖母との出会い．⇨Stations of the Cross)，磔刑（聖母が十字架の下でイエスの磔刑に臨んだこと），十字架降下（イエスの体を十字架から降ろすこと．⇨Deposition)，イエスの埋葬（⇨Entombment)である．

礼拝のための美術では，同場面を描いた小さな絵画が，悲嘆に暮れる聖母像の周囲に配置されることがある．これとは別に反宗教改革下のイタリアやスペインの画家たちが好んだ美術様式は，聖母の胸に7本の剣を突き刺して象徴的に悲しみを表現する手法である．これは「あなた自身も剣で心が刺し貫かれます」（『ルカ福音書』2，35）というシメオンの言葉を想起させる．

souls　霊魂

地下墓地（カタコンベ）に代表されるような初期キリスト教美術では，霊魂がうら若い乙女の姿で描かれる．その場合，祈りを捧げる乙女像が一般的である．中世では，死者の霊魂を子供や小型の人間の姿で描くのが美術上のしきたりであった．当時の芸術家に好まれた描写手法は，死者の口から離脱する幼子姿の霊魂を天使に受け取らせることによって死の瞬間を表現することであった．たとえばイングランドの雪花石膏（アラバスター）パネルには，アレクサンドリアの哲学者たちの火刑の場面が描かれている．彼らは聖カタリナ（Catherine of Alexandria, St*）によってキリスト教に改宗した人々である．そのパネル画には，燃えさかる炎の上で小さな霊魂を集める天使の姿が描かれているが，それは絵画の鑑賞者に哲学者たちの霊魂救済を確信させる．イエスとともに磔刑に処された強盗のような悪人の場合は，悪魔がその霊魂を受け取ることになる．⇨dove.

聖母の御眠り（Dormition*）は，幼子イエスと共に

ある聖母子像のような通常の母子関係を巧みに逆転させる機会を提供した題材でもあった。その場合、聖母の霊魂は幼子の姿で表現され、それを母のように腕に抱いてあやすイエスが描かれる。このような聖母子像は、生神女（とうきょうじ）就寝を題材にした東方正教会の美術作品で頻繁に見られる。

さらに伝統的な、霊魂の登場する場面としては、天上の存在との関連で小型の霊魂を描いた作例がある。たとえば、父なる神を題材とする作品の中には、神の膝の上に集合する小さな霊魂を描いたものがある。その他の図像では、頭部と肩のみの人間の形をした霊魂が、天使の持つ布の中に集められる。中世の絵画や彫刻では、周囲に群がる小さな霊魂を外套で包み込む聖母マリア像の作例がある。この聖母像は、マドンナ・デッラ・ミゼリコルディア（Madonna della Misericordia「慈愛の聖母」）という名称で知ら

れている。乙女たちを従える聖ウルスラ（Ursula, St*）も、聖母と同じように描写されることがある。

中世でとても人気を博した教会壁画は、最後の審判（Last Judgement*）の図で、死者の霊魂を秤にかける大天使ミカエル（Michael, St*）が描かれる。

spade　鋤

庭師と隠修士の聖フィアクル（Fiacre, St*）のエンブレム。

spear　槍

受難具（Instruments of the Passion*）の1つ。『ヨハネ福音書』には「しかし、兵士の1人が槍でイエスの脇腹を刺した。すると、すぐ血と水が流れ出た」（19, 34）とある。一連の受難具の中では、槍あるいは長槍と、イエスの血と水を集めた杯あるいは聖杯とが結びつくことがある。キリストの脇腹を突き刺した兵士は、後にロンギヌス

（Longinus*）と名づけられた.

十二使徒の中では，殉教の物語との関連で聖マタイ（Matthew, St*）と聖トマス（Thomas, St*）が槍を持つことがある.

spectacles 眼鏡

聖マタイ（Matthew, St*）が眼鏡をかけることがある.

spider クモ

聖杯の中から姿を現わすクモは，聖ノルベルトゥス（Norbert, St*）のエンブレム.

staff 杖

多くの聖人の二次的な持物で，旅をする宣教師や巡礼者の身分を示すもの，もしくは教会の権威者のしるし（⇨crozier, sceptre）. 大天使ラファエル（Raphael*）や，6世紀の宣教修道士，ドルの聖サムソン（Samson, St*）のような福音伝道師の持つ杖には，両方の意味合いがある. エジプトの聖アントニオス（Antony of Egypt, St*）の杖は，特徴的なT型十字架である.

巡礼者が用いる丈夫な杖は，大ヤコブ（James the Great, St*），聖ロクス（Roch, St*），聖ジョス（Josse, St*），聖ボナ（Bona, St*）のような，巡礼者姿の聖人の持物となる場合が多い. 聖クリストフォロス（Christopher, St*）も，重い御子のイエスを背負って浅瀬を渡る際，体を支えるために同種の杖を用いた.

聖クリストフォロスが地面に立てた杖が芽吹く場面を描いた作品もある. 奇跡的に花を咲かせたり芽吹いたりする杖の物語には長い伝統があり，古くは旧約聖書のアロン（Aaron*）とモーセ（Moses*）の物語から始まり，聖ヨセフ（Joseph, St*）の聖母マリアへの求婚の物語を含めた外典福音書においても継承された. アリマタヤの聖ヨセフ（Joseph of Arimathea, St*）と聖アルドヘルム（Aldhelm, St*）にも，花が咲いた杖，あるいは蕾をつけた杖の物語がある.

中世のキリスト教美術では、シナゴーグあるいはユダヤ教を擬人化した図像として、折れた杖を持ち、目隠しをする女性が頻繁に描かれた。この図像は、彼女が依存する権威の失墜を意味する。

stag 雄ジカ

角の間に十字架があれば、聖エウスタキウス（Eustace, St*）と聖フベルトゥス（Hubert, St*）のエンブレムである。両者の物語はともに、狩りに出た聖人が、雄ジカの角の間に十字架のキリストの幻を見てキリスト教に改宗した様子を伝えている。エウスタキウス以外の猟師の聖人、たとえば聖フベルトゥスや、コーンウォールの聖グウィネア（Gwinear, St）が雄ジカと一緒に描かれるのは、エウスタキウスと混同されたことに原因があるのかもしれない。イタリア美術で雄ジカの幻視を題材にした作品といえば、エウスタキウスに関係する可能性がもっとも高い。しかしフ

ランスやヨーロッパ北部の美術では、おそらくフベルトゥスを主題にしたものであろう。

雄ジカは、6世紀のコーンウォールの修道院長、聖ペトロク（Petroc, St）のエンブレムでもある。ペトロクも猟師の追手から雄ジカを守ったという。また雄ジカが看護者聖ユリアヌス（Julian the Hospitaller, St*）に付き添うこともある。水を飲むシカのモチーフについては、⇨deer.

star 星

キリストの降誕に先立つしるし。東方で見た星が先立って進み、東方の三博士（Three Magi*）を東方からベツレヘムまで導いた（『マタイ福音書』2, 1-10）。初期キリスト教美術では、星に8つの角があるが、8という数字は完全と復活を連想させる。

天の元后、聖母マリアは、星の王冠（crown*）をかぶることがある。星が1つの場合は、ステラ・マリス（*Stella Maris*, ラテン語で「海の星」）

という聖母の称号を暗示する．聖ドミニクス（Dominic, St*）の頭上にも星が輝くことがある．トレンティーノの聖ニコラウス（Nicholas of Tolentino, St*）は胸に星をつける．12の星は十二使徒（Twelve Apostles*）を意味することがある．

Stations of the Cross 十字架の道行き

イエスがカルヴァリの丘まで歩む行程，死，埋葬にいたる一連の段階を表現した絵画や彫刻の場面．ごく初期からエルサレムの巡礼者たちは，「ピラトの家」からカルヴァリの丘まで続く「悲しみの道」（Via Dolorosa, ヴィア・ドロローサ）を歩いた．ローマ・カトリック系の教会では，この道行きに従って描かれた伝統的な場面が教会内部に飾られているので，祈りと瞑想をする信者は，並べられた場面を順に辿ってゆくことができる．この信心業は特に聖フランチェスコによって奨励されたため，

中世後期に大いに発達した．

場面の数は現在14留（りゅう）となっている．第1留，イエスが死刑の宣告を受ける，第2留，イエスが十字架を担う，第3留，はじめて倒れる，第4留，聖母マリアと会う，第5留，十字架をシモンという名のキレネ人に担がせる，第6留，ウェロニカ（Veronica, St*）がイエスの顔を拭う，第7留，2回目に倒れる，第8留，エルサレムの婦人たちと会う，第9留，3回目に倒れる，第10留，衣服を剥ぎ取られる，第11留，十字架に釘付けにされる，第12留，イエスの死，第13留，十字架降下（Deposition*），第14留，埋葬（Entombment*）である．

Stella Maris 海の星（ステラ・マリス）
⇨star.

Stephen, St 聖ステファノ（ステパノ）（35年頃没）

助祭で殉教者．エルサレム初のキリスト教団内で，人々

レンブラント，聖ステファノの石打ち，17世紀，フランス，リヨン美術館

の世話をする仕事の監督者として任命された7人のうちの1人（『使徒言行録』6, 1-8）。ユダヤ人から神を冒瀆したと非難されたので，自己の立場を弁護する説教を行ったが，これに激怒したユダヤ人によって都の外に引きずり出され，投石で殺害された（『使徒言行録』7, 2-53）。

4世紀から，あるいはそれ以前から，最初のキリスト教殉教者として全教会で崇敬された．西欧での祝日はクリスマスの翌日，東方の祭日は12月27日である．415年，ルキアノス（Lucian）という名のキリスト教司祭は，ステファノの埋葬場所を知らせる幻視を体験した．その結果，発見されたステファノの聖遺物は，最初コンスタンティノープルへ，その後ローマへ遷移された．ローマでは，もう

1人の殉教助祭，聖ラウレンティウス（Laurence, St*）の傍らに埋葬された．ステファノの聖遺物が発見された瞬間から奇跡が起こったと報告されている．たとえば，ヒッポの聖アウグスティヌスによれば，約70人の病人がいやされたという．その結果，聖遺物はばらばらに分散されたが，それに伴って聖ステファノ崇拝も広がりを見せた．ステファノの聖遺物は，トゥールーズ，サンス，ブールジュの同聖人名を冠したフランスの大聖堂に安置された．イングランドで同聖人の聖遺物を所有すると名乗りを上げた団体としては，イートン・コレッジがある（1425年の財産資産目録）．46の教会が同聖人名を冠している．

中世・ルネッサンス美術では，助祭（deacon*）の式服をまとった若者姿で描かれ，殉教のシュロの葉，または石を載せた本を持つことがある．頭や肩に石をくっつけて描く芸術家もいる．後者の美術上のしきたりは，頭痛をいやすときのステファノの加護祈願と関連があるのかもしれない．

stigmata　聖痕

キリストの両手，両足，脇腹に残る5つの傷痕．キリストの肉体的苦痛を深く瞑想する聖人の体に現われることもある．最初に聖痕を示した，もっとも有名な聖人は，聖フランチェスコ（Francis of Assisi, St*）である．フランチェスコがまさに聖痕を受ける瞬間を描いた作品もある．その作品では，実際の十字架のキリスト，あるいは幻となって出現した磔刑のキリストの聖痕からまばゆい光線が放出され，同聖人の両足，両手，脇腹を突き刺す情景が描かれる．

もう1人の聖痕を受けたイタリアの聖人は，シエナの聖カタリナ（Catherine of Siena, St*）である．ベッカフーミの絵画「聖痕を受けるシエナの聖カタリナの祭壇画」（シエナ国立美術館）では，十字

架の前でひざまずき，聖痕を
受けるカタリナの姿が描かれ
る．その他の芸術家は，両手
に聖痕を受けたカタリナを描
くだけである．

stole　頸垂帯（ストラ）

彩色されたシルクの長細い
布帯で，西欧の教会では司祭
と助祭が着用する．中央と両
端に十字架の刺繍が施される
ことがある．聖体以外の礼拝
では，司祭がストラを首にか
けて両端を前に垂らす．聖体
の儀式の場合は，両端を胸前
で交差させ，腰のところでき
ちんと結ぶ．助祭がストラを
着用する際は，左肩のみにか
け，両端を右腕の下で結ぶ．

ストラを手に持つ天使が，
聖フベルトゥス（Huber, St*）
の改心を描いた絵画に登場す
ることがある．それは，聖母
マリアがフベルトゥスの叙階
を認可するしるしにストラを
授けたという伝説に由来する．

stone(s)　石

聖ステファノ（Stephen,

石

St*）のエンブレム．砂漠で
ひざまずき，手に持った石で
自分の胸を打つ聖ヒエロニュ
ムス（Jerome, St*）が描かれ
ることがある．

stream　流れ

⇨river.

Suffering Servant　苦難の僕（しもべ）

⇨Man of Sorrows.

sun　太陽

「わが名を畏れ敬うあなた
には義の太陽が昇る．その翼

にはいやす力がある」(『マラキ書』3, 20)という旧約聖書の預言者マラキの言葉にもとづき, 初期キリスト教時代からキリスト自身が太陽と同一視された. 当時はミトラのような太陽神崇拝が盛んだったことから, 上述のキリスト像が異教神像と混同される危険性があった. 実際のところ, ローマの聖ペトロのバシリカ聖堂地下にあるユリウス家の霊廟には, キリストが異教の太陽神ヘリオスとして戦車を走らせる場面を描いたモザイクがある(おそらく4世紀初期).

胸の太陽は聖トマス・アクィナス(Thomas Aquinas, St*)のエンブレムである. 新約聖書に「一人の女が身に太陽をまとい, 月を足の下にし」(『黙示録』12, 1)とある「女」は, 聖母マリアと解釈される. ここから, 星空を背景にし, 三日月の上に立ち, 光を放つ聖母マリア像が描かれる場合がある.

古代の後半から15世紀に至るまで, 十字架の右左上部にそれぞれ小さな太陽と月を配置した磔刑図が描かれた. その場合, 赤色か青色の円盤内には顔が描かれることもあるし, さらに擬人化された太陽と月の人物像が描かれることもある. これに関しては, 種々の解釈がなされている. たとえば, キリストに備わる二重の本質, すなわち太陽が神性を, 月が人性を表わすとする説, あるいは旧約・新約の2つの聖書を表わすとする説がある. 後者の場合, 月を表わす旧約は, 太陽という新約の光を反射して初めて輝きを放つものと解釈される.

sundial　日時計

旧約聖書に登場する国王ヒゼキアの特徴的な持物. ヒゼキアは, 主が自分の病気をいやすしるしとして, アハズの日時計に落ちた影を10度あと戻りさせるよう頼んだ(『列王記』20, 8-11). カンタベリー大聖堂を飾る13世紀初期のステンドグラス・パネ

ルには, ヒゼキアと日時計
が, 旧約聖書におけるキリス
トの昇天 (Ascension*) の予
型として描かれている. その
際, キリストは「その翼にい
やす力」を宿す日の出の太陽
(sun*) と考えられる.

swan　ハクチョウ

美しさと純潔を意味する羽
毛の白さから, 聖母マリアを
連想させる. リンカンの司
教, 聖ヒュー (Hugh of Lin-
coln, St*) のエンブレムでも
ある.

swastika (or gammadion) まんじ, 卍 (ガマディオン)

地下墓地 (カタコンベ) の美術で
は, キリストの力を表現する
謎めいたシンボル. ギリシア
語のアルファベットの第3番
目の文字ガンマ (Γ) を4つ
用い, その根元を合わせて作
ったシンボル. 後にキリスト
を中心とする4人の福音書記
者 (Four Evangelists*) と解
釈された.

Swithun, St (Swithin)　聖スウィジン (スウィザン) (862年没)

ウィンチェスターの司教
(852年-862年). 1600年にベ
ン・ジョンソンが取り上げた
出典不明のイングランドの伝
説によれば, 7月15日のス
ウィジンの祝日の天気が, 雨
天であれ晴天であれ, 祝日以
降40日間は続くといわれて
いる. イングランドでは, 58
の教会が単独あるいは他の聖
人との合同で同聖人名を冠す
る.

sword　剣

ローマの死刑執行人が用い
た武器で, 初期キリスト教時
代の殉教者を数多く殺害した
道具. 使徒の中では, 必ずと
いってよいほど聖パウロ
(Paul, St*) が剣と本, あるい
はそのどちらか一方を持つ.
また大ヤコブ (James the
Great, St*) と聖マタイ (Mat-
thew, St*) のエンブレムとな
ることもある. 剣で刺殺され
た初期の聖女も, それぞれ独

自のエンブレムに加えて，剣を持物とする場合がある．たとえば，聖アグネス（Agnes, St*），聖フィデス（Faith, St*）パドヴァの聖ユスティナ（Justina, St*），聖バルバラ（Barbara, St*），アレクサンドリアの聖カタリナ（Catherine of Alexandria, St*）などである．ユスティナに関しては，イタリアの画家ヤコポ・バサーノが，胸に剣が突き刺さったままのユスティナ像を描いている．

その後に剣で殺害された聖人としては，剣とユリを持つ英国国王クライドッグ（Clydog）と，義理の兄弟から不義の疑いをかけられ殺害された童貞聖女ジュスワラ（Juthwara）をあげることができよう．1人あるいは複数の武装した男たちが剣で司祭を攻撃する作品が教会に飾られていれば，おそらく聖トマス・ベケット（Thomas Becket, St*）の殉教を描いたものだろう．

剣はまた，大天使ミカエル（Michael, St*）とすべての戦士聖人の特徴的な武器でもある．最後の審判（Last Judgement*）を描いた図では，新約聖書の「口からは鋭い両刃の剣が出て」（『黙示録』1, 16）を出典として，栄光のキリストの口から出る剣が描かれることもある．剣と聖母マリアに関しては，⇨Sorrows of the Virgin; dagger.

Sylvester, St　聖シルヴェステル

（335年没，教皇313年-335年）

キリスト教がローマ帝国によって公認された直後に教皇に選ばれ，ローマに数多くの教会を建立した．史実ではないが，コンスタンティヌス皇帝に洗礼を施したともいわれている．このような理由から，殉教者ではなかったが，ごく初期から聖人として崇敬された．エンブレムは雄ウシ（bull*）であるが，鎖につながれた竜の場合もある．

T

tablets（of stone）石板

モーセ（Moses*）のエンブレム.

石板

taxiarchs　天軍の隊長たち
（タクシアルクス）

⇨archangels.

Temptation in the Wilderness　荒れ野での誘惑

イエスは, 洗礼（Baptism of Christ*）を受けた後, 自らに課せられた使命を全うする準備を整えるため, 砂漠に40日間1人で引きこもり, 断食を行いながら祈りを捧げた. 教会暦ではこの期間を四旬節の断食として記念する.

　2つの福音書,『マタイ福音書』（4, 1-11）と『ルカ福音書』（4, 1-13）の物語はともに, サタンがイエスを3つの方法で誘惑した点で一致する. しかし『マルコ福音書』（1, 12-13）では簡単な説明がなされているにすぎない. その誘惑とは, まず石をパンに変えること（第1の誘惑）, あるいは神殿の屋根の端から飛び降りても無傷であること（第2の誘惑）を世間に示し, 自分が神の子であることを証明すること. この世のすべての国々に対する支配力と引き換えに, サタンを崇拝すること（第3の誘惑）である. イエスが3つの誘惑をすべて退けたとき, サタンは逃げ去り, 天使が現われてイエスに仕えた.

キリストの誘惑，15世紀，『人類救済の書』，シャンティイ，コンデ美術館

　荒れ野での誘惑が美術の主
題として確立するのは，9世
紀以降になってからにすぎな
い．さらにそれが発達した形
態としては，ヴェネツィアの
サン・マルコ大聖堂を飾る

12世紀初期のモザイクと，
イスタンブールのコーラ修道
院聖堂（カーリエ・ジャミイ
修道院聖堂）を飾る14世紀初
期のモザイクをあげることが
できよう．石をパンに変える

誘惑は，もっとも頻繁に描かれる主題の1つである．イエスに仕える天使も，別個のテーマとして頻繁に描かれる．中世後期の作品では，サタンが托鉢修道士の格好で登場することが多い．

Ten Martyrs of Crete　クレタ島の十殉教者

3世紀中頃，ローマ皇帝デキウスによるキリスト教徒迫害の時代に，クレタ島で処刑された10人の聖人．ギリシアとロシア両教会の教会暦では，10人の聖人の祭日を12月23日と定める．イコンでも様々な年齢の聖人が一同に描かれる．フルナのディオニュシオスの『画家の手引き』によると，8人の若者と2人の老人によって構成される．

Teresa, St　聖テレサ

⇨Theresa of Avila, St; Theresa of Lisieux, St.

Thaddeus, St　聖タダイ

⇨Jude, St.

Thecla, St　聖テクラ

(1世紀)

聖パウロ（Paul, St*）の弟子．テクラに関する物語は，信憑性の乏しい『パウロとテクラの行伝』に述べられている．すでに3世紀には聖書外典に属した行伝ではあったが，大変な人気を博した．テクラはイコニウム（現在のトルコ中心部のコニア）でパウロの説教を聞き，キリスト教に改宗した．火刑に処されたり，野生動物の餌食にされたが，どのような殺害の試みにも耐え抜いた．その後は洞窟で隠遁生活を送り，いやしの奇跡を起こした．最後は，数人の男たちに襲撃されそうになり，岩の中へ姿を消したという．テクラ像は，艱難を経験したことから殉教者のシュロを持っていることもあるし，野生動物を従えていることもある．

Theodore, St　聖テオドロス

(4世紀初期)

殉教者. 確かなことはほとんど分かっていない. 伝説によれば, 兵士であったテオドロスは, 異教の神殿を焼き払ったため, 拷問にかけられた後, 火刑に処されたという. 聖テオドロス崇拝は, 小アジア北東部のエウカイタから西欧へと広まった. エウカイタはテオドロポリスという名でも知られている.

テオドロスという同名の兵士が2人いたため, 一層ひどい混同が起こった. 1人は新兵 (ギリシア語で「テロン」 *teron*) であり, もう1人は指揮官 (ギリシア語で「ストラテラトス」 *stratelates*) である. 両者とも「偉大なる殉教者」といわれている. 2人の伝記と聖人崇拝を構成する要素は, 聖テオドロス・聖ストラテラトス崇拝が起こった頃から, すなわち9世紀から10世紀にかけて極めて複雑に絡まりあった. 聖テオドロス・テロン崇拝は, ストラテラトスよりも時代が古い. 両者とも槍で竜 (dragon*) あるいはワニを退治したといわれている. もっとも有名な竜退治のテオドロス像は, ヴェネツィア, ピアッツェッタの円柱上の立像である. 聖マルコに取って代わられるまで, テオドロスはヴェネツィアの守護聖人であった.

テオドロスの聖遺物は, ヴェネツィアだけでなく, 北フランスのシャルトルでも崇拝されていた. 西欧では, 11月9日の祝日だけは残っているものの, 聖テオドロス崇拝は聖ゲオルギウス崇拝が盛んになるにつれ人気が衰えていった. 東方正教会は, 2人のテオドロスを別人と認めており, 2月に10日の間をおいて両者の祭日を定め, 栄誉ある戦士聖人の地位を与えた.

正教会美術では, 両テオドロス像とも, ビザンティンの兵士, あるいはローマ兵士の鎧を着用するのが一般的である. 18世紀のフルナのディオニュシオスは『画家の手引き』で両者の相違を明確に指摘したが, 実際の美術作品で

は，衣装や肉体的な相違はそれほどはっきりと示されていないようである．両者とも髭は，先が尖っているか，二股に分かれている．通常，指揮官の髪と髭のほうが赤みがかった色で，顎髭もほとんど巻き毛のようにくせが強い．両者ともウマに乗る．ギリシア北部カストリアのアギイ・アタナシオス・トゥ・ムザキ聖堂を飾る14世紀後期のフレスコ画のように，両者が並列して，あるいは対になって登場する場合が多い．同フレスコ画では，剣と盾は地面に置かれ，両手を上げながら頭上の小さなキリスト像を仰ぐ両聖人が登場する．また殉教者への報酬として，両手で王冠を差し出すキリストの姿も描かれている．

Theotokos　神母

（テオトコス，ギリシア語で文字どおり「神を生み給う」）

　神の母，聖母マリア．初期キリスト教時代にキリストの本性に関する議論が巻き起こ

テオトコス

ると，聖母はキリストが人間であるという限りにおいてキリストの母なのか，それとも神性と人性の両方を持つキリストの母なのかという問題が必然的に提起されるようになった．最後には後者の観点が主流を占めるようになり，431年のエフェソス公会議で正式に承認された．これにより東方正教会での聖母マリア崇敬が定着した．イコンやモザイクでは，聖母が「テオトコス」あるいは「神母」という名称で呼ばれることが多い（ギリシア語の「神母」［*meter theou*］は，ふつうMP ΘYという略語で表わされる）．同称号はロマネスク様式の作品にも用いられることがある．

Theresa of Avila, St　アビラの聖テレサ

（1515年-1582年）

スペインの修道女で神秘思想家. 改革 (跣足) カルメル会の創始者. 20歳のとき, アビラのカルメル会の修道女となる. 健康がすぐれず, 失意と落胆の連続であったにもかかわらず, 祈りと瞑想を通して霊的な成熟をあくことなく追求し, 最後は神秘的な体験に到達した. フランシスコ会の禁欲的な修道士, アルカンタラの聖ペトルス (Peter of Alcantara, St, 1499年-1562年) の助言は, テレサにとって非常に重要な意味を持った. ペトルスはその後も長生きしたので, テレサ自身の手による聖ヨセフの女子修道会 (サン・ホセ修道院) の開設を見ることができた. この修道会は, 改革したカルメル会の規則に基づいて設立されたものである. 後にテレサは, 同修道院と同様の厳格で簡素な指針に従い16もの修道院を創設した. テレサの自伝と著書は, キリスト者の霊的生活を描いた古典となった. 1622年に列聖され, 1970年に教会博士 (Doctor of the Church) となった.

美術での聖テレサは, 炎の矢 (arrow*) あるいは頭上に舞うハト (dove*) を持つ修道女姿で描かれる.

Theresa of Lisieux, St　リジューの聖テレーズ

(1873年-1897年)

フランスの修道女. 1888年, フランス, ノルマンディー, リジューでカルメル会に入り, 同地で肺炎を患い死去. 自叙伝の『ある魂の物語』(*Histoire d'une âme*) には, 表面的には平穏無事と見える生涯が語られている. しかし, 平凡な仕事を謙虚で誠実な精神でこなし, 艱難に対しては堅忍の心で立ち向かう聖女の物語は, すぐに好評を博し国際的に愛読された. また他の人々のために捧げた祈りが奇跡を起こすとして, 1925年に列聖され, 1929年にはリジューのバシリカ大聖堂が巡礼聖堂となった.

芸術家たちは, カルメル会

の修道服をまとい，バラを手に持つテレーズ像を描いた．バラに関しては，テレーズ自身が奇跡を「たくさんのバラ」にたとえたからである．

Thomas, St　聖トマス
（1世紀）

使徒で殉教者．「疑いを抱くトマス」と呼ばれることがある．ヨハネは，トマスの個人的な行動や言動を記録した唯一の福音書記者である．その中には，復活後のイエスを見たという使徒たちの言葉を信じないトマスの前に，数日後再びイエスが姿を現わし，

聖トマス

トマスに自らの手と脇腹の聖痕に触れよと語った，有名なエピソードも含まれている（『ヨハネ福音書』20, 24-29）．

五旬節以後のトマスの行動については，明確なことは何も分かっていない．しかしトマスの名は，主に外典のイエスの言葉を集めたグノーシス的文書，イエスの奇跡的な幼少物語を収めた『トマス福音書』，そして俗にいう『トマス行伝』に残っている．後者の2つは多くの言語に翻訳された．『トマス行伝』は，トマスが福音伝道のためにインドを訪れ，遂に同地で殉教したことを伝える伝説の原本である．

不信のトマスを描いた，9世紀以降の作例では，他の使徒が見守る中，手を伸ばしてイエスの脇腹の聖痕に触れようとするトマスの姿が描かれる．また登場人物が必要最小限のイエスとトマスだけの作例もある．この作例としては，フィレンツェのオル・サン・ミケーレ聖堂を飾るヴェ

ロッキョの劇的な作品群がある（1467年–1481年頃）.

聖母の御眠り（Dormition*）を題材とした作品の中には, トマスが戸口から入場する姿を描いたものもある.

トマスが使徒の最後の集まりにもっとも遅れたのは, 使徒の中でもっとも長い旅行を余儀なくされたからである. つまり, このために遠路遥々インドから旅をして戻ったわけ

イエスの脇腹の聖痕に触れようとする不信のトマス, 15世紀, キプロス, プラタニスターサの壁画

である．中世後期によく取り
あげられる美術の題材となっ
た有名な伝説としては，トマ
スの疑い深い性格に気づいた
聖母が，天に昇ってゆくと
き，被昇天（Assumption*）
の事実を確信させるために，
身につけていた帯（girdle*）
をトマスに落とす物語がある．

　初期のトマス像には髭がな
いので，使徒の間でも異例で
ある．その後，殉教の兇器の
槍，あるいは長槍を持つこと
もある．もっとはっきりとし
たエンブレムは，建築家が用
いるT字型あるいはL字型
の定規で，これはトマスがイ
ンドの国王のために神殿を建
築したという伝説に由来す
る．この場面を描いた初期の
作例が，バンベルク大聖堂
（12世紀）の東入口にある．
エクセタ大聖堂では，定規と
槍をもったトマス像が西正面
を飾っている（1400年頃）．

Thomas Aquinas, St 聖ト マス・アクィナス
（1225年頃-1274年）

「天使のごとき教師」とし
て知られるイタリアの神学
者・哲学者．1244年，家族
の強い反対を押し切ってドミ
ニコ修道会に入会する．パリ
とケルンで学んだ後，パリで
2回にわたって教鞭を取る．
この1254年〜1259年と1269
年〜1272年の2期間は，ア
クィナスにとって重要な期間
であった．1259年から1269
年までの10年間は修道会の
重要な役職に就いたが，イタ
リアの教皇より数々の命を受
けた．アクィナスの大著，
『対異教徒大全』（Summa con-
tra Gentiles）と『神学大全』
（Summa Theologica）は，当
時の人々の注意をアリストテ
レスの思想に向けさせる上で
すこぶる重要な役割を果たし
た．『神学大全』は未完成な
がら膨大な学問的概論であ
り，中世の大学の基礎図書と
なった．アクィナスは1323
年に列聖され，1567年に教
会博士となった．

　美術では，星のついたドミ
ニコ会の修道服を着用したア

クィナス像が描かれる．学者としての優れた資質を反映し本を持つ場合が多い．立派な体格であったため，パリの同窓生から「唖の雄ウシ」というあだ名をつけられ嘲笑された．しかし，先見の明がある恩師のアルベルトゥス・マグヌスは，近い将来，唖の雄ウシの声が全世界で聞こえることになろうと語った．ここからアクィナスの持物が雄ウシとなる場合がある．

Thomas Becket, St（Thomas of Canterbury）聖トマ ス・ベケット（カンタベリーのトマス）(1118年-1170年)

イングランドの大司教，殉教者．並外れて有能な行政官であったベケットは，教会の仕事を通して社会的な地位を高め，1155年に即位した国王ヘンリー二世によりイングランドの大法官に任命されるまでになった．その役職でもベケットは大成功を収め，国王の信頼のみならず個人的な友情までも手中に収めた．

1162年，ヘンリー二世はベケットにカンタベリーの司教座を与えると確約した．ベ

聖トマス・ベケットの殺害，12世紀，聖トマス・ベケット聖遺物匣，パリ，ルーヴル美術館

ケットはイングランドの教会の長として, かつて世俗的な職務で披瀝したのと変わらぬ情熱をもって霊的な教会の仕事にも熱中した. しかし, 教会の利益のためには妥協を許さないベケットの態度は, すぐにヘンリー二世との決裂を招くことになった. その結果, 国外追放となり6年間フランスに留まった. 1170年12月には両者の間で意見の調整がつきイングランドへの帰国が許されたが, 教会の権威をめぐる争いがすぐに再発し泥沼化していった. 12月29日, ヘンリーに仕える4人の騎士が, カンタベリー大聖堂の祭壇の前でベケットをめった切りにして殺害した.

このショッキングなベケット殺害の知らせは異例の速さで海外にも広がり, ヨーロッパ中の人々を震撼させた. ベケットの死後まもなく, 墓で奇跡が起こったことが報告され, 1173年には列聖された. 「あの暴れ者の司祭を予の前から取り除こうという者は誰もおらぬのか」と憤懣やるかたない叫び声をあげたヘンリー二世が, ベケット殺害を直接指示したと思われたため, 国王は公の場で悔悛の秘跡を行わざるをえなくなった. 1220年, ベケットの聖遺物は大聖堂地下室から聖遺物安置用の聖堂に遷移された. この聖堂はイングランドでも有数の巡礼地となり, 宗教改革で破壊されるまで巨万の富が蓄積された. イングランドだけでも同聖人名を冠した教会が80ほどある. イギリス海峡を渡ったノルマンディーには7つの大聖堂があるが, そのうち4つがベケットの祭壇を所有する.

ベケットの殉教という主題は, すぐにヨーロッパ全土のありとあらゆる美術作品で取り上げられるようになった. たとえば, バルセロナの近く, タラーサのサンタ・マリア教会を飾る1200年頃の壁画, シャルトル大聖堂を飾る1206年頃のステンドグラス, スウェーデン, リュング

シオの石の聖水盤に施された
レリーフ（1190年-1200年），
ノルウェー，ヴァルドレス，
ヘイダルの聖骨箱（1250年
頃），エナメル工芸品，そし
て刺繍などの作例がある．す
でに13世紀には，フランス
中部リモージュの有名なエナ
メル工房で，ベケットの聖骨
箱が少なくとも45個は作ら
れた．カンタベリーへの巡礼
者が持ち帰った土産（⇨am-
pulla）も，スウェーデンとノ
ルウェーで発見されている．
しかし，これらの作品よりも
遥かに一般的なモチーフはベ
ケット殺害の場面であり，鎧
を着た4人（これより少ない
こともある）の男が，聖杯あ
るいは十字架が置かれた祭壇
の前でひざまずくベケットに
襲いかかる場面が描かれてい
る．この場面にもう1人別の
人物が登場することもある．
その人物とは，ベケット殺害
を目撃し，自らも負傷した司
祭エドワード・グリムで，大
司教の十字架とミサ典礼書を
持って描かれることがある．

これ以外で人気を博したベ
ケットの主題としては，船での
イングランド帰国，馬に乗り
カンタベリーへ戻るベケッ
ト，説教をする聖人，ヘンリ
ー二世の悔悛などがある．

ベケットが単独で登場する
ときは，大司教の祭服をまと
うか，司教杖を持つか，ある
いはその両方である．シチリ
アのモンレアーレ大聖堂を飾
る12世紀後期のモザイクに
は，司教の祭服をまとったベ
ケットの全身像が描かれてい
る．また頭蓋骨に剣が突き刺
さったままのベケット像もあ
る（⇨Peter Martyr, St）．ウ
ェルズ大聖堂の西正面（13世
紀）の彫像のように，切り落
とされた頭蓋の上半分を手に
持つ場合もある．

thorns, crown of　茨の冠

⇨crown, Instruments of
the Passion.

Three Children　3人の少年

国王ネブカドネツァルが，
ダニエル（Daniel*）と一緒に

バビロンに連れてきた３人の「ユダの少年たち」で，名をハナンヤ，ミシャエル，アザルヤという（『ダニエル書』1, 6-7）．３人ともバビロンの国で重要な地位を与えられたが，偶像崇拝を拒否したため，土着のカルディア人たちから非難を受けた．『ダニエル書』（3, 8-30）には，３人が燃え盛る炉の中に放り込まれても無事だったことが記されている．『ダニエル書』の外典に属する３童子の歌には，苦難の少年たちが神に捧げた賛歌が含まれている．聖公会祈禱書では，35-66節が「三青年の賛歌，ベネディ イチテ」として収められている．「ああ，神の造られしすべてのものよ，神を賛美せよ」（O all ye works of the Lord, bless ye the Lord.）．

16世紀末期のロシアのイコン画家の手引書には，12月17日の３少年の祭日にふさわしイコンが提示されている．それは，東方美術のユダヤ人像に特徴的なターバン型

小帽子をかぶり，天使に加護されて六角形の炉の中に立つ３人の若者像である．さらにその光景を見守るネブカドネツァルと，炉のアーチの下で高熱にたじろぐカルディア人たちが描かれている．古代後期の美術における３人の若者に関しては，⇨Daniel

Three Holy Hierarchs 三教会大主教

東方教会では，聖ヨアンネス・クリュソストムス（John Chrysostom, St*），聖（大）バシレイオス（Basil the Great, St*），神学者の聖グレゴリオス（Gregory Nazianzus, St*）の３者の集合的名称．イコン画家は３人を一緒に描く場合が多い．３人とも黒と白の祭服で正装した立像である．⇨ Four Greek Doctors.

Three Living and Three Dead 三人の生者と三人の死者

13世紀中頃から，中世の美術と道徳文学に見られる

「汝，死を覚悟せよ（メメント・モリ）」のモチーフ．美術では，3人の国王あるいは貴族（狩りに出ている場合が多い）と3体の恐ろしい骸骨あるいは死骸との遭遇の場面が描かれる．巻き物には，死者が生者に語った言葉，「今のお前たちは，かつての我らの姿，今の我らは，未来のお前たちの姿」（As you are, so once were we; as we are, so must you be.）と書かれている．この言葉は一定しておらず異文もある．同場面は多くのイングランドの教会壁画に描かれただけでなく，世俗的な作品としても残っている．前者の作例としては，オックスフォードシャー，ウィッドフォードのセント・オズワルズ教会を飾る14世紀の壁画，後者の作例としては，ケンブリッジシャー，ロングソーン塔の大広間（1330年頃）がある．フランス，ドイツ，イタリア，および北海沿岸低地帯でも知られている．

Three Magi (or Three Wise Men) 東方の三博士（^{マ ギ}三人の賢者）

キリスト降誕に先立って進み，ベツレヘムの上で止まった星を見た「東方から来た賢者」たちで，キリストを礼拝し，贈り物を捧げた（『マタイ福音書』2, 1-12）．東方の三博士の礼拝はキリスト教美術における最古の普遍的主題の1つである．西欧の教会では，1月6日の公現祭（Ephipany*）で祝われる．

三博士が非ユダヤ人の異教徒として最初にキリストを認めた意義は大きく，これによってキリスト教の伝統における三博士の地位が確固たるものになった．福音書に記された三博士の物語はその後も敷衍されてきた．しかしマタイは，東方の博士が何人いたのかということさえ特定していない．伝統的に人数が3人とされているのは，3世紀の学者オリゲネスが，『マタイ福音書』(2, 11) の3つの贈り物，すなわち黄金，乳香，没

マンテーニャ, 東方三博士の礼拝, 15世紀, フィレンツェ, ウフィツィ美術館

薬（？）の数から引き出した
ものである. オリゲネスより
少し前の時代のテルトゥリア
ヌスは, 三博士を国王という
地位にまで押し上げた. した
がって福音書の物語は,「す
べての王が彼の前にひれ伏
し」と記された『詩編』(72,

11) の「預言」の「成就」と
見なされた. 6世紀になる
と, 三博士にカスペール, メ
ルキオール, バルタザールと
いう名前がつけられるように
なる. 8世紀初頭, ノーサン
ブリアの修道士ビードは,
個々の博士に関するやや詳し

い記録を書き残している．カスペールは，乳香を捧げた，髭のない若者，メルキオールは，黄金を持参した，髭の長い白髪の老人，バルタザールは，髭を生やし，オリーヴ色がかった顔色の壮年男性という具合である．

1164年，ドイツの皇帝，赤髭のフリードリヒ一世（フェデリーコ一世バルバロッサ）は，占領したミラノの町から三博士のものとされる聖遺骨を遷移した．その後，三博士の主聖堂がケルンに置かれ，「ケルンの三王」として西欧のキリスト教世界全土で崇敬された．今世紀に入り，聖遺物の一部はもとのミラノのサンテウストルジョ教会に戻された．ケルンの聖堂にまつわる文字資料，ヨハネス・フォン・ヒルデスハイムによるケルン聖堂の記録，『聖なる三国王の歴史』は，三博士の伝説に関する種々の中世期の資料の集大成といえるものである．この書物はすぐにラテン語からヨーロッパの諸言語に翻訳され，広く知られるようになった．それはまた三博士に関する細部描写も集積した書物でもあったので，芸術家が三博士像を描く上での参考書として用いられた．たとえば，3人の国王の中で最年少のカスペールが黒人とされ，バルタザールが白髭を伸ばした老人とされるのは，この書物を典拠としたものである．

三博士は，青年，壮年，老年という人間の3つの時期を表わし，3つの贈り物もキリストの生涯の局面を象徴的に言及する．黄金はキリストの王権を，乳香（香料）は祭司職を，防腐処理用の没薬は受難と死を意味する．

Three Marys　3人のマリア

墓に埋葬されたキリストの亡骸の世話をするために集まった婦人たち．3人は「香油を携えた聖女たち（ミュロフォロイ）」（*Myrrophoroi*, ギリシア語で「油薬をもつ者たち」の意）と呼ばれることがある．またキリスト哀悼（Lamentation*）

を題材にした絵画や彫刻でも，嘆き悲しむ人々の間に含まれることもある．イエスの墓を訪れた者に関する福音書の記述は同一ではなく，名前も人数も福音書によって異なる．ただしマグダラの聖マリア（Mary Magdalene, St*）は，4つの福音書すべてに登場する．デンマーク国立美術館のセイウチの牙の浮彫のように（13世紀中頃），3人の婦人たちすべてが香油瓶を持つ場合もある．中世後期になるまでは，マグダラのマリアは他のマリアと明確に区別されていない．

東方教会では婦人の数を7人とする伝統があるが，美術に登場するのは，その中の2, 3人のみである．婦人たちと墓の場面は，初期キリス

ファン・エイク派，イエスの墓を訪れる3人のマリア，ボイマンス・ヴァン・ビューニンゲン美術館

ト教時代において復活際と復活（Resurrection*）を描く常套手段であった．その後はキリストの地獄降下（ｱﾅｽﾀｼｽ）の図（⇨Harrowing of Hell）に取って代わられる．その作例としては，3世紀前半のシリアの古代都市遺跡ドゥラ・エウロポスの壁画，4世紀から5世紀にかけて造られた象牙製品，モザイク，その他の美術作品などがある．美術では，岩をくりぬいた墓の前で婦人たちに挨拶を交わす天使を描くのが一般的で，墓の蓋は半開きか，あるいは全開である．

Three Theological Virtues
三対神徳

信仰（信徳），希望（望徳），慈愛（愛徳）．これらの美徳は女性として擬人化され，個々に登場することもあれば，3人一緒に登場することもある．いうまでもなく三対神徳は抽象的概念を擬人化したものにすぎない．しかし初期の頃は，擬人化された三徳が，ローマで迫害を受け斬首形に処されたソフィア（知恵）の3人娘であったとする，もっともらしい伝説が広まっていた．そして3人すべてが殉教者として記念された．この架空の母親と娘たちは東方でも崇敬され，3人の娘にそれぞれピスティス（Pistis），エルピス（Elpis），アガペ（Agape）というギリシア名がつけられた．

〈信仰〉（ラテン語でフィデス，Fides）の持物は十字架と聖杯で，明らかにキリスト教的である．〈慈愛〉のように，〈信仰〉もロウソクを持つことがある．ロウソクは信仰の光を表わす．〈信仰〉は誠実を示す身振りで自分の心臓を指差す．また兜と胸甲をつけ，兵士のような側面を見せることもある．

『ヘブライ人への手紙』に希望が「魂にとって頼りになる，安定した錨のようなもの」（6, 19）と述べられていることから，〈希望〉（ラテン語でスペス，Spes）は常に錨

を持つ．キリスト者の天上での希望を体現する〈希望〉は，上の方へ目を向け約束された報酬を意味する王冠を眺めることもある．時々〈希望〉の頭上に配置される船は，航海が希望に満ちた第一歩を踏み出す大事業であるという思想を表現する．庭師の鋤も，南フランスのオーシュ大聖堂を飾る彫刻の〈希望〉のように，同様のメッセージを伝えるものである．〈希望〉はまた世俗的な作品にもよく見られる．たとえば，アフリカの喜望峰が擬人化され，切手の図柄となることもある．

ルネッサンス期の〈慈愛〉（ラテン語でカリタス，*Caritas*）の図像は，赤子に授乳する女性，あるいは幼い子供を抱く女性であるが，この様式が広く見られるようになるのは14世紀以降である．多分，イエスに授乳をする聖母マリア像，「授乳の聖母」（*Virgo Lactans*，ウイルゴ・ラクタンス）に由来するものであろう．それより以前の〈慈愛〉は，ロウソク，炎，燃える心臓を持つ乙女と考えられた．というのも神への燃えるような愛が〈慈愛〉の美徳と解釈されたからである．これの古い様式の作例としては，オーシュ大聖堂の共唱祈禱席（16世紀初期，聖歌隊席に聖職者用として仕切られた指定席）を飾る，燃えるグラスと心臓を持つ〈慈愛〉がある．

Three Wise Men　三人の賢者
　⇨Three Magi.

throne　玉座
　『ヨハネの黙示録』で何度となく言及される栄光のキリ

玉座

ストの御座.『詩編』に「主は裁きのために御座を固く据え」(9, 8)とあるように,この玉座から最後の審判(Last Judgement*)が下される.

ビザンティン美術では,玉座がヘトイマシア(*hetoimasia*, ギリシア語で文字どおり「準備」という意)と呼ばれ,キリストの再臨を表わす際立ったシンボルとなる.この図像は,玉座が国王や皇帝自身を意味するものと解釈された古代の伝統から発達した.このような形態の玉座を描いた作例としては,ラヴェンナのアリウス派洗礼堂ドームを飾るモザイクがある.そこには,実際のキリスト像に近づくように玉座に近づく使徒たちが描かれている.

玉座の上には,十字架と受難具(Instruments of the Passion*),あるいはそのいずれか一方が単独で配置され,キリストの最初の降臨を連想させる苦難と謙遜のシンボルが,キリストの栄光と権力のシンボルと一緒に描かれる.

アリウス派洗礼堂のモザイクに描かれた玉座は,玉座であると同時に祭壇の一部でもあり,その上には紫色の垂布が優雅にかけられている.紫色は皇帝の権力とキリストの受難を意味し,降臨節と四旬節の典礼色でもある.同じような玉座が,ラヴェンナの正統

玉座のキリスト,12世紀,パーラ・ドーロ(黄金衝立),ヴェネツィア,サン・マルコ大聖堂

派洗礼堂を飾るモザイクの小壁（こへき）にも見られる．

thrones 座天使

天使（angels*）の9つの階級で第3番目の位階の霊的存在．美術で他の天使と区別するときは，ヨークのセント・マイケルズ・スパリアゲイトの窓装飾のように，正義の天秤（scales*）を持つことがある．座天使は神の立法者と見なされる．

tiara 三重冠（ティアラ）

教皇特有の帽子．⇨crown

三重冠

tongs やっとこ

金属細工師の道具で，聖ドゥンスタン（Dunstan, St*），聖エリギウス（Eloi, St*）のエンブレム．聖アポロニア（Apollonia, St*）のエンブレムでもある．

やっとこ

tonsure 剃髪

⇨hair.

tooth 歯

やっとこで歯をつまんでいれば，聖アポロニア（Apollonia, St*）のエンブレム．

torch　松明

　口に松明をくわえたドミニ
コ会のイヌについては、⇨
dog.

tower　塔

　聖バルバラ（Barbara, St*）
の主なエンブレム。多くの求
婚者たちが娘のバルバラに近
づくのを嫌った父親により塔
に幽閉された。キリスト教に
改宗したバルバラは、忠誠心
を表わすしるしとして、幽閉
された塔に三位一体を象徴す
る3つの窓を設置するように

塔

嘆願したという。芸術家は、
塔の模型を持つバルバラ像を
描く。バルバラとマグダラの
マリアは身体的外観が酷似し
ているが、3つの窓により両
者をはっきりと区別すること
ができる。

　貞節を守り塔に幽閉される
乙女を題材にした物語は多
い。聖バルバラ伝説も、その
ような物語の1つにすぎな
い。塔と貞節とが結びつき、
「ダビデの塔」（ラテン語で
Turris David）の称号が聖母
マリアに冠せられた。中世の
聖書注解者や讃美歌作家たち
は、聖母マリアと『雅歌』の
乙女とを同一視した。その典
拠は『雅歌』の「首はみごと
に積み上げられたダビデの
塔」（4, 4）という一節である。

Tower of Babel　バベルの塔

　頂上が天にまで達するよう
に設計された塔。シンアルの
平野に建造された。塔を建築
する人間のもくろみに激怒し
た神は、人間の言葉を混乱さ
せ、互いの言葉が聞き分けら

ブリューゲル，バベルの塔，16世紀，ウィーン，美術史美術館

れないようにした．それまで
は世界中で1つの同じ言葉を
使っていた（『創世記』11, 1-
9）．ここからバベルの塔は，
傲慢と野望に対する報いを表
わす常套句となった．多くの
芸術家がバベルの塔建設の場
面を描いたが，頂上の崩れか
かった不気味な巨大建造物を
描き上げた傑作といえば，ウ
ィーン美術史美術館所蔵のピ
ーター・ブリューゲルの作品

（1563年）であろう．

Transfiguration　キリストの変容

　最初の3つの福音書で語ら
れる出来事（『マタイ福音書』
17, 1-9；『マルコ福音書』9, 2-
10；『ルカ福音書』9, 28-36）．
福音書によれば，イエスがペ
トロ（Peter, St*），ヤコブ
（James the Great, St*），ヨハ
ネ（John the Evangelist, St*）

を連れて山に祈りを捧げに行ったところ,「イエスの姿が彼らの目の前で変わり,顔は太陽のように輝き,服は光のように白くなった」(『マタイ福音書』17,2)という.

弟子たちはイエスに語りかける2人の人物を見て,それがモーセ(Moses*)とエリア(Elijah*)であることを知る.モーセとエリアの登場には,前者が旧約聖書の律法を,後者が旧約聖書の預言者を表わすという意味がある.この2人の出現によって,イエスこそ,律法と預言の両方を成就すべく約束されたメシアであることが裏付けられる.ペトロが彼らのために「仮り小屋を三つ建てましょう」と申し出ると,雲がその場を覆い,雲間から「これはわたしの愛する子,わたしの心に適う者.これに聞け」という神の声がした.恐れおののいた弟子たちは地面にひれ伏した.しばらくして彼らが顔を上げると,イエスだけが山にいて,恐れることはない

と語った.

イエスの変容の伝統的な舞台は,ガリラヤのタボル山である.6世紀にはタボル山に3つの教会が建立され,最も大きな教会がイエスに,残りの2つがモーセとエリアに奉献された.主の変容祭(顕栄祭)は東方正教会で8月6日に祝われる十二大祭の1つである.この祝祭が東方の教会暦に定着したのは8世紀以前と思われる.西欧では15世紀中頃に至るまで一般的な祝祭とはなっていない.1456年8月6日,ベオグラードを攻囲したオスマントルコ軍をキリスト教徒が撃破したのをきっかけに,ローマ教皇カリストゥス三世が,キリストの変容はあまねく遵守されるべき祝祭であると宣言した.しかし,東方で祝われるような重みはなかった.

東方正教会圏でキリストの変容の重要性をより一層高めた人々は,14世紀にアトス山で隠遁生活を送ったヘシカスト派(安静観想党)の神学

フラ・アンジェリコ, キリストの変容, 15世紀, フィレンツェ, サン・マルコ美術館

キリストの変容, 14世紀, モザイク画, パリ, ルーヴル美術館

者たちだった. また修道士として, 禁欲的生活と霊的修行を通し神的なエネルギーに接触しようと試みた. このエネルギーこそ, イエスの変容の光の中に表出されたものだと彼らは信じた.

イエスの変容を祝う祝祭の歴史は, 美術での変容の描写の歴史にも反映されている. もっとも初期の作品の1つ, ラヴェンナのサンタポリナーレ・イン・クラッセ聖堂後陣を飾るモザイクでは, 変容がシンボルで表現されている. 宝石を象嵌した十字架はキリストを, 3頭の小羊は3人の弟子を表現し, モーセとエリアだけが半身を雲間から覗かせている. 同場面の頂上部には, 雲間に出現した神の手が描かれている. シナイ山の聖カタリーナ修道院にもほぼ同時代の後陣モザイクがあるが, ここでは同場面が古典的な手法で表現されている. すなわち, キリストが光輝くアーモンド型光背 (マンドルラ) の中に立ち, 祝福の手を上げ, 全

身像のモーセとエリアがキリストの傍らに控える．両者の手は，何かを語り掛けるような動作を見せている．一方，3人の下方には，3人の弟子たちが驚いた様子でひざまずく．これ以外に登場人物が描かれるのはまれであるが，フラ・アンジェリコが1442-1443年に描いたフレスコ画（フィレンツェ，サン・マルコ美術館）では，見物者として聖母マリアと聖ドミニクスが付け加えられている．ラファエッロの作例では，中央の6人の集団だけでなく，前景の低位置に「群集」とてんかんでひどく苦しむ少年も配置されている（『マタイ福音書』17,14-18）（1519年-1520年，ヴァティカン美術館）．

ヘシカストの影響は，変容を描いた中世後期の多くのイコン，特にロシア・イコンにはっきりと表われている．そのイコンでは，イエスの周囲を取り巻くマンドルラが構図上の主な特徴となっている．そしてイエスの立つ山頂の高さが強調され，弟子たちはその幻視に圧倒されるだけでなく，それが発散する力によって今にも山頂から振り落とされそうである．弟子たちが脱いだサンダルは，「足から履物を脱ぎなさい．あなたの立っている場所は聖なる土地だから」（『出エジプト』3, 5）という神のモーセに対する命令を想起させる．

モーセは律法を刻んだ石板を持つ場合がある．しかし旧約聖書の2人の人物，モーセとエリアが区別されることはほとんどない．一方，弟子たちは区別される．恐れおののくペトロは何かを語ろうとする．髭のないヨハネは目を覆う．後のイコンでは，ヨハネがいつも3人の弟子の中心的人物となる．聖ヤコブはその光景から背を向ける．

tree　木

フィレンツェの司教，聖ゼノビウス（Zenobius, St*）のエンブレム．もう1人，木とともに描かれる司教は，聖ボ

ニファティウス（Boniface, St*）である．

　神がエデンに植えた命の木と善悪の知識の木は（『創世記』2, 9），キリスト教美術とシンボリズムにおいて重要な役割を果たしている．後者は，人間の堕落（Fall of Man*）を引き起こした木である．前者は，永遠の生命をもたらす木で，キリストの十字架と同一視されている．ブリティッシュ・ミュージアム所蔵の5世紀初期の象牙の箱には，死をもたらす木と命を与える木の対比を踏襲した場面が描かれ，生命を与えるイエスの十字架に続き，イスカリオテのユダ（Judas Iscariot*）が首吊り自殺をした木が配置されている．⇨palm tree.

Tree of Jesse　エッサイの樹

　ユダ族王家の血統を継承し，ダビデ王の父親エッサイから人間イエスに至る家系図．主たる聖書の典拠は，『マタイ福音書』の冒頭に記されたイエスの系図であるが（1, 1-17），キリストの降誕に関するイザヤの預言，「エッサイの株からひとつの芽が萌えいで，その根からひとつの若枝が育ち……」も加味されている（『イザヤ書』11, 1）．

　エッサイの樹は，西欧の教会装飾でもよく見られるモチーフである．中でも一般的なのは教会の壁画であるが，壁画以外にも，オックスフォードシャー，ドーチェスター・アベイに見られるような教会窓の狭間飾りや，ヴェローナ，聖ゼノンの教会（サン・ゼーノ・マッジョーレ教会，12世紀）の青銅（ブロンズ）彫刻の門扉を飾る浮彫（レリーフ）などの作例がある．特に見事な作例は，サンティアーゴ・デ・コンポステラ大聖堂の「栄光の門（ポルティコ・デ・ラ・グロリア）」の西側拱道（ウェエ）の中央柱身の彫刻（12世紀後半）である．またこの他の作例としては，パリのサン・ドゥニ教会とシャルトル大聖堂の窓に代表される12

エッサイの樹，15世紀，フランドルの写本より

世紀中頃のステンドグラスがある．しかしその基本形態は，11世紀後期の写本装飾に見ることができる．東方美術では，どちらかといえば後世になってから取り上げられたようで，比較的珍しいモチーフである．作例としては，カストリアのパナギア・イ・マヴリオティッサ修道院の外壁や，テッサロニキの聖なる使徒の教会（アギイ・アポストリ）に見ることができるだろう．両者ともギリシア北部にある．

モチーフとしては，横臥するエッサイの脇から木が伸び，枝にダビデ，ソロモン，そして代々の国王や預言者が配置される．先端には幼子イエスを伴った聖母マリアが位置する．スペイン，ブルゴス，サン・ドミンゴ・デ・シロス教会回廊の12世紀中頃の彫刻はこの異形といえよう．同作例には三位一体（Trinity*）が組み込まれ，先端に位置する父なる神がハトと幼子キリストを持ち，聖母

マリアがダビデの父親エッサイのすぐ上部に座す．

triangle　三角形

正三角形は三位一体を意味する．父なる神は，三角形の光背（halo*）と共に描かれることがある．

Trinity　三位一体

父なる神，子なる神，そして聖霊なる神．1つの本体における3つの位格（ペルソナ）の結合，あるいは唯一神なる存在の3つの位格性は，キリスト教信仰の中核を形成するものである．しかし3つの異なった位格の相互関係，特に神本体の性質に関し，受容可能な系統的理論を確立しようとして激しい論争が巻き起こり，遂には初期教会が分裂するまでに至った．聖霊と他の2つの位格との関係は，東西両教会の分派間で，長期にわたって学理的，政治的，行政的抗争を繰り返してきた中心的な神学的問題であった．遂に1054年，東西教会の最終的

デューラー，聖三位一体，16世紀

分裂へと至った.

初期の三位一体学説の動乱の歴史は,異なる場所,異なる時代における3つのペルソナの描写様式にも多大な影響を及ぼした.依然として町や神殿で異教の偶像が見られた初期キリスト教時代では,「いかなる像も造ってはならない」(『出エジプト』20,4)という十戒の偶像崇拝禁止は,文字どおり父なる神の直接的描写の禁止を意味した.神の存在を表現する必要が生じた場合には,ラヴェンナのサンタポリナーレ・イン・クラッセ聖堂後陣を飾るモザイクのように,雲,あるいは雲間から出現する神の手を描くのが一般的な手法であった.

11世紀以降になると,3人の位格による三位一体の描写が,西欧のロマネスク美術に見られるようになる.この図像の初期形態の中には,ビザンティン美術のパントクラトール(Pantocrator*)のキリスト像から影響を受けたものもあるらしく,父なる神を髭を生やした壮年男性として表現し,その両脇にはアルファとオメガ(alpha and omega*)の文字が配置されている.したがって神の顔の表情は,キリストの表情に酷似している.たとえば,シチリア,モンレアーレ聖堂を飾る,天地創造を描いた一連のモザイク(12世紀)では,両者の年齢や顔の表情というよりもむしろ,背景と光輪(halo*)が神とキリストを区別する鍵となる.しかし例によって,父なる神は,白い髭を伸ばした立派な人物,「日の老いたる者」(『ダニエル書』7,9)として描かれるようになった.そして立派な衣装をまとい,王冠,あるいは教皇の三重冠を着用した.特に三位一体を題材とした彫刻の中でもっとも一般的な様式といえば,父なる神が玉座に座し,その前方にそれよりも小さな十字架上のキリストが配され,ハトの形をした聖霊がキリストの頭上を舞うという構図をとる.

イングランド独自と思われる三位一体像の異形として、アブラハムの懐型三位一体（Bosom of Abraham Trinity）と呼ばれるものがある。この類型では神とキリストが同位置にあるが、神の手には、あふれんばかりの死者の霊魂を包み込んだ布が握られている。この作例としてはグラスゴーのバレル・コレクションに 14 世紀の雪花石膏（アラバスター）浮彫の作品がある。この三位一体類型につけられた「アブラハムの懐」という名称は、『ルカ福音書』（16, 22-3）の一節に由来するものである。同福音書には、貧しいラザロは死んで、天使たちによって宴席にいるアブラハムのすぐ側に連れて行かれたと記されている。

15 世紀オランダの芸術家、ロベルト・カンピンやジャン・ベルガンブらの絵画では、御子キリストを父なる神と同じ大きさに描き、十字架上ではなく神の膝の上で支えるという、ややぎごちない構図が用いられた。この位格群では、依然として贖い主の役割にあるキリストは腰布だけをまとい、茨の王冠をかぶ

ロベルト・カンピン，聖三位一体，15 世紀，フランクフルト，シュテーデル美術研究所

り，受難の聖痕を見せる．

しかしながら別の三位一体像では，「『日の老いたる者』……その衣は雪のように白く，その白髪は清らかな羊の毛のようである」（『ダニエル書』7, 9）という一節を視覚化したような父なる神が，無冠で玉座に座すことがある．この図像では，ずっと小さく描かれた御子が，衣をまとい，神の膝の上に座し，ハトの形の聖霊が載る円盤を持つ．この類型は，後期ビザンティン美術にも作例を見ることができる．たとえば，ギリシア北部，カストリア，パナギア・クベリディキ聖堂前院では，単円蓋に同種の三位一体の絵画（13世紀後期）が描かれている．

ギリシア美術とロシア美術では，マムレでアブラハムを訪れた3人の天使のように，三位一体が象徴的な形態で描かれる場合がある．ロシア正教で最も有名なイコンは，いわゆる「旧約聖書型三位一体」と呼ばれるイコンである．この作例としては，1408年以降（1410年頃）にアンドレイ・ルブリョフがザゴルスク（現在のセルギエフ・ポサド）の至聖三者聖セルギイ修道院のために描いたイコンがある．西欧美術では，視覚的重点を3人の位格に均等においた作例は他の類型ほど一般的でない．これに対し，ここで描かれている3つの位格は，どれもほとんど同一の衣をまとい，王冠をかぶり，1つのベンチのような玉座に座す．ローマの礼部省が，誤解を招く恐れがあるとして同イコンに対する非難を表明してから，この様式は消滅していった．

もっと頻繁に見られるのは，聖ルキア伝説の画家による「マリア，天の元后」のように（ワシントン・ナショナル・ギャラリー），父なる神，その右手の玉座に就く御子，そして両者の間にハトの形の聖霊を配置する構図である．神と御子はともに本や球体を持つことがある．御子の描写

には受難を想起させる一面が
ある．手には十字架を持ち，
衣服は外套だけである．また
キリストは無冠のときもあれ
ば，父なる神と同じように三
重冠をかぶることもある．後
者の場合，三重冠の一番下の
層は茨の冠になっている．

trumpet　ラッパ

　最後の審判（Last Judge-
ment*）で7人の天使が吹く
楽器（『黙示録』8, 2）．「ラッ
パが鳴ると，死者は復活して
朽ちない者とされ」（『コリン
ト手紙一』15, 52）とあるよう
に，特に審判に招集するため
に，墓に眠る死者を目覚めさ
せることを連想させる．

T-square　T型定規

　使徒である聖トマス
（Thomas, St*）のエンブレム．

Twelve Apostles　十二使徒

　キリストの12人の弟子
で，洗礼から昇天まで，キリ
ストが地上で活動する間，行
動をともにした人々（『使徒
言行録』1, 21-22）．『マタイ福
音書』（10, 2-4）にあげられ
た使徒名とは少々異なる名前
が，『マルコ福音書』（3, 16-
19），『ルカ福音書』（6, 13-
16），『使徒言行録』（1, 13）
に登場する．イスカリオテの
ユダが脱落して自殺したあと
は，その代わりとしてマティ
アが籤で選ばれた．『使徒言
行録』や手紙ではパウロとバ
ルナバが「使徒」と言及され
ているので，十二使徒の内訳
にも異説があり，本と剣とを
エンブレムとするパウロが，
斧をエンブレムとするマティ
アと入れ替わることもある．
また使徒でない2人の福音書
記者，マルコとルカも，十二
使徒の中に強引に組み入れら
れることもある．この場合，
知名度の低いシモンとユダを
除外するのが一般的である．

　教会美術では，12人の使
徒がよく一緒に描かれる．13
世紀以降になると，各々のエ
ンブレムによって徐々に個別
化されるようになる．それ以
前は，ごく初期から鍵を持つ

ペトロを除き，使徒たちは教師の役割を示すシンボルとして本を持つのが一般的であった．過去の使徒群像の多くは，大勢であるがゆえに損傷や亡失しやすい状況にあった．中には分散されたり，断片的にしか残っていないものもある．イングランドの使徒群像の作品例としては，ウェルズ大聖堂とエクセタ大聖堂の西正面の石の彫刻（ともに14世紀後期），モールヴァーン修道院教会の東窓とオックスフォードのオール・ソウルズ・コレッジの礼拝堂玄関窓（ともに1440年頃）の彫刻，そしてシュロプシャー，トングのサー・リチャード・ヴァーノンの墓石の雪花石膏（アラバスター）浮彫がある．

4人の福音書記者（Four Evangelists*）が使徒として肖像画の題材となるときは，福音書の動物とは別のエンブレムを持つ．マタイは剣あるいは矛槍を持つ．そして4人の福音書記者全員が本か巻き物を持つ．聖ヨハネの場合を

除き，ほとんどの伝説が使徒の殉教死を伝えているので，受難具とは別に，殉教のシュロの葉を持つ栄誉が与えられる．この他の判別しやすい一般的な使徒のエンブレムとしては，バルトロマイのナイフ，アンデレのX型十字架，トマスの槍，ヨハネのヘビの聖杯，大ヤコブのホタテガイの貝殻，フィリポのパンの塊あるいは十字架，ユダの舟あるいは棍棒，シモンの魚あるいは鋸，偃月刀がある．目立たない使徒のエンブレムは一定しない傾向があるので注意を要する．

十二使徒にまつわる別の古い伝説によると，各々の使徒が一箇条ずつ出し合って使徒信経を作成したといわれている．使徒たちが一緒に描かれる場合には，それぞれが自分と関連のある言葉を記した巻き物を持つことがある．この群像類型では，パウロというよりもマティアが常に登場する．ペトロはいつも冒頭の言葉が書かれた巻き物を，マテ

ィアは最後の言葉が書かれた巻き物を持つのが一般的であるが，両者の間に位置する使徒に関してはかなりの異形がある．この様式の実例としては，以前はスペインのサモーラにあったが，現在はロンドンのヴィクトリア・アンド・アルバート美術館にあるイングランドの雪花石膏（アラバスター）祭壇画や，グロスターシャー，フェアフォード教会身廊の窓の側面に並ぶ十二使徒像（16世紀初期）がある．ブルターニュの教会入口の両側には，巻き物を持つ使徒の彫像が6体ずつ並ぶ．教会堂に入る者たちは儀仗兵が立っているかのような印象を覚える．

教会の祝祭，奉献，美術では，2人1組の使徒が3組形成される場合がある．ペトロとパウロ，フィリポと小ヤコブ，シモンとユダである． ⇨ Communion of the Apostles.

Twenty-four Elders 二十四人の長老

『ヨハネの黙示録』に「玉座の周りに二十四の座があって，それらの座の上には白い衣を着て，頭に金の冠をかぶった二十四人の長老が座っていた」(4, 4) とあるように，神の玉座にもっとも近く座し，神を崇拝する者たち．最後の審判（Last Judgement*）や栄光のキリストの場面などで従属的な人物として登場する．楽器を持つこともあるが，必ずしも『ヨハネの黙示録』に述べられているような「竪琴」(5, 8) であるとは限らない．南フランス，モアサックの教会（サン・ピエール聖堂）南入口を飾るロマネスク様式のティンパヌムには，王冠によって一目でそれと判別できる見事な長老像がある．頭上の大きなキリスト像を驚嘆と崇敬の念に満たされて仰ぎ見る長老像である．

U

unicorn **一角獣**（ユニコ
ニシ）

　子馬のような神話上の空想動物で，額の中央にはまっすぐ伸びた鋭い角が生えている．人力では一角獣を捕らえることができない．しかし策略を用いれば，捕獲が可能である．一角獣には，処女の姿を見ればおとなしくなり，その膝の上に頭をのせて眠るほど警戒心が薄れる性質がある．したがって，処女を囮（おとり）にすれば，猟師でも一

聖母マリアと一角獣，16世紀，タペストリー，パリ，クリュニー美術館

角獣を捕獲することができる.

この寓話は,キリストの受肉の寓意(アレゴ)であると解釈された.たとえば,14世紀初期の詩人,ショアハムのウィリアムは,英詩「聖母に捧げる讃歌」で「かくも荒らぶれし一角獣を……汝は,己が乳房の乳によりて手なずけて静め給う」(That unicorn that was so wild...Thou hast y-taméd and y-stild With milke of thy breste)と歌い,キリストを一角獣と同一視している.

一角獣がキリストの象徴となるもう1つの側面は,角が解毒剤になると信じられていたことである.同様にキリストも罪という猛毒に対する解毒薬と考えられた.また一角獣は,聖母以外の乙女たち,特にアンティオキアの聖ユスティナやパドヴァの聖ユスティナのような童貞殉教聖女を連想させることがある.

Uriel　ウリエル

⇨archangels.

Ursula, St　聖ウルスラ

年代,出生とも不詳の童貞殉教聖女.9世紀頃に発達したと思われる伝説によると,英国の王女であったウルスラは,異教徒の王子との望まぬ結婚を避けるため,あるいは延期するために,11人の侍女を連れて母国から逃亡したといわれている.ローマ巡礼の旅の途中に訪れたケルンで,自分たちの王子が拒絶されたことに腹をたてたフン族により,侍女もろとも虐殺された.ウルスラ自身は弓で殺害されたので,弓が持ち物になることがある.

ケルンで無名の童貞殉教聖女に捧げられた5世紀初期の碑文が発見されたことにより,中世のウルスラ伝説は発達したようである.侍女の数が1万1000人に膨れあがったのは,ウルスラと侍女のことを記した原文を読み違えたことに原因があろう.12世紀には,ケルンの古代墓地でおびただしい数の人骨が発掘され,この物語にさらに箔が

メムリンク，聖ウルスラの殉教，15世紀，メムリンク美術館

ついた．人々がその人骨を先を争って収集したため，人骨は聖遺物となって各地に分散した．それに伴い，聖ウルスラ崇拝は，ドイツの全近隣地域，フランス，北海沿岸低地帯へと普及した．ケルンにある聖ウルスラの教会には，ウルスラと侍女たちの聖遺物箱が数多く収められたため，聖ウルスラ崇拝の中心地となった．

　ウルスラ伝説は美術でも人気のある主題で，旅行から殉教までの一連の出来事を描いた物語絵画が残されている．この絵画群でもっとも有名な作品は，1489 年，メムリンクがブリュージュの聖ヨハネ病院内の聖堂を飾るために描いた絵画である．同聖堂にはウルスラの聖遺物が安置されている．孤高の聖女であったウルスラは，王冠をかぶり笏を持つ王女の姿で描かれることが多い．オコジョ（ermine*）の毛皮で裏打ちされた，または縁取りされた外套で，従者の集団を覆うこともある．慈愛の聖母マリア（Virgin Mary*）が，キリスト者をマントで囲うのと同様である．また，パルマ・ヴェッキオの絵画のように（ペンリン・コレクション），巡礼旅行を意味する舟，または白地に赤十字の勝利の旗を持つこともある．

V

vase 花瓶, 壺

受胎告知（Annunciation*）の絵画では, ユリ（lily*）の入った花瓶が見る者の目を引くことがある. 墓の上に置かれた空の花瓶あるいは壺は, 死者の霊魂の肉体離脱の象徴である. ⇨jar.

花瓶

Vedast, St（Vaast, Foster）聖ウェダストゥス（ヴァースト, フォスター）（539年没）

499年, フランス北部アラスの司教となる. 496年, フランク王国国王クローヴィスに洗礼を受けるよう決意させた. またアラスの司教として周辺地域をキリスト教化する上で多大な功績を収めたため, 同地域では今でもウェダストゥスの聖名が残されている. 聖ウェダストゥス崇拝は, 12世紀にアラス地方出身の聖アウグスティノ会の修道士を通してイングランド東部に徐々に広がっていった. 同聖人名を冠した教会が, ロンドン, ノリッジ, タスウェルにそれぞれ1つずつある. 美術では, 遺棄された教会から聖人が追い出したクマ, あるいは飼主に代わりガチョウを守るために追い払ったオオカミを伴って登場することがある.

veil ヴェール

頭部と肩を覆う布. 顎のあ

たりを折りたたんで引き締める頭巾（ウィンプル）の上に着用する修道女のヴェールは，純潔と世俗の放棄を象徴する．聖母のヴェール（ギリシア語で「マフォリオン」，*maphorion*）は，コンスタンティノープルのブラヘルネス教会秘蔵の聖遺物であり，5世紀中頃まで同教会に安置されていた．この聖母のヴェール奉納の慶事を記念する日は，西欧の教会で聖母マリアのエリザベト訪問（Visitation*）の祝日にあたる7月2日である．

東方正教会美術では，聖母マリアが着用する青，茶，または紫のマフォリオンの額と

ヴェール

両肩の部分に，十字架形や星形の小さな黄金飾りを施すことがよくある．マフォリオンは標準的な聖女の頭巾である．エバのマフォリオンは聖マリナ（Marina, St. ⇨Margaret of Antioch, St*）や聖アンナ（Anne, St*）と同様に赤色が一般的である．

西欧においても，ヴェールは聖女が頻繁に着用する伝統的な衣装である．聖アガタ（Agatha, St*）は，エトナ山が噴火したとき，ヴェールで溶岩の流れを変え，カタニアの町を救ったといわれている．聖ウェロニカ（Veronica, St*）の布もヴェールといわれることがある．

vernicle 聖顔
　⇨Veronica, St.

veronica 聖顔
　⇨Veronica, St.

Veronica, St 聖ヴェロニカ
（1世紀）
　エルサレムの女性で，カル

メムリンク，聖ヴェロニカ（東方三博士の礼拝），15世紀，メムリンク美術館

という名前の語源にも同伝説が反映されている．ラテン語の原義は「真の画像」（vera icona, ウェラ イコナ）である．イエスと聖ヴェロニカとの出会いは，十字架の道行き（Stations of the Cross*）の一留（りゅう）を形成する．また磔刑図では，十字架の周りに集まる婦人の1人にヴェロニカが含まれることもある．古い伝説によれば，12年間も患って出血が続く福音書の女とヴェロニカとが同一視されている（『マタイ福音書』9, 20-22）．ここから婦人科の病気に対し，同聖女の守護が求められる．

キリストは茨の冠をかぶる場合が多いが，キリストの顔が印された布，聖顔布は常に聖ヴェロニカの持物となる．ウィーン美術史美術館所蔵のロヒール・ファン・デル・ウェイデンによる「キリストの磔刑」の三連祭壇画（トリプ ティク）のように，聖顔布を上に掲げるヴェロニカ像が描かれることもある．聖顔布は8世紀か

ヴァリの丘に向かうイエスを哀れに思い，自分のヴェールあるいは布でイエスの顔の汗を拭ったところ，イエスの顔形が布に印されたといわれている（⇨acheiropoietos）．この物語に関する典拠は，聖書ではなく，外典の『ニコデモ福音書』である．「ヴェロニカ」

らローマにあったといわれている．その後は12世紀からサン・ピエトロ大聖堂に安置されている．それをもとにして作られた模造品も「聖顔布」(veronicas) と呼ばれ，巡礼者の間で人気のあった記念品であった．中英語の名称である "vernicles" と呼ばれる場合もある．

vesica piscis 後光
（ウェシカ・ピスシス，ラテン語の文字どおりの意味は「魚の嚢」）

先の尖った楕円形の輪郭で，聖なる人物の背後に配置される．マンドルラ（イタリア語で「アーモンド」の意）と呼ばれることもある．変容 (Transfiguration*) でイエスから発せられる光とエネルギーが，ウェシカ・ピスシスとして表現される場合がある．絵画では聖母マリアの幻視を題材とした作品に見られるのが一般的で，特に被昇天 (Assumption*) の瞬間を描いた作品に用いられる．

クリヴェッリ，聖フランチェスコへの聖母の出現，15世紀，ロンドン，ナショナル・ギャラリー

vestments　祭服

　様々な教会の儀式を挙行するときに聖職者が着用する礼服。聖職者の位階が異なれば、祭服や帽子も異なるので、教会聖職でどの地位を占めるかが判明すれば、美術に登場する聖人を判別する有益な鍵となりうる。東方正教会とローマ・カトリック教会では、祭服にかなりの違いがある。⇨bishop, cardinal, deacon, pope.

Victor, St　聖ウィクトル
（290 年頃没）

　殉教者。伝説の中心となる物語はつぎのような内容である。ウィクトルはローマ皇帝マクシミアヌスの治世下、ローマ軍兵士であった。しかし、ウィクトルは、自分がキリスト教に改宗させた数人の人々とともに拷問を受け、処刑された。マルセイユのサン・ヴィクトール聖堂地下墓地（カタコンベ）には、ウィクトルを埋葬した洞窟があり、巡礼者が数多く訪れる聖堂として有名になった。中世初期から、同聖人は西欧の多くの地域で崇敬された。同名の聖人が他にもいるので、両者を区別するために、マルセイユの聖ウィクトルと呼ばれることがある。同名の聖人で注目すべきは、聖ウィクトル・マウルス（Victor Maurus, St）ことムーア人の聖ウィクトルで、同聖人名を冠した教会がミラノとクレモナにある。美術では、2 人ともローマ軍将校のいでたちで登場する。

Vincent of Saragossa, St　サラゴーサの聖ウィンケンティウス（304 年没）

　スペインの助祭、殉教者。サラゴーサとリスボンの守護聖人、ブドウ栽培兼ブドウ酒業者の守護聖人。ディオクレティアヌス皇帝の治世下でキリスト教徒が迫害された時代に、バレンシアで投獄、拷問され、最後は処刑された。遺体は、石臼に括り付けて海中に投げ込まれたが、奇跡的にもサン・ヴィセンテ岬の岸辺

に打ち上げられた．亡骸が船でリスボンへ輸送される間，2羽のワタリガラス（またはカラス）がその番をしたといわれている．ここから，石臼，船，鳥がウィンケンティウスの持物となることがある．

キリスト教化されたスペインの最初の殉教者として，同国では広く崇敬された．またイタリア，フランス，イング

ランドでも同様の崇敬を受けた．イタリアでは，ラヴェンナのサンタポリナーレ・ヌオーヴォ聖堂に殉教者を描いた6世紀後期のモザイクがあるが，その中の1人にウィンケンティウスの姿がある．フランスではパリとル・マンにウィンケンティウスの聖遺物が安置されたといわれている．イングランドでは，アビ

サラゴーサの聖ウィンケンティウス，14世紀，バルセロナ，カタルーニャ美術館

ンドンが同聖人の聖遺物を所有すると名乗りをあげており，同聖人名を冠した古い教会が6つある．遥かロシアにまで足跡を残し，同国ではウィンケンティウスの祭日が11月11日と定められている．西欧での祝日は1月22日である．

ウィンケンティウスはスペイン美術にも頻繁に登場する．助祭（deacon*）の祭服をまとい，殉教者のシュロと本を持つ．まぎらわしいことに，ウィンケンティウスを拷問するために使われたといわれている炮烙（gridiron*）が描かれることもある．別の殉教者で助祭の聖ラウレンティウス（Laurence, St*）伝の作者によると，炮烙はラウレンティウスの持物としてふさわしいといわれているが，ウィンケンティウスに属すると考えた方が適切であろう．

Vincent Ferrer, St 聖ウィンケンティウス・フェレリウス（1350年頃-1419年）

スペインのドミニコ会修道士．1378年，アヴィニョンの教皇とローマの教皇が敵対し，ローマ教会の大分裂が起こったとき，その亀裂を何とか修復しようと努力した．またスペインの多くのユダヤ教徒をキリスト教に改宗させた．特にフランス，スペイン，イタリアにまで精力的に宣教旅行に出かけ，行く先々で多くの群集を魅了した説教者として有名である．説教で見せた燃えるような情熱は美術でも表現され，開けた本を手に持ち，輝く太陽のしるしを胸につけたドミニコ会修道士の姿で描かれる．

vine ブドウの木

キリストの象徴．弟子に対するキリスト自身の言葉，「わたしはまことのぶどうの木，わたしの父は農夫である」（『ヨハネ福音書』15，1）に由来する．さらにその後になると，キリストはブドウの木の隠喩の対象をさらに広げ，「わたしはぶどうの木，

ブドウの木

あなたがたはその枝である．
人がわたしにつながってお
り，わたしもその人につなが
っていれば，その人は豊かに
実を結ぶ」（『ヨハネ福音書』
15，5）と語ったように，弟子
と自分との関係を説明するた
めに用いている．キリスト教
美術でも，キリストと弟子と
の関係を描くため，ブドウの
房がたわわに実ったブドウの
木が頻繁に描かれた．さらに
発展して，ブドウ畑自体が教
会の隠喩となることもある．

初期キリスト教美術には，
ブドウの木の下で休息をとる
男を描いた浮彫があるが，こ
れはヨナ（Jonah*）の物語を
題材としたものである．⇨
gourd.

violet　スミレ

地面をはうように低く伸
び，小さな花をつけるスミレ
は謙遜のシンボルである．特
に聖母マリアを連想させる．
たとえば，イタリア，イエー
ジの市立美術館にあるロレン
ツォ・ロットの「聖母マリア
の訪問」では，聖母の足元の
床に散らばったスミレの花が
描かれている．「キリスト降
誕」を描いたヒューホー・フ
ァン・デル・フースのポルティ
ナリ祭壇画には，聖母子の
正面の床にスミレが描かれて
いる．祭壇画を見る者に，裸
の赤子となって馬小屋で降誕
したキリストの謙遜と，自ら
の役割を素直に受け止めた聖
母の謙虚さとを想起させる作
品である．

スミレはまた聖フィーナ
（Fina, St）のエンブレムでも
ある．フィーナは13世紀イ
タリアの聖女で，多くの艱難
を受けた後，全身麻痺の病に
罹り夭死した．横たわってい
た板から聖女の亡骸を移動す

ると，板にはスミレの花が咲いていたという．

Virgin Mary　聖母マリア

　5世紀中頃からキリスト教徒が神の母として崇敬したイエスの母（⇨Theotokos）．初期キリスト教時代から，罪人のための仲介者として，御子キリストとともに独自の位置を占める．東方正教会もローマ・カトリック教会も，聖人以上に聖母を崇敬する．

　正典の福音書には聖母の生涯に関する事実の記述が少ないので，初期キリスト教時代からそれを補足するために，特に『ヤコブ原福音書』のような聖書外典が活用された．この外典福音書は，聖母の両親の名前，聖母誕生の状況（⇨Anne, St），エルサレムの神殿での教育，ヨセフ（Joseph, St*）との結婚に関する資料を提供した．受胎告知の物語は，新約聖書の『ルカ福音書』（1, 26-56; 2, 1-51）で取り上げられている．その後の出来事を補足するのは『マタイ福音書』（1, 18-25; 2, 1-23）で，聖母がカナでの結婚（Marriage at Cana*）に臨んだことが記されている．ヨハネはイエスの磔刑に聖母が立ち会ったことを伝えている（『ヨハネ福音書』19, 25-27）．『使徒言行録』（1, 14）では，聖母が五旬節の前に弟子たちとともにエルサレムに滞在したことを伝えている．しかし，その後の聖母の足取りについては，外典が唯一の典拠となる．

　東方正教会の教会典礼暦では，十二大祭のうち聖母を記念するものが5つもある．すなわち生神女誕生祭（聖母の誕生，9月8日），生神女進堂祭（聖母の神殿奉献，Presentation of the Virgin*，11月21日），生神女福音祭（受胎告知，Annunciation*，3月25日），主の進堂祭（神殿での［イエスの］奉献，Presentation in the Temple*）あるいはヒュパパント（Hypapante*，2月2日），生神女就寝祭（聖母の御眠り，Dormition*，8月15

ピエロ・デラ・フランチェスカ，マントで覆う慈愛の聖母，15世紀，
サンセポルクロ市立美術館

日）である．この中で福音書の物語にもとづくものは，受胎告知と神殿でのイエスの奉献だけである．残る３つの大祭は外典の資料に依存する．同様に西欧で『ヤコブ原福音書』にもとづく祝祭といえば，無原罪の御宿り（Immaculate Conception*，12月8日）がある．

初期キリスト教時代から，聖母はキリスト教美術の題材となった．聖母を描いた地下墓地（カタコ）の絵画の中には，ヴェールをかぶり，両手を挙げて祈りを捧げる女性像がある（⇨orans）．ごく初期のモザイクでは，ローマのサンタ・マリア・マジョーレ聖堂の作例のように，ビザンティンの女帝のように王冠を戴いた女王姿の聖母像もある．

ビザンティン美術では，御子キリストを抱くのが一般的であるが，種々の姿勢（ポーズ）をとる有名な聖母イコンがある．これらの聖母イコンは，その後の全イコンのモデルとなり，つぎのような独特の形態の聖母イコンが生まれた．

実在の聖母をモデルにして描かれたという伝説で有名な聖母イコンは，ホデゲトリア（Hodegetria*）の聖母像である．この他にも輝かしい歴史を持ち，多数の複製が造られたイコンが数多くある．エレウサ（Eleousa*）の聖母，あるいはプラテュテラ（Platytera*）の聖母のような名称は，聖母の姿勢（ポーズ）や構図を示すものである．その他のイコンとしては，地理的な由来を示すものがある．たとえば，ペラゴニティッサ（Pelagonitissa）の聖母は，テッサロニキ北西部のペラゴニアという古代の地域のイコンである．これよりも古い聖母イコンの中には，奇跡を起こす力で有名になったものもある．たとえば1822年に発見されたティニオティッサ（Tiniotissa，「ティノスの」の意）の聖母がある．年2回の生神女福音祭と生神女就寝祭の大祭には，病気や障害を持つ人々がギリシア全土からティ

ノス島の教会に押し寄せる.

聖母は, 東方正教会の装飾美術でも繰り返し用いられる重要な人物である. 聖母は, キリストの生涯を描いた場面や, 十二大祭を題材とした作品で重要な役割を演じ, 聖母自身の生涯の場面も一連の出来事の一コマとして組み入れられることもある. 教会後陣の穹窿には, 聖母子のモザイクや絵画を配置するのが一般的である. 中央のデイシス (Deisis*) の群像の1人である洗礼者の聖ヨハネ (John the Baptist, St*) と均衡を保つために, 聖障 (イコノス タシス) の聖像画では聖母が単独で描かれる. また身廊西壁には, 聖母の御眠りを主要画像として配置する慣習がある.

7世紀以降は, 暗青色のマントとヴェール (veil*) を身につけた聖母を描くことが慣習となった. 東西双方の教会の伝統において, 天の青と純潔の白は, 衣装ばかりでなく聖母にまつわる花々でも特に聖母を連想させる色彩であ

る. ロマネスクとゴシックの芸術家たちは, 東方の聖母像の伝統から多くの特徴やモチーフを受け継いだが, 中世後期に盛んになった聖母崇拝の影響により, 聖母マリアのエリザベト訪問 (Visitation*) のような主題もレパートリーに加えるようになった. また天の元后 (Regina Coeli, レ-ギ-ナ-チェ-リ) としての聖母の戴冠も, 聖母の被昇天 (Assumption*) に続く出来事として頻繁に取り上げられる主題となった. 祭壇画の装飾や信心業のために一連の場面や連作が作成され, 5つの聖母の喜び (Joys of the Virgin*) や7つの聖母の御悲しみ (Sorrows of the Virgin*) という題名がつけられた. また聖母はロザリオ (rosary*) の祈りとも結びけられた (⇨Last Judgement). 主にイングランドで人気があった美術作品は, 聖母に読み書きを教える聖アンナである. 聖母の生涯を描いた場面は多くの新しい作品の題材にもなった. 16世紀初頭にデ

ューラーは，聖母の生涯を主題とした一連の木版画を作成した．御子に授乳する聖母（Virgo Lactans, ウィルゴ・ラクタンス）のテーマとした作品も多い.

プロテスタントの国々では，聖母マリア崇拝は宗教改革の聖像破壊者たちによって深刻な打撃を受けた．たとえばイングランドを例にとると，ウォールシンガムには巡礼者が頻繁に訪れた聖母マリア聖堂の本堂があり，ナザレの聖母の家のレプリカも安置されていたが，1538 年に破壊された．ローマ・カトリック教会の国々では，聖母マリア崇拝は衰退することなく発展し続けた．それとともに，美術における聖母像にも多くの異なった様式が生まれた．中には中世の聖母像を継承したものもあれば，反宗教改革の聖母マリア像から発達したものもある．荘厳の聖母（Maestà, マエスタ）と天の元后は，ともに天の階級における聖母の地位を褒め称える聖母像である．前者は，ケルビム

に囲まれ，支えられて空に立つ栄光の聖母，後者は星の王冠（crown*）をかぶり三日月の上に立つ聖母である．その他の聖母像は哀れみと謙遜に焦点が当てられている．慈愛の聖母（Madonna della Misericordia, マドンナ・デッラ・ミゼリコルディア）は，自らのマントを広げて多くの人々を包み込み，庇護の手を差し伸べようとする聖母像である．また嘆き悲しむ聖母（Mater Dolorosa, マーテル・ドロローサ）では，御子のために涙を流す聖母像である．

virtues　力天使

天使（angels*）の 9 つの階級で，主天使（dominations*）の下位にあり能天使（powers*）の上位にある霊的存在．13 世紀に編纂されたヤコブス・デ・ウォラギネの『黄金伝説』によると，力天使の役目は「神の神秘に関する困難な事柄をすべてこなし……奇跡を起こすこと」であると記されている．美術でも，このような天使の役割を

表現するために，聖体容器（pyx*）や聖香油容器（chrismatory）のような典礼儀式と関連した持物を持つ力天使像が描かれる．

Virtues, Cardinal 枢要徳
　⇨Four Cardinal Virtues.

Virtues, Theological 対神徳
　⇨Three Theological Virtues.

Visitation 聖母マリアのエリザベト訪問
　受胎告知の後，親戚でもあり洗礼者ヨハネ（John the Baptist, St*）の母親でもあるエリザベトのもとを聖母マリアが訪れたこと（『ルカ福音書』1, 39-56）．奇跡的にもエリザベトが宿した赤子は，マリアの宿した子のことを知ると胎内で踊った．このとき「わたしの魂は主をあがめ……」ともらしたマリアの言葉は，マグニフィカトというラテン語の題名で知られている．

ロヒール・ファン・デル・ウェイデン，聖母マリアのエリザベト訪問，15世紀，ライプツィヒ美術館

　東方正教会の美術に聖母の訪問の場面がほとんど見られないのは，その訪問自体が東方正教会の祝祭になっていないという事実に原因があると

いえるだろう．それは，主として初期ビザンティン時代に描かれた幼子イエスの場面に登場するのみである．しかし東方正教会では，聖母の訪問を記念した西欧の祝日の7月2日に，聖母の訪問を記した『ルカによる福音書』の一節を典礼で読み上げ，コンスタンティノープルのブラケルナエ教会に聖母のヴェール（veil*）が安置されたことを祝う．聖母の訪問が西欧の教会暦に加えられたのは13世紀に入ってからにすぎず，明確な形を取ったのは16世紀後期以降である．それでも訪問の場面を題材にした作品は，中世後期とルネッサンス期に普及した．

この出来事の常套的な表現法は，周囲の者が見守る中で，抱擁を交わす2人の女性を描くことである．1人は若く，もう1人は年配として描かれる．また聖母の生涯の一連の出来事を描いたデューラーの16世紀初期の木版画のように，背後のエリザベトの

家からザカリアが姿を見せる場合もあるだろう．

Vitus, St　聖ウィトゥス

年代不詳の殉教者．おそらくイタリア南部の出身であろう．その伝説は，歴史的な価値の乏しい後世の作り話といわれている．ディオクレティアヌス帝の頃，煮えたぎる大釜に投げ込まれるなどの数々の拷問を受けたのち，シチリアで処刑されたと伝えられている．キリスト教の信仰は，恩師のモデストゥスと乳母のクレスケンティアから伝授された．後にこの2人もウィトゥスと苦難をともにした．

聖ウィトゥス崇拝は古代から存在した．4世紀のローマには，ウィトゥスとモデストゥスの両聖人名を冠した教会があった．ウィトゥスの聖遺物は，8世紀にフランス，パリのサン・ドゥニへ，9世紀にはサン・ドゥニからドイツ，ザクセンのコルヴァイ修道院聖堂へ遷移された．ドイツでは十四救難聖人（Fourteen Holy Helpers*）の1人に数えられている．1355年にはウィトゥスのものとされる遺体が，イタリア北部のパヴィアからプラハへと遷移された．プラハには同聖人名を冠した大聖堂がある．癲癇，ひきつけ，狂犬病，数々の神経障害で苦しむ人々が同聖人の守護を祈願する．このような病気の中には舞踏病（コレア）も含まれ，「聖ウィトゥスの舞踏」（St Vitus' Dance）の名で広く知られている．エンブレムのオンドリは，異教神信仰から受け継いだものと考えられている．

W

**Walburga, St 聖ウァルブル
ガ**（779年没）

　イングランド生まれの聖女
で，ドイツ南部ハイデンハイ
ムの女子修道院長．兄弟の聖
ウィニバルド（Wynnibald,
St, 761年没）や聖ウィリバ
ルド（Willibald, St, 786年没）
のように，聖ボニファティウ
ス（Boniface, St*）の宣教活
動に参加するため祖国イング
ランドを後にした．ウィニバ
ルドの死後は，ウァルブルガ
がハイデンハイムを管轄し
た．870年，ウァルブルガの
聖遺物は，アイヒシュテット
の司教ウィニバルドの墓の傍
らに埋葬された．ウァルブル
ガが埋葬された岩の窪みから
は，奇跡的にも香油が流れ出
たことから，アイヒシュテッ
トは重要な巡礼の中心地とな

った．この香油による病気の
治療によって，ウァルブルガ
は一躍有名になった．それに
伴い聖遺物は分散され，ライ
ン地方，フランス，北海沿岸
低地帯へと遷移され，聖ウァ
ルブルガ崇拝も広がった．

　5月1日は聖ウァルブルガ
の祝日である．キリスト教化
される以前の時代では，この
日にヨーロッパ北部の農民
たちが穀物の女神崇拝の儀
式を行う風習があったが，
この異教伝承もウァルブルガ
伝説に吸収されたようであ
る．5月1日の前夜，ヴァル
プルギスの夜（Walpurgisnacht）
には，ハルツ山地で魔女が
饗宴を行うといわれている．
ウァルブルガの物語には，エ
ジプトへの逃避（Flight into
Egypt*）の穀物の奇跡を踏ま
えていると思われるところが
ある．その物語によると，敵
の追手から逃げるウァルブル
ガは，小麦の束を荷車で運ぶ
農夫と出会う．農夫は敵が通
り過ぎるまで聖女を荷車の束
の中へ隠す．次の日になる

と，荷車の小麦の束がすべて黄金に変わっていたという．このように聖ウァルブルガは特に豊作と関係があるので，農夫の守護聖女としても崇敬されている．美術では，穀物の茎あるいは奇跡の香油瓶を持つ修道女の姿で描かれる．また冠をかぶり王家の衣装を着用することもある．これは，ウァルブルガが「イングランドの国王リチャード」何某かの娘だったという歴史的に根拠のない伝説にもとづくものである．

wallet　財布
⇨purse

Walstan, St　聖ウォルスタン
年代不詳のアングロ・サクソン人の聖人．伝説によると，王家の出身であるが，卑しい農場労働者として働く道を選んだという．中世には，ノーフォークのボーバラの聖堂は，地元で有名な聖ウォルスタン崇拝の中心地となった．5 月 30 日には，農場主や労働者が，自分の家族と家畜への祝福を祈願するために同聖堂に集まる．ウォルスタンを描いた絵画では，笏と王冠が王族の生まれを，大鎌と子ウシ（calf*）が後に選択した人生をそれぞれ表わす．

ノーフォークのスパラムには，上述した持物をすべて持っているウォスルタン像がある．

warrior　戦士
⇨soldier

Washing of the Feet　洗足
伝統的に謙遜を表わす行為．イエスは最後の晩餐（Last Supper*）で弟子の足を洗った（『ヨハネ福音書』13, 5-15）．同場面では，最後の晩餐が催されたとされる部屋が背景となる．その焦点は，イエスが聖ペトロ（Peter, St*）の足を洗う瞬間に当てられている．驚愕し，動揺したペトロは，頭をも洗うように促す仕種を見せる．それは「主よ，足だけでなく，手も

頭も」(13, 9) というペトロの言葉を劇的に表現したものである. 見守る他の弟子たちの中には, サンダルの紐を結ぶ者もあれば, 解く者もある.

ギリシア正教会美術では, 同場面に洗足式（ニプテル）という題名がつけられている（*Nipter*とは, ギリシア語で「水盤」の意）. ビザンティン美術でも, 洗足は一連の受難にまつわる出来事の一駒として登場する. 教会内の洗足の絵画が飾られた場所では, 聖木曜日に主教や修道院長が自分より下の階級の聖職者や修道士の足を洗うことがある. これに相当するローマ・カトリック教会の儀式は, ペディラウィウム（*Pedilavium*）と呼ばれた. この儀式の一部を簡略化したものが現在のイングランドにも残っており, 洗足木曜日に行われる洗足式にはイングランド国王も参加する.

water　水

⇨fountain, river, well.

weighing of souls　霊魂の計量

⇨scales.

well　井戸

井戸の水を家畜や動物に飲ませることについては, 旧約聖書の数箇所でそれに関連する記述が認められる. たとえば, アブラハムの下僕エリゼルは, アブラハムの親族の中からイサクの嫁を探すために遣わされ, 井戸の側でリベカと出会う. リベカはエリゼルと彼のラクダに水を与える（『創世記』24, 10-28）. この場面は, シチリアのモンレアーレ大聖堂を飾る12世紀のモザイクにも描かれていて, 受胎告知（Annunciation*）を予表すると考えられた. 外典では, 水を汲みに来た聖母が井戸の側で受胎告知を受けたと記されている. 多くのビザンティンの芸術家は, 井戸の側での受胎告知を題材にした作品を描いた.

美術で人気を博したもう1つの井戸の場面は, ヤコブと

ラケルの最初の遭遇である（『創世記』29, 2-12）．モーセとその妻ツィポラの出会いも，ツィポラと姉妹たちが羊飼いの一行に井戸から追い出されそうになったとき，モーセが助太刀に入って羊飼いたちを蹴散らしたことがきっかけであった（『出エジプト記』2, 15-21）．聖シドウェル（Sidwell, St）は，イングランド南部地方の聖人であるが，井戸と大鎌（scythe*）を持物とする．⇨Samaritan Woman at the Well.

whale　クジラ

預言者ヨナ（Jonah*）を飲み込み，吐き出した「巨大な魚」（『ヨナ書』1, 17-2, 10）．美術では，一目でクジラと識別できる姿で描かれることもあるが，一般には魚とヘビの合いの子のような空想上の怪獣である場合が多い（⇨leviathan）．

ヨナがクジラの腹の中で過ごした3日間は，イエスの死と復活の日数に対応する．これに関してはイエス自身が「つまり，ヨナが3日3晩，大魚の腹の中にいたように，

クジラ，中世動物寓話集

人の子も3日3晩，大地の中にいることになる」（『マタイ福音書』12, 40）と述べている．以上のような理由から，初期キリスト教時代よりヨナとクジラの物語は復活の寓意（アレゴリ）と解釈され，石棺のレリーフや地下墓地（カタコンベ）の壁画に格好の主題だと考えられた．

wheat　小麦
⇨corn.

wheel　車輪
アレクサンドリアの聖カタリナ（Catherine of Alexandria, St*）の普遍的なシンボル．

車輪

車輪は全体が描かれることもあるが，ばらばらに壊れていたり，太釘が何本も外に突き出ている場合もある．車輪は聖クリスティナ（Christina, St*）の伝説を構成する要素でもあるが，これはカタリナ伝説からの借用であろう．

シチリア，モンレアーレ聖堂内付属礼拝堂の穹窿を飾るモザイクのように，有翼の天使ケルビム（cherubim*）とセラフィム（seraphim*）の足下に車輪が描かれることもある．これらの車輪は，神の玉座の下に車輪を見たというエゼキエルの幻視にも登場する（『エザキエル書』1, 15-21）．

wheelbarrow　手押し一輪車
8世紀初頭のイングランドの隠修士，聖カスマン（Cuthman, St）の持物．手押し車で手足の不自由な母親を運んだという．聖カスマン崇拝の中心地はウェスト・サセックスのステニングで，カスマン自身が同地に教会を建立した．しかしノルマン人の征服後，

カスマンの聖遺物はノルマンディーのフェカンに遷移された.

Wheel of Fortune　運命の女神の紡ぎ車

　浮世の権力や幸福のはかなさを表わすシンボル. 中世・ルネッサンス期の道徳文学はもちろんのこと, 美術においても, 宗教, 世俗を問わず, 頻繁に見られた主題. 運命は紡ぎ車を回す女性の姿で描かれる. 車輪の頂点には, 成功の絶頂にある王者ともいうべき人物が座す. 車輪が回ると, 幸運だった男は高位の座からころがり落ちる. 車輪の底には, 運に見放された不幸な者が地面にはいつくばっている. この両者に, 車輪の上昇曲線を這い上がろうとする権力志向者や成功を熱望する者たちが加わり, 運命の循環が完成する.

whip　鞭

　⇨scourge.

whirlwind　つむじ風

　旧約聖書では神の力の顕現. 火のウマに引かれた火の戦車が出現し, エリア (Elijah*) を乗せて嵐の中を天に昇って行った (『列王記下』2, 11). つむじ風はまたエゼキエルの幻視の冒頭にも登場する. エゼキエルはそのときの様子を「わたしが見ていると, 北の方から激しい風が大いなる雲を巻き起こし, 火を発し, 周囲に光を放ちながら吹いてくるではないか」(『エゼキル書』1, 4) と述べている.

wild man　野生人

　⇨woodhouse.

Wilgefortis, St　聖ウィルゲフォルティス

　ポルトガルの架空の童貞殉教聖女. ポルトガルの異教徒の国王の娘であったが, キリスト教に改宗し, 貞節の誓いをたてた. 父親がウィルゲフォルティスを異教徒のシチリア国王のもとへ嫁がせようすると, 求婚者に嫌われるよう

な醜い容貌となるよう祈りを捧げた. すると奇跡的にも, ふさふさとした髭が生えたという. 父親はウィルゲフォルティスを磔刑に処すよう命じた.

ヨーロッパの国々では, 結婚したくない相手を振り払いたいときに, 女性が守護を求める聖女として人気がある. 英語で「厄介払い」を uncumber というように, イングランドでは聖アンカンバー (Uncumber, St) という名で知られている. 聖ウィルゲフォルティス崇拝の発祥地は 14 世紀のフランドル地方である. 北海沿岸低地帯でもっとも厚く崇敬され, 聖ヘルパー (Helper, St) とも呼ばれた. それ以外の名称としては, スペインとイタリアでリベラータ (Liberata), フランスでデバラス (Débarras), ドイツでクマニス (Kümmernis) である.

美術では髭を伸ばした乙女の姿で描かれる. 磔刑に処される場合は, 長い髭で体を十字架に縛り付けられることがある. やや奇異ともいえる聖ウィルゲフォルティス崇拝の由来は, ロマネスク美術に見られるような, 長い衣をまとって磔刑に処されたキリスト像を, 同聖女像と誤解したことにあるのかもしれない. しかし医学文献によると, 神経性食欲欠如症の障害がある場合, 思春期の女性に異常な発毛がありうると明言されている.

William of Norwich, St ノリッジの聖ウィリアム
⇨boy.

windlass 巻き上げ機
聖エラスムス (Erasmus, St*) のエンブレム.

windmill 風車
聖ウィクトル (Victor, St*) の持物となることがある.

wine ブドウ酒
⇨grapes, Marriage at Cana.

wings 翼

　天使 (angels*), 大天使 (archangels*), その他の超自然的存在を特徴づけるもの. 大天使ミカエルと聖ゲオルギウスは, ともに鎧を着用し, 足下に竜を踏みつける若者の姿で描かれるが, 天使が有翼なので両者を明確に区別できる.

　天上の住人は鳥のような羽の生えた翼を持つが, 悪魔や悪霊の翼はコウモリのようである. 天使と大天使は翼が2つしかないが, ケルビム (cherubim*) は『エゼキエル書』(10, 21) によると4つ, セラフィム (seraphim*) は『イザヤ書』(6, 2) によると6つの翼を持つといわれている. 美術で描かれる「一面に目がつけられている」翼を持つ天使像は, エゼキエルの幻視に由来する.

wodehouse 森の野蛮人

　⇨woodhouse.

wolf オオカミ

　イングランドで王冠をかぶった首をくわえるオオカミといえば, つぎのような聖エドムンド (Edmund, St*) の物語を想起させる. イースト・アングリアの国王で殉教者のエドムンドは斬首刑に処され, その首は野に捨てられ風雨にさらされた. 家臣が国王の首を探し出して埋葬するまで, 神がオオカミに首の番をさせたという.

　ブルターニュの美術では, 6世紀の盲目の修道院長, 聖エルヴェ (Hervé, St) の盲導犬役をオオカミが担う. これに対しフランス以外の国, 特にイングランドでは, 聖ウェダストゥス (Vadast, St*) のお供をするオオカミは, 前述したようなおとなしい気性ではなく, 口にガチョウをくわえることもある.

woodhouse (or woodwose) 森の野蛮人

　森や人里離れた場所に住む野生人で, 中世期は古典神話

のサテュロスと同一視される場合もあった．毛皮をまとい，棍棒を持つ森の野蛮人は，中世期に頻繁に用いられた装飾モチーフで，家屋の装飾，教会美術，紋章などにも登場する．中世の教会では，「慈悲の支え（ミゼリコルディア）」（聖堂内聖職者席の蝶番つき腰掛け板の下面にある小さな突出部）に刻まれることがよくある．⇨ Green Man

wound　傷

聖トマス・ベケット（Thomas Becket, St*）のような横死を遂げた数人の聖人像に見られる．殉教者の聖ペトルス（Peter Martyr, St*）は，頭部と肩に傷があるが，兇器が体に刺さったままで描かれることもある．足にある傷あるいは腫れ物は，聖ロク

ス（Roch, St*）のしるしである．⇨ stigmata

Wrath（or Anger）憤怒

七つの大罪（Seven Deadly Sins*）の１つ．

wreath　花冠

聖カエキリア（Cecilia, St*）のエンブレム．楽器が同聖女の標準的なエンブレムとなる以前の中世では，常に花冠を持つカエキリア像が描かれた．また天使や天で祝福された死者の霊魂が花冠を戴くこともある．

writer　著述家

ビザンティンおよびロマネスク美術で，4人の福音書記者（Four Evangelists*）を描写する標準的手法．特に中世の写本に登場する．

Y

youth　若者
⇨boy.

Z

Zenobius, St　聖ゼノビウス
（4世紀後期）

　司教で，フィレンツェの守護聖人．数多くの奇跡を起こしたといわれるが，その中でもっとも有名な奇跡は，牛車に轢き殺された子供を蘇生させたことである．一連の奇跡は，フィレンツェの芸術家のお気に入りのテーマとなった．埋葬されるとき，棺桶が枯れた木に当たったところ，その木に花が咲いたという．ここから聖人と共に描かれる花の咲いた木がエンブレムとなることがある．

Zita, St　聖ジタ
（1218年-1272年）

　イタリアの家庭の召し使い．12歳のときから他界するまで，ルッカの織工の家で働いた．初めの頃，雇い主はジタのキリスト教信仰に反対し嘲笑した．しかし聖女は徐々に雇い主の家族の信頼を勝ちとっていった．外見は平穏無事に見える日々の生活の中で，奇跡的な出来事が起こり始めた．聖ジタ崇拝は，聖女の墓があるルッカのサン・フレディアーノの教会を中心としたが，中世後期になると西ヨーロッパにまで広がった．しかしローマ・カトリック教会によって公認されたのは，かなり後になってからである．祝日は4月27日である．

　イングランドでは，聖シザ（Sitha, St; Sithes, St; Citha, St*）という名で知られる．通常のエンブレムは，家政婦としての役割を象徴する鍵，鍵の束，あるいは財布である．イングランドの15世紀後半の雪花石膏（アラバスター）浮彫（ノッティンガム，ノッティンガム城博物館）には，鍵と財布に加え，本，信心の厚さを表わすロザリオ，花束を持つ

ジタ像が登場する．花束は，手に持っていたパンの塊が花に変わったという伝説に由来する．

聖人名表記対照表

英　語	ラテン語	イタリア語	フランス語	スペイン語	ドイツ語
Adrian Hadrian エイドリアン ヘイドリアン	Hadrianus ハドリアヌス	Adriano アドリアーノ	Adrien Hadrien アドリアン	Adriano アドリアーノ	Adrianus Adrian Hadrian アドリアヌス アドリアン ハドリアン
Agnes アグネス	agnes アグネス	agnese アニェーゼ	agnès アニェス	Inés イネス	Agnes アグネス
Alexis アレクシス	Alexius アレクシウス	Alessio アレッシオ	Alexis アレクシ	Alejo アレホ	Alexius アレクシウス
Ambrose アンブローズ	Ambrosius アンブロシウス	Ambrogio アンブロージョ	Ambroise アンブロワーズ	Ambrosio アンブロシオ	Ambrosius Ambros アンブロジウス アンブロス
Andrew アンドルー	Andreas アンドレアス	Andrea アンドレア	André アンドレ	Andrés アンドレス	Andreas アンドレアス
Augustine オーガスティン	Augustinus アウグスティヌス	Agostino アゴスティーノ	Augustin オーギュスタン	Agustin アグスティン	Augustinus Augustin アウグスティヌス アウグスティン
Barbara バーバラ	Barbara バルバラ	Barbara バルバラ	Barbara Barbe バルバラ バルブ	Bárbara バルバラ	Barbara バルバラ
Batholomew バーソロミュー	Bartholo- maeus バルトロマエウス	Bartolomeo バルトロメオ	Barthélemy バルテルミー	Bartolomé バルトロメ	Bartholo- mäus バルトロメウス
Benedict ベネディクト	Benedictus ベネディクトゥス	Benedetto ベネデット	Benoît Bénédict ブノワ ベネディクト	Benito Benedicto ベニート ベネディクト	Benediktus Benedikt ベネディクトゥス ベネディクト
Blaise ブレイズ	Blasius ブラシウス	Biagio ビアージョ	Blaise ブレーズ	Blas Velasco ブラス ベラスコ	Blasius ブラジウス

英 語	ラテン語	イタリア語	フランス語	スペイン語	ドイツ語
Bridget ブリジット	Brigida ブリギダ	Brigida ブリジダ	Brigitte ブリジット	Brigida ブリヒーダ	Brigida Brigitte ブリギダ ブリギッテ
Catherine Catharine キャサリン	Catharina カタリナ	Caterina Catarina カテリーナ カタリーナ	Catherine カトリーヌ	Catalina カタリナ	Katharina Käthe Kätchen Katrin カタリーナ ケーテ ケートヘン カトリン
Cecilia Cecily セシリア セシリー	Caecilia カエキリア	Cecilia チェチリア	Cécile セシル	Cecilia セシリア	Cäcilia Zäzilia ツェツィリア
Charles チャールズ	Carolus カロルス	Carlo カルロ	Charles シャルル	Carlos カルロス	Karl Carl カール
Christopher クリストファー	Christopho- rus クリストフォ ルス	Cristoforo クリストフォ ロ	Chrsitophe クリストフ	Cristóbal クリストバル	Christopho- rus Christoph クリストフォ ルス クリストフ
Cla(i)re Clara クレア クララ	Clara クララ	Chiara キアーラ	Claire クレール	Clara クララ	Klara Clara クララ
Cosmas コスマス	Cosmus コスムス	Cosimo コージモ	Côme コーム	Cosme コスメ	Kosimo コジモ
Cyril シリル	Cyrillus キリルス	Cirillo チリッロ	Cyrille シリル	Cirilo シリロ	Cyrillus Cyrill Kyrillos クリルス クリル クリロス
Dennis Dionysius デニス ダイオニシアス	Dionysius ディオニシウ ス	Dionisio Dionigi ディオニシオ ディオニージ	Denis ドニ	Dionisio ディオニシオ	Dionysius Dionysios ディオニュジ ウス ディオニュジ オス
Dominic Dominicus ドミニック ドミニクス	Dominicus ドミニクス	Domenico ドメニコ	Dominique ドミニク	Domingo Dominico ドミンゴ ドミニコ	Dominicus Dominikus Dominico Dominik

英　語	ラテン語	イタリア語	フランス語	スペイン語	ドイツ語
					ドミニクス ドミニコ ドミニク
Dorothy ドロシー	Dorothea ドロテア	Dorotea ドロテア	Dorothée ドロテ	Dorotea ドロテア	Dorothea ドロテーア
Elijah Elias イライジャ イライアス	Elias Helias エリアス ヘリアス	Elia エリア	Élie エリ	Elias エリアス	Elias Ilia Helias エリーアス イリア ヘリアス
Eligius イリジアス	Eligius エリギウス	Eligio エリージョ	Éloi エロワ	Eloi エロワ	Eligius エリギウス
Erasmus エラズマス	Erasmus エラスムス	Elmo Erasmo エルモ エラズモ	Elme Érasme エルム エラスム	Ermo Erasmo エルモ エラスモ	Erasmus エラスムス
Eustace ユースタス	Eustachius エウスタキウ ス	Eustachio エウスタキオ	Eustache ウースターシ ュ	Eustasio Eustaquio エウスタシオ エウスタキオ	Eustachius Eustach エウ(オイ)ス タキウス オイスタッハ
Francis フランシス	Franciscus フランキスク ス	Francesco フランチェス コ	François フランソワ	Francisco フランシスコ	Franziskus Franz フランツィス クス フランツ
George ジョージ	Georgius ゲオルギウス	Giorgio ジョルジョ	Georges ジョルジュ	Jorge ホルヘ	Georg ゲオルク
Giles ジャイルズ	Aegidius アエギディウ ス	Egidio Gilis エジディオ ジリス	Gilles ジル	Egidio Gil エヒディオ ヒル	Ägidius Gill エギディウス ギル
Hugh ヒュー	Hugo フーゴ	Ugo ウーゴ	Hugues ユーグ	Hugo Hugolino ウーゴ ウゴリノ	Hugo フーゴ
Ignatius イグネイシャ ス	Ignatius イグナティウ ス	Ignazio イグナツィオ	Ignace イグナス	Ignacio イグナスィオ	Ignatius Ignaz イグナティウ ス イグナーツ
James ジェイムズ	Jacobus ヤコブス	Giacomo ジャコモ	Jacques ジャック	Jaime ハイメ	Jacobus Jakob ヤコブス ヤーコプ

英　語	ラテン語	イタリア語	フランス語	スペイン語	ドイツ語
Januarius ジャニュエア リアス	Januarius ヤヌアリウス	Gennaro ジェンナーロ	Janvier ジャンヴィエ	Jenaro ヘナロ	Januarius ヤヌアリウス
Jerome Hieronymus ジェローム ハイアロニム ス	Hieronymus ヒエロニムス	Geronimo Gerolamo Girolamo ジェロニモ ジェロラモ ジロラモ	Jérôme ジェローム	Jerónimo ヘロニモ	Hieronymus ヒエロニュム ス
John ジョン	Johannes ヨハネス	Giovanni Gianni ジョヴァンニ ジャンニ	Jean ジャン	Juan フアン	Johannes Hans Johann ヨハネス ハンス ヨハン
Joseph ジョーゼフ	Joseph ヨセフ	Giuseppe ジュゼッペ	Joseph ジョゼフ	José ホセ	Joseph Josef ヨーゼフ
Julian ジュリアン	Julianus ユリアヌス	Giuliano ジュリアーノ	Julien ジュリアン	Julián フリアン	Julianus ユリアヌス
Laurence ローレンス	Laurentius ラウレンティ ウス	Lorenzo ロレンツォ	Laurent ローラン	Lorenzo ロレンソ	Laurentius Lorenz ラウレンティ ウス ローレンツ
Louis Lewis ルイス	Ludovicus ルドウィクス	Lodovico Ludovico Luigi ロドヴィーコ ルドヴィーコ ルイージ	Louis ルイ	Luis ルイス	Ludwig ルートヴィッ ヒ
Luke ルーク	Lucas ルカス	Luca ルーカ	Luc リュック	Lucas ルカス	Lukas Lucas ルーカス
Margaret マーガレット	Margarita マルガリタ ギリシア語 Marina マリナ	Margherita マルゲリータ	Marguerite マルグリット	Margarita マルハリタ	Margerithe Margarete Margareta マルガレーテ マルガレータ
Mark マーク	Marcus マルクス	Marco マルコ	Marc マルク	Marcos Marco マルコス マルコ	Markus Mark マルクス マルク
Martin マーティン	Martinus マルティヌス	Martino マルティーノ	Martin マルタン	Martín マルティン	Martin マルティン
Matthew マシュー	Matthaeus マッタエウス	Matteo マッテオ	Matthieu マテュー	Mateo マテオ	Matthäus マテウス

英　語	ラテン語	イタリア語	フランス語	スペイン語	ドイツ語
Matthias マサイアス	Matthias マティアス	Mattia マッティーア	Matthias マティア	Matias マティアス	Matthias マティーアス
Michael マイクル	Michael ミカエル	Michele ミケーレ	Michel ミシェル	Miguel ミゲル	Michael Michel ミヒャエル ミッヒェル
Nicholas ニコラス	Nicholaus ニコラウス	Nicola Niccolò ニコーラ ニッコロ	Nicolas ニコラ	Nicolás ニコラス	Nicolaus Nikolaus ニコラウス
Paul ポール	Paulus パウルス	Paolo パオロ	Paul ポール	Pablo パブロ	Paulus Paul パウルス パウル
Peter ピーター	Petrus ペトルス	Pietro ピエトロ	Pierre ピエール	Pedro ペドロ	Petrus Peter ペトルス ペーター
Philip フィリップ	Philippus フィリップス	Filippo フィリッポ	Philippe フィリップ	Felipe フェリーペ	Philippus Philipp フィリップス フィリップ
Roch Rock ロウチ ロック	Rochus ロクス	Rocco ロッコ	Roch Roque ロック	Roque ロケ	Rochus ロクス
Sebastian セバスチャン	Sebastianus セバスティア ヌス	Sebastiano Bastiano セバスティア ーノ バスティアー ノ	Sébastien セバスティア ン	Sebastián セバスティア ン	Sebastian ゼバスティア ン
Sylvester シルヴェスタ ー	Silverster シルウェステ ル	Silvestro シルヴェスト ロ	Silvestre シルヴェスト ル	Silvèstre シルベストレ	Silvester ジルヴェスタ ー
Stephan スティーヴン	Stephanus ステファヌス	Stefano ステファノ	Étienne Stéphan エティエンヌ ステファン	Esteban エステバン	Stephanus Stefan シュテファヌ ス シュテファン
Theodore シオドア	Theodorus テオドルス	Teodoro テオドーロ	Théodore テオドール	Teodoro テオドーロ	Theodor テオドール
Thomas トマス	Thomas トマス	Tommaso トンマーゾ	Thomas トマ	Tomás トマス	Thomas トマス
Timothy ティモシー	Timotheus ティモテウス	Timoteo ティモーテオ	Timothée ティモテ	Timoteo ティモテオ	Timotheus ティモテウス

英　語	ラテン語	イタリア語	フランス語	スペイン語	ドイツ語
Ursula アーシュラ	Ursula ウルスラ	Orsola オルソラ	Ursule ウルスル	Ursula ウルスラ	Ursula Ursel ウルズラ ウルゼル
Vincent ヴィンセント	Vincentius ウィンケンティ イウス	Vincenzo ヴィンチェン ツォ	Vincent ヴァンサン	Vicente Vincent(e) ビセンテ ビンセンテ	Vincentius Vincenz Vinzenz ヴィンツェン ティウス ヴィンツェン ツ
William ウィリアム	Gulielmus グリエルムス	Gulielmo グリエルモ	Guillaume ギヨーム	Guillermo ギリェルモ	Wilhelm ヴィルヘルム

建築部位名称

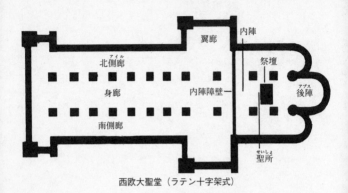

西欧大聖堂（ラテン十字架式）

バシリカ聖堂

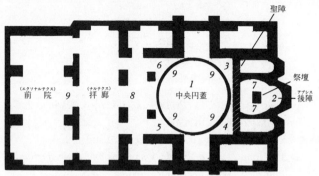

ギリシア正教会聖堂（ギリシア十字式・内接十字式）

1 パントクラトール	3 生神女福音祭
1* パントクラトール. または	（受胎告知）
教会が奉献された聖人・	4 イエスの降誕
出来事	5 磔刑
2 生神女像（と御子）	6 復活

7 天使長（大天使）	
8 生神女就寝祭	
（聖母の御眠り）	
9 四福音書記者	
10 その他の聖人	

族 長

預言者

教会祝祭（十二大祭）
イコン

キリストとその教会

王 門

聖　障（体系）

477

参考文献

Attwater, Donald *The Penguin Dictionary of Saints*, 2nd edn, Harmondsworth, 1983

Babic, Gordana *Icons* (tr. M. Tomasevic), London, 1988

Baggley, John *Doors of Perception: icons and their spiritual significance*, London & Oxford, 1987

Bandera Viani-Venezia, Maria Christina *Museo delle Icone Bizantine e post Bizantine e Chiesa di San Giorgio dei Greci*, Bologna, 1988

Basford, Kathleen *The Green Man*, Ipswich, 1978

Baxandall, M. *Limewood Sculptors of Renaissance Germany*, New Haven, Conn., 1980

Baxandall, M. *Giotto and the Orators: humanist observers of painting in Italy and the discovery of pictorial composition*, Oxford, 1971

Bentley, James *Restless Bones: the story of relics*, London, 1985

Berger, Pamela *The Goddess Obscured: transformation of the grain protectress from goddess to saint*, London, 1988

Bond, Francis *Dedications and Patron Saints of English Churches*, Oxford, 1914

Borenius, Tancred *St Thomas Becket in Art*, London, 1932

Bridge, A. C. *Images of God: an essay on the life and death of symbols*, London, 1960

Byzantine and Post-Byzantine Art, catalogue of exhibition, Athens Old University, 26 July 1985–6 January 1986, Athens, 1985

Chatzidakis, Manolis *Byzantine Art in Greece: Kastoria* (tr. H. Zigada), Athens, 1985

Cheetham, Francis W. *Medieval English Alabaster Carvings in the Castle Museum Nottingham*, revised edn, Nottingham, 1973

David-Danel, M.-L. *Iconographie des Saints médecins Come et Damien*, Lille, 1958

Demus, Otto *Byzantine Mosaic Decoration: aspects of monumental art in Byzantium*, London, 1948

Demus, Otto *The Mosaics of Norman Sicily*, London, 1950

Demus, Otto *Romanesque Mural Painting*, London, 1970

Dionysius of Fourna *Painter's Manual* (tr. P. Hetherington), London, 1974 [written *c.* 1730–4]

Every, George, *Christian Mythology*, revised edn, London, 1987

Farmer, David Hugh *The Oxford Dictionary of Saints*, 2nd edn, Oxford, 1987

Fournée, J. *Le Culte populaire et l'iconographie des saints en Normandie*, Paris, 1973

Henken, Elissa R. *Traditions of the Welsh Saints*, Cambridge, 1987

Huyghebaert, L. *Sint Hubertus*, Antwerp, 1949

James, M. R. *The Apocryphal New Testament*, Oxford, 1924

Jameson, Anna *Sacred and Legendary Art*, 2 vols, London,

1848

Kartsonis, Anna D. *Anastasis: the making of an image*, Princeton, NJ, 1986

Kelley, Fr Christopher P. (tr.) *An Iconographer's Pattern-book: the Stroganov tradition*, Torrance, Calif., 1992

Kitzinger, Ernst *Byzantine Art in the Making: main lines of stylistic development in Mediterranean art 3rd–7th century*, London, 1977

Lane, Barbara G. *The Altar and the Altarpiece: sacramental themes in early Netherlandish painting*, New York, 1984

Lawson, John Cuthbert *Modern Greek Folklore and Ancient Greek Religion: a study in survivals*, Cambridge, 1910

Mancinelli, Fabrizio *Catacombs and Basilicas: the early Christians in Rome*, Florence, 1984

Meer, F. van der & Mohrmann, Christine *Atlas of the Early Christian World* (tr. & ed. Mary F. Hedlund & H. H. Rowley), 2nd edn, London, 1966

Meinardus, Otto F. A. *Monks and Monasteries of the Egyptian Deserts*, revised edn, Cairo, 1989

Ortenberg, Veronica *The English Church and the Continent in the Tenth and Eleventh Centuries: cultural, spiritual, and artistic exchanges*, Oxford, 1992

Ouspensky, Leonid & Lossky, Vladimir *The Meaning of Icons*, Crestwood, NY, 1989

Rendel Harris, J. *The Dioscuri in the Christian Legends*, Cambridge, 1903

Rushforth, G. McN. *Medieval Christian Imagery*, Oxford

1936

Schapiro, Meyer *The Sculpture of Moissac*, New York, 1985

Scott Fox, David *Saint George: the saint with three faces*, Windsor Forest, 1983

Sparrow, W. Shaw *The Gospels in Art*, London, 1904

Talbot Rice, D. *The Appreciation of Byzantine Art*, London, 1972

Tolkowsky, S. *Hesperides*, London, 1938

Watson, Arthur *The Early Iconography of the Tree of Jesse*, London, 1934

Weisz, Jean S. *Pittura e Misericordia: the Oratoty of S. Giovanni Decollato, Rome*, Ann Arbor, Mich., 1984

Woodforde, C. *Stained Glass in Somerset 1250–1830*, Oxford, 1946

訳者あとがき

　本書は Jennifer Speake, *The Dent Dictionary of Symbols in Christian Art* (1994) の全訳である.

　著者のジェニファー・スピークはカナダで生まれ, 南アフリカで教育を受けたのち, オックスフォード大学のサマヴィル・コレッジでルネッサンス期のイギリス研究を専攻して学位 (MPhil) を取得した. その後は, 本書も含めて, 数多くの辞書や事典の編纂者あるいは著者として活躍している. 著書としては, *Cassell Book of Biblical Quotations* (1993), また共著としては *The Encyclopaedia of the Renaissance* (with Thomas G. Bergin, 1987 『ルネッサンス百科事典』別宮貞徳訳, 原書房, 1995), *Concise Oxford Dictionary of Proverbs* (with John Simpson, 1992) などがある.

　さて, 一口にキリスト教美術といっても, 約2000年に及ぶ歴史があり, 実に多種多様な側面を持っている. たとえば, ローマ・カトリック, ギリシア正教, プロテスタントなどの諸宗派, あるいはロマネスク, ゴシック, ルネッサンス, バロック等の時代と様式, あるいはまたアイルランド, 北欧, 地中海, オリエントなどの地域によっても, それぞれの宗教美術の表現形態に違いが認められるのは周知のとおりである. このような多様性の背後にある中心的な問題の1つは, 図像美術否定と図像美術容認という相反する思想的傾向のベクトルの生み出す緊張関係であるといえる. あるいは別の見方をすれば, それはどのような形態の宗教芸術を容認す

るかという問題であるといいかえてもよいだろう．モーセの
十戒の第二戒に「あなたはいかなる像も造ってはならない」
(『出エジプト記』20，4）と記されているように，ユダヤ教の
伝統を継承するキリスト教には，もともと礼拝像を拒否する
考え方があった．しかし，コンスタンティヌス帝の治世下，
313年のミラノ勅令によってキリスト教が公認されると，キ
リストを中心とする霊的秩序を，異教のローマの絢爛豪華な
宮廷美術に対抗しうるようなレベルで芸術的に表現する必要
に迫られるようになる．もちろんそれ以前にも，葬礼美術や
地下墓地（カタコンベ）など，キリスト教美術といえるものはあっ
たが，公認以後のそれは，聖像否定の美術観と美術謳歌の古
代異教的伝統との融合に至るほどの変貌を遂げるのである．
そして中世および近世になると，キリスト教の図像はさらに
発展していくわけであるが，キリスト教会は，美術の表現形
態だけではなく，その題材の選択においても異教との対決を
強いられることになる．とりわけキリスト教が進出しはじめ
たヨーロッパ世界は，ギリシア・ローマ神話やゲルマン神話
はもとより，さまざまな土俗信仰や民間伝承など，まさに美
術の題材にはことかかない神話や伝説の咲き乱れる花園であ
った．それにくらべ新約聖書の福音書には，イエスの幼時や
生い立ちですら，説話らしい説話が見出せないありさまだっ
た．そこでイエスの生涯の個々の部分に関し，聖書正典を補
足するような資料として，イエスの幼少の頃を記した『ヤコ
ブ原福音書』や『トマスによるイエスの幼児物語』，イエス
の最期を扱った『ペトロ福音書』，『ニコデモ福音書』，『ピラ
ト行伝』などの外典福音書が注目されはじめたのである．特
に本書でマリアの伝記としてもしばしば言及されている『ヤ

コブ原福音書』は，まず東方教会で，つぎに西方教会でかなり広く読まれ，中世の伝説や宗教画に格好の題材を提供した書物であった．さらにまた異教の神々や英雄に匹敵するようなキリスト教の英雄伝も必要となり，殉教者や聖人の奇跡的な行伝を集めた聖人伝もよく読まれるようになった．中でも原著者がまえがきであげている『黄金伝説』は，オヴィディウスの『転身物語』に相当するほど中世ヨーロッパで人気を博した聖人伝であった．『黄金伝説』は，当初『聖人物語』（Legenda sanctorum）と呼ばれていたが，価値の高いものとして「黄金」の名を冠せられるに至った．この書物は，史実としては内容に問題があるとしても，文学的・信仰的に意義があったため，諸国語に翻訳され，印刷術の発明後，たちまち多くの訳本の刊行を見た．その説話文学としての巧妙な語り口，言語的イメージが作り出す豊かな造形と色彩は，芸術家たちの空想力に直接に霊感を与え，造形美術に対して多大なる影響を及ぼした．ちなみに，この『黄金伝説』の影響は日本の文学にも認められ，芥川龍之介の短編『きりしとほろ上人伝』と『奉教人の死』は，同書の79章と95章をそれぞれもとにしたものである．

　このような歴史的変遷を経てキリスト教美術が開花した結果，私たちは文化遺産としても価値の高い作品群に囲まれることになったのである．しかしながら，ジョルジュ・ルオーが手がけたような宗教美術は別として，宗教と美術が何の関わり合いも持たない現代社会に生きる私たちにとって，ルネッサンス期以前のキリスト教美術の作品にどのような象徴的意味があったかを的確に理解するのはそう簡単なことではない．さりとて美術作品が作成された当時の人々が共有してい

た聖書的知識を，20世紀の日本の読者に要求するのもたい
へん難しいことである．そこで一般の読者のために，800を
超える見出し語をあげて，美術作品の題材となった聖書や聖
人伝の主なエピソードを簡潔に紹介したのが本書である．そ
のような聖書（正典および外典）と聖人伝の知識があれば，
ヨーロッパの美術館を訪れても，そこに展示された作品の理
解に苦しむことなく，美術鑑賞の楽しみを倍増させることが
できるであろう．これが本事典の第1の特徴である．

　さらに本書では，西欧美術が中心領域となっているもの
の，決して西欧一辺倒ではなく，東方正教会の美術作品もか
なり紹介されている．そして特に重要な主題に関しては，東
西の教会美術を比較し，視覚的イメージを構成する上での力
点や表現法に関して，両者の間にどのような違いが認められ
るかが簡明に解説されている．最近では東方イコンを主題と
した，いわゆる聖像解釈の書物もよく見かけるようになった
けれども，日本で一般にキリスト教美術というと，やはり西
欧だけを視野の中心にすえる傾向が強く，美術事典も西欧の
美術作品だけを取り上げたものが主流を占めている．しかし
ながら，キリスト教の歴史的視点に立てば，少なくとも紀元
10世紀頃までは，東方系のキリスト教美術が主導権を握っ
ていたのであり，その後も，特にイタリア半島において，東
方系のキリスト教美術が西方に影響力を及ぼしていたのであ
る．したがってキリスト教美術への理解を深めようと思え
ば，東方の伝統を避けて通るわけにはゆかない．その意味で
東西両方の教会美術に注目している本書は，従来の西洋美術
事典には欠如しがちな数々の興味深い視点を提供してくれる
はずである．

第3の特徴としては，有名な絵画や彫刻だけでなく，ステンドグラス，刺繡，金細工，写本装飾などの美術工芸品におけるシンボリズムを解く鍵をも提供している点である．つまり美術史でいうところの傑作主義に固執せず，教会の典礼器具から巡礼者の記念品に至るまで，また教義の具現化としてのイエス像から石棺に至るまで，教会と関わりを持つ数多くの造形表現が取り上げられている．したがって様式を重視する美術史とは異なった視点から，キリスト教の象徴的・教義的内容である美術作品の図像学的意味を理解する一助として本書を活用することもできよう．

　上述した諸特色に加え，日本の読者にとって本文の記述がより理解しやすいものになることを願って，本書では，テーマに関連した美術作品の作例や参考図を多数挿入した．そのうちの100点を超える図は，原書では巻末の「図像索引」に収録されていたものである．

　以上，すこぶる大まかで概略的に本書の特色をご紹介したわけであるが，訳者としては本書がキリスト教美術を愛する読者に少しでも役立つことを祈ってやまない．最後に，この翻訳が誕生したのは，大修館書店の志村英雄氏の発議と熱意があったおかげである．また入念に最終校正の労をとって下さった校正者にも厚く御礼を申し上げたい．

　　平成9年3月29日

　　　　　　　わが家の庭に2年ぶりに可憐な花を咲かせた
　　　　　　　クリスマスローズに心を寄せながら

　　　　　　　　　　　　　　　中　山　　理

文庫版訳者あとがき

　西洋文化を語ろうとすれば，西洋美術を抜きにして語ることはできず，西洋美術を語ろうとすれば，キリスト教美術を抜きにして語ることはできない．これは今日までルネッサンス期のイギリス文学と視覚芸術の研究に取り組んできた訳者の偽らざる実感である．

　キリスト教美術について語ることは，その宗教的イメージとしての図像について語ることでもある．それもただ語るだけではなく，さらにもう一歩踏み込んで学問的なアプローチを用いれば，図像の宗教的意味や構造までも分析することができる．そのようにしてイメージの主題や象徴を美術史的な観点で識別し，比較，分類する学問をイコノグラフィー（iconography）という．さらにイコノグラフィーの研究成果にもとづき，美術作品に備わる象徴的価値などを解明する学問がイコノロジー（iconology）である．

　ともに「図像解釈学」とも呼ばれているが，西洋文化において美術と宗教が密接な関係にあるように，図像解釈学とキリスト教美術解釈学もかつてはほぼ同義語とみなされるような関係にあった．

　事実，西洋における図像の比較研究の源流を遡ってみると，旧約聖書の『創世記』の有名な一節，「主なる神は，東の方のエデンに園を設け，自ら形づくった人をそこに置かれた」（2：8）という表現にたどりつく．キリスト教では人間そのものが「神の形」であり，「神のイメージ」（imago Dei）

として創造されたものなのである.

　イコノロジーでは仏教美術の研究なども見られるが，やはり主流はキリスト教図像解釈学であり，キリスト教に備わる典礼，教義，歴史などの諸要素が芸術作品にどのように表現されているかについて様々な視点から研究が展開されている.

　その中で本事典のタイトルに含まれている「シンボル」は，キリスト教図像解釈学の重要な要素である．いうまでもなく，それは単なる一般的な記号としてのシンボルではなく，キリスト教教義の抽象的な観念や思想を具体的なイメージによって形象化した図像としてのシンボルを意味する.

　特にキリスト教美術では，教義の説明のために種々のシンボルが用いられてきた．もとより，それらのシンボルへの理解があってこそ，キリスト教美術とその背後にある西洋文化への理解も深まるのである.

　後でもう少し説明を加えるが，キリスト教美術におけるシンボルは集団的な了解のもとに成立している．したがってシンボルは集団的に承認された一定の約束事としての社会的性格を帯びるため，シンボルを理解することは西洋社会を理解することにもつながってゆく.

　イコノロジーでは狭義の図像解釈だけでなく，図像をめぐる宗教的心理や政治的心理までも扱われ，たとえば，偶像破壊と偶像崇拝の心理や，両者の間で繰り広げられる闘争なども研究の対象となる．さらに現代のイコノロジーは，広告宣伝などのイメージ戦略を科学する学問へと進化し，その研究対象の幅も広がりを見せている.

　抽象的な話だけでは分かりにくいので，西洋史の中から具

体的な実例をピックアップしてみよう．たとえば，偶像破壊を例にとると，その典型的な事例として，8〜9世紀のビザンティン帝国において聖画像を破壊する運動が国家の宗教政策として行われたことがあげられよう．偶像破壊はイコノクラスムとも呼ばれるように，イコンである聖画像の破壊を意味し，イコンを礼拝することも制作することも許さない反芸術的な思想である．

　つぎに偶像破壊と偶像崇拝との闘争については，特にキリスト教美術との関連が深い事例として，プロテスタントによる宗教改革とそれに対抗するカトリックの反（対抗）宗教改革との闘争が好例と言えるだろう．

　宗教改革とは，1517年，ドイツの神学者で聖職者のマルティン・ルターが，当時のローマ教皇レオ10世の免罪符販売とカトリック教会の腐敗を攻撃し，「九五か条の意見書」を発表したことに端を発する宗教運動である．その後，信仰のよりどころを聖書だけに求めるプロテスタンテトの運動はたちまちヨーロッパ全土に波及し，数多くの紛争を各地でひき起こすことになった．

　宗教改革は，カトリック教会の神学，教義，典礼などを含めた，教会体制全般にわたる変革運動であったが，その攻撃の矛先はキリスト教芸術の在り方にまで及んでいた．聖書中心主義を標榜するプロテスタントたちは，旧約聖書の『出エジプト記』に記されたモーセの十戒のひとつ，「あなたはいかなる像も造ってはならない」（20：4）という戒律を根拠にキリスト教美術を否定し，カトリック教会の聖像崇拝（cultus sacrarum imaginum）をその攻撃の対象としたのである．その結果，プロテスタントによる聖像破壊運動が起こり，カ

トリックの聖堂や修道院のキリスト教美術がつぎつぎに破壊されていった.

カトリックは，教会組織を根底から震撼させる宗教改革に対抗するため，1545年から1563年にかけてトリエント公会議を開いて効果的な対応策を協議した．ここで注目すべきは，その会議で美術史に大きな影響を与える決定が下されたことである．

まず，カトリック教徒は十戒に反する偶像崇拝者である，というプロテスタントの非難に対しては，キリスト教美術そのものは崇敬の対象ではないため偶像には当たらない，と反論した．それと同時に，カトリック教会はそのような攻撃を受けることになった教会の在り方についても自己反省し，ともすれば民衆から遊離しがちであった今までの布教体制の見直しを図ったのである．キリスト教美術についていえば，これからは民衆の感情や感覚や信仰心を大切にし，それらに訴えかけるような形でカトリックの美術を最大限に活用するように方針を転換したのである．

というのも，聖書中心のプロテスタントとは異なり，カトリックの信者の中には字が読めない人々が多くいたことから，その信者たちにカトリックのさまざまな奇蹟を信じさせるには，言語理解力よりも視覚芸術によって感情や信仰心に訴えかける必要があったからである．その目的をキリスト教美術で実現するため，高尚でありながらも，誰もが一目見れば理解できるような芸術表現が求められたのである．

その結果，誕生したのがバロック芸術であった．バロックの歴史的構造を分析したスペインの歴史家のJ・A・マラバルが『バロックの文化』の中でバロックの文化（la cultura del barroco）の特徴として「統制政策的」（dirigista）で「大衆的（masiva）」な性格をあげているように，バロック芸術に託された使命は，その劇的な芸術表現によって一般民衆にカトリック教義の正当性を理解させ，教会の威信を高めることであった．カトリック教会がキリスト教美術の力を利用したのは，現代人がメディア戦略を活用するのと一脈通じることがある．

プロテスタントがキリスト教美術に対してより厳しい態度を取るようになったのとは対照的に，カトリックは以前にもまして美術の持つ力に頼るようになった．その結果，たとえば，バロック時期を代表するイタリアの芸術家ベルニーニの作品群やバロック期のフランドルの代表的な画家ルーベンスによる「聖母被昇天」などの傑作が輩出されたのである．

もちろん，後者のように聖母マリアをテーマとした図像は中世後期から制作され，その後の盛期ルネサンス期でも，イタリアの画家ティツィアーノによる「被昇天」（assumption）をテーマとした名作が誕生している．

しかしバロック美術は，ルネサンス美術の理想とする均衡のとれた画面構成よりも，意図的にバランスを崩したような構図と動的でダイナミックな表現をその特徴とする．たとえば，前述したルーベンスの「聖母被昇天」の図像でも，聖母以外に躍動感のあふれる登場人物を配置することによって流動的な動きを表現し，聖母をより劇的に見せようとする意匠が感じられる．

エミール・マールが『ヨーロッパのキリスト教美術　12世紀から18世紀まで』で述べているように，カトリック教会は，トリエント公会議以降，反宗教改革の美術を活用する

ことによってプロテスタントが攻撃した全てのカトリック教義を擁護し，とりわけ聖母を賛美することを目標に掲げたのだった．

　聖母マリア像以外で，プロテスタントが好意的ではなかったものに聖人画がある．このことも反宗教改革運動で多くの聖人画が描かれるようになった理由の一つである．聖人画についても，前述した第25回トリエント公会議総会（1563年）で聖像に関する教令が発布されている．それによると，カトリック司教に課せられた役割として，神秘の救済物語を描いた絵画や聖像によって信者の信仰心を鼓舞するとともに，絵画や聖像を見てキリスト教教義への誤解が生じないよう無知な者たちを監督することが求められたのである．

　もともと聖人を描いた絵画には，他の聖人と見間違わないように，その聖人であることを示す「持ち物」（attribute）や「エンブレム」（emblem）が描かれてきた．たとえば聖ペトロが天国の「鍵」を持って描かれているように，その種の記号はキリスト教の聖人を識別し，その偉業を理解するのにすこぶる役立つものであった．

　「持ち物」は特定の聖人が誰であるかを明示するだけではない．たとえば本事典の「book 本」という項目によれば，13世紀以前の十二使徒の群像ではキリスト教の信仰を伝授する教師としての地位を示すために「本」を持たせることが一般的であり，福音書記者と使徒が一緒に登場するときは，両者の違いが一目でわかるように，福音書記者には本を持たせ，そうでない使徒には巻き物を持たせて区別する必要があったと説明されている．

前述したように，「持ち物」はキリスト教図像の伝統的な約束事であり，ここに解釈学的な見方が要求されるキリスト教美術と，それ以外の絵画，たとえば単にスペインやポルトガルとの交易の様子を描いた「南蛮屏風」のような風俗画との違いがある．

　古代ローマの詩人ホラティウスの『詩論』の中に「詩は絵のように」（ut pictura poesis）という箴言があるが，カトリック教会も，聖書の言葉を絵画で鑑賞するごとくに理解させることを意図していた．すなわちキリスト教美術の図像を「言語で理解する聖書」ではなく「目で見て理解する聖書」にしようと試みたのである．それはちょうど現代の私たちが芸術作品を鑑賞してその背後にある西洋文化を学ぼうとするように，当時の人々にとってキリスト教美術を鑑賞することは，各自の文化的教養を深めようとする格好の学びの機会だったのだろう．

　ありがたいことにグローバル時代に生きる現代の私たちは，いろいろなキリスト教美術を実際に目にすることができる．ヨーロッパへ旅行すれば，教会や美術館はキリスト教美術の作品で溢れているし，国内でも海外の美術館が所蔵する第一級の名作を鑑賞できる展覧会が年中開かれている．そのような機会が訪れた時，キリスト教美術のもつシンボルの知識が備わっていれば，作品の表現の美しさをただ漫然と味わうだけでなく，そこに描かれた歴史的なメッセージまでも読み解くこともができ，美術鑑賞の楽しみは格段に倍増するに違いない．本事典がその一助となれば訳者としてこれ以上喜ばしいことはない．

　最後に本事典を文庫本として上梓するように勧めてくだ

り，ロンドンを流れるテムズ河のように何事もゆっくりとし
か進捗しないイギリスの関係者と交渉してくださった筑摩書
房編集局の天野裕子さんに心から感謝の意を表したい．

令和六年三月十四日

奇しくも 25 年前に初版の訳者あとがきを書きながら眺めた
クリスマスローズが，今もまた我が家の庭で赤紫色の花を咲
かせている姿に尽きぬ想いを寄せながら

中山 理

項目索引

ア

IHS　230

INRI　232

愛徳　95

アイリス　233

アウグスティヌス，カンタベリーの聖　56

アウグスティヌス，ヒッポの聖　56

アエギディウス，聖　199

アカキウス，聖　17

赤子　58

アガタ，聖　24

アクイレジア　46

アグネス，聖　24

悪魔　135, 138

アケイロポイエトス　17

葦　352

足　170

足跡　177

アタナシオス，聖　55

アダムとエバ　18

アドリアヌス　23

アナルジロイ　30

アブラハム　16

アブラハムの歓待　339

アブラハムの懐の三位一体　77

アベル　16

アポロニア，聖　45

アルドヘルム，聖　26

アルバ　26

アルバヌス，聖　26

アルファとオメガ　29

アルフェジ，聖　29, 159

アレクシウス，聖　27

荒れ野での誘惑　400

アロン　15

アンサヌス，聖　42

アンデレ，聖　31

アントニウス，パドヴァの聖　44

アントニオス，エジプトの聖　43

アンナ，聖　38

アンプラ　30

アンブロシウス，聖　29

イ

帷衣　126

イエスの降誕　309

イエスの墓の七婦人　377

イエスの御名　309

イエスの御名の礼拝　21

錨　30

イグサ　361

イグナチオ・デ・ロヨラ，聖　230

いけにえ　362
イサク　233
石　396
石臼　304
医者　139
泉　178
イチジク　170
一角獣　436
井戸　458
井戸のサマリアの女　363
イヌ　140
イノシシ　72
祈れる生神女　342
茨の冠　411
岩　359
淫欲　283

ウ

ヴァースト，聖　440
ウァルブルガ，聖　456
ウィクトル，聖　444
ウィトゥス，聖　454
ウィリアム，ノリッジの聖
　462
ウィルジフォルティス，聖
　461
ウィンケンティウス，サラゴーサ
　の聖　444
ウィンケンティウス・フェレリウ
　ス，聖　446
ウェダストゥス，聖　440
ヴェール　440
ヴェロニカ，聖　441

ウォルスタン，聖　457
ウマ　226
ウマの足　272
海の星　393
ウーラフ，聖　316
ウリエル　437
ウルスラ，聖　437
運命の女神の紡ぎ車　461

エ

エバ　165
エウスタキウス，聖　164
エウラリア，聖　163
エジプトへの逃避　175
エセルドレダ，聖　163
エッケ・アグヌス・デイ　152
エッケ・ホモ　152
エッサイの樹　241, 426
エデンの園　152, 189
エデンを流れる4つの川　183
エドムンド，聖　153
エドワード，殉教者・聖　156
エドワード証聖王　154
エフェソスの眠れる七聖人
　377
エラスムス，聖　162
エリア　157
エリギウス，聖　158
エリシャ　158
エルサレム入城　161
エルモ，聖　158, 162
エレウサ　156
エロワ，聖　158

偃月刀　168

オ

黄金の子ウシ　203
雄ウシ　82, 320
雄ウシとロバ　320
大鎌　371
大釜　90
オオカミ　463
桶　80
オコジョ　163
幼子イエス　232
雄ジカ　392
オスワルド，ノーサンブリアの聖
　319
オダマキ　108
オードリ，聖　56, 163
オヌフリウス，聖　318
斧　57
オメガ　317
オモフォル　317
オリーブの枝　316
オルガン　319
オレンジ　318
オンドリ　106
御眠り　143

カ

外衣　358
貝殻　378
外套　104
怪物　305
カインとアベル　84

カエキリア，聖　91
画家　323
鏡　304
花冠　464
鍵　259
籠　63
囲まれた園　226
カスバート，聖　124
肩衣　317, 323
カタリナ，アレクサンドリアの聖
　87
カタリナ，シエナの聖　89
カタリナ，ジェノヴァの聖　89
ガチョウ　205
割礼　102
悲しみの人　285
カナでの婚礼　289
鉄床　45
鐘　66
金入れ　305
花瓶　440
ガブリエル　188
鷲ペン　350
鎌　383
ガマディオン　398
神　203
神の小羊　25, 264
神の娘たち　129
神の4人の娘　180
神のより大いなる栄光のために
　20
カラス　116
ガラスの小瓶　338

カリス　94
狩りの角笛　225
川　357
皮　385
ガン　205
冠　116
灌水器　52

キ

木　425
騎士　260
傷　464
キツネ　184
祈禱像　318
希望　225
球体　202
キュリアコス，聖　125
教会　102
教会博士　139
教皇　344
玉座　418
キリクス，聖　125
ギリシア教会四大博士　182
キリスト　98
キリスト哀悼　265
キリストの５つの傷　174
キリストの地獄への降下　30
キリストの洗礼　59
キリストの変容　422
キー・ロー　97

ク

クァトロ・コロナーティ　350

釘　309
鎖　93
櫛　108
クジャク　330
クジラ　459
果物　185
靴　381
苦難の僕　396
首　218
クマ　65
クモ　391
雲　105
クララ，聖　103
クリスティナ，聖　99
クリストフォロス，聖　100
クリスピニアヌス，聖　113
クリスピヌス，聖　113
クリスマス　100
グリュコフィルサ　203
グリーンマン　206
グレゴリウス一世　207
グレゴリウス，大　207
グレゴリオス，ナジアンゾスの聖　208
クレタ島の十殉教者　402
クレメソス，ローマの聖　103
クローバー　106
クロウタドリ　70

ケ

頸垂帯　396
契約の箱　47
ゲオルギウス，聖　190

外科用器具　233

外科用メス　368

ゲツセマネの園　198

ケネルム，聖　259

ゲノウェファ　190

ゲルウァシウス，聖　196

ゲルトルディス，ニヴェルの聖　195

ケルビム　96

ゲルマヌス，オセールの聖　195

ゲレオン，聖　194

剣　398

権天使　346

賢明　348

コ

コイフ　108

コイメーシス　260

剛毅　177

子ウシ　84

傲慢　346

香油瓶　316

光輪　212

香炉　92

凍った湖　264

木陰の休憩所　77

国王　260

黒人　311

穀物　206

後光　57, 313, 443

腰帯　201

五旬節　333

コスマス，聖　111

5000人，食べ物の供与　174

5000人への食べ物の供与　169

琴　215

子供　96

小羊　264

小羊の礼拝　20

小舟　311

五芒星形　332

小麦　109, 460

コメツブツメクサ　377

衣　105

棍棒　106

サ

最後の審判　143, 265

最後の晩餐　267

祭瓶　30

財布　348

祭服　444

再臨　326

魚　171

魚を捕る網　174

サクランボ　95

ザクロ　343

サケ（指輪を持った）　363

下げ振り　342

サソリ　369

サタン　366

座天使　420

砂漠　136

砂漠の教父　138

サムソン　364

サムソン，聖　366

皿　139

サルウァトール・ムンディ
363

ザルガイ類の貝殻　108

されこうべ　385

三角形　428

三教会大主教　412

三賢者　418

三重冠　420

三対神徳　417

サンダル　366

3人の生者と3人の死者　412

3人のマリア　415

三位一体　428

シ

死　132

慈愛　95

ジェンナーロ，聖　238

シカ　132

司教　68

司教冠　304

地獄の顎　239

地獄の入口　221

地獄への降下　215, 221

四終　183

四枢要徳　178

ジタ，聖　385, 466

七枝の燭台　302

七秘跡　376

執事　131

嫉妬　161

熾天使　373

使徒　45

使徒のプリンス　346

死の舞踏　127

シモン，聖　384

ジャイルズ，聖　199

笏　368

笏杖　118

車輪　460

ジャンヌ・ダルク，聖　241

十字架　114

十字架からの降下　136

十字架降下　136

十字架像　119

十字架の道行き　393

修道士　305

修道女　315

修道服　210

自由七学芸　375

十二使徒　433

十二使徒の聖体拝領　109

十四救難聖人　183

主教　68

祝福　71

受胎告知　40

主天使　142

受難　326

受難具　232

ジュヌヴィエーヴ，聖　190

シュロの木　323

シュロの葉　323

巡礼　341

昇天　51

少年　77
助祭　131
燭台　86
諸死者　28
ジョス，聖　251
諸聖人　28
シルヴェステル，聖　384, 399
信仰　167
心臓　219
神殿でのキリストの奉献　229
神殿での奉献　344
信徳　167
真の十字架の発見　233
神母　404

ス

スウィザン，聖　398
スウィジン，聖　398
枢機卿　86
枢要徳　86, 453
鋤　390
スコラスティカ，聖　368
鈴　66
ステファノ，聖　393
ステラ・マリス　393
ストラ　396
砂時計　227
スミレ　447

セ

聖家族　224
聖顔　441
正義　258

聖グレゴリウスのミサ　298
聖痕　395
聖女たち　224
聖水盤　52
聖体顕示台　305
聖体容器　349
聖トマスの不信　232
聖なる会話　362
聖杯　94, 206, 224
聖母の5つの喜び　174
聖母の御悲しみ　388
聖母の御喜び　252
聖母の神殿奉献　346
聖母の7つの悲しみ　377
聖母マリア　294, 448
聖母マリアのエリザベト訪問
　453
聖母マリアの清めの儀式　348
聖母マリアの死　132
聖母マリアの戴冠　111
聖母マリアの礼拝　22
セイヨウニラネギ　272
聖霊降誕の主日　333
聖霊降誕の大祝日　333
石板　400
説教者　344
銭箱　305
ゼノビウス，聖　466
セバスティアヌス，聖　371
セバステ湖の40人の殉教者
　177
セルギウス，聖　374
戦士　457

洗足　332, 457
洗足式（東方教会の）　313
戦斧　64

ソ

荘厳の聖母　284
族長　326
束縛　74
園　188
園での苦悩　25

タ

大主教　221
大食　203
対神徳　453
怠惰　17, 386
松明　421
太陽　396
タカ　168
タダイ，聖　402
磔刑　120
建物　80
ダニエル　127
ダビデ　129
玉　58
卵　156
ダミアヌス，聖　111, 126
ダルマティカ　126
短剣　126

チ

智天使　96
乳房　78

蝶　83
長白衣　26
長老　156
著述家　464

ツ

杖　359, 391
月　305
ツタ　235
角　225
翼　463
壺　344, 440
つむじ風　461

テ

手　214
ティアラ　420
デイヴィッド　131
ディオニュシウス，聖　135
T型定規　433
デイシス　133
蹄鉄　226
剃髪　420
手押し一輪車　460
テオドロス，聖　402
テクラ，聖　402
デメトリオス，聖　134
テレサ，アビラの聖　404
テレサ，聖　402
テレーズ，リジューの聖　405
天軍の隊長たち　400
天秤　367

ト

塔　421
洞窟　90
頭髪　211
頭部　218
動物　36
東方三博士の礼拝　21
東方の三博士　284, 413
ドゥンスタン, 聖　150
毒蛇　19
髑髏　385
ドナティアン, 聖　142
扉　143
トマス, 聖　406
トマス・アクィナス, 聖　408
トマス・ベケット, 聖　464
ドミニクス, 聖　140
鳥　68
ドロテア, 聖　145
貪欲　57

ナ

ナイフ　260
流れ　396
なつめやしの葉　323
七つの大罪　374

ニ

ニコラウス, トレンティーノの聖　313
ニコラウス, バリの聖　311
ニコラオス, ミュラの聖　311

虹　351
二十四人の長老　435
入浴　64
にわか雨　381
人間　284
人間の堕落　168

ネ

ネズミ　352
ネックレス　311

ノ

ノアの箱船　47
能天使　344
鋸　367
ノトブルガ, 聖　315
ノリ・メ・タンゲレ　313
ノルベルトゥス, 聖　314

ハ

歯　420
杯　123
パウロス, 隠修士の聖　330
パウロス, テーベの聖　330
パウロ, 聖　327
秤　58
ハガル　211
ハクチョウ　398
禿　58
箱　77
鋏　369
梯子　262
柱　342

バシレイオス, 聖 63
旗 59
ハチ 66
ハチの巣 221
ハチの巣箱 66
ハツカネズミ 302, 308
バックス, 聖 374
ハト 146
ハドリアヌス, 聖 23
パトリキウス, 聖 326
花 177
花の咲く杖 177
バベルの塔 58, 421
馬銜と馬勒 70
バラ 361
パリウム 323
バルドヒルド, 聖 64
バルトロマイ, 聖 62
バルナバ, 聖 62
バルバラ, 聖 61
馬勒 70
ハンカチ 215
パン 78
パンタレオン (パンテレイモン), 聖 324
パントクラトール (全能のキリスト) 325
パンの塊 277

ヒ

ピエタ 340
ヒエロニュムス, 聖 239
光 274

髭 65
ひしゃく 264
被昇天 53
ヒツジ 377
羊飼い 379
羊飼いのお告げ 42
羊飼いの礼拝 21
日時計 397
人の足 272
百人隊長 93
ヒュー, リンカンの聖 228
ヒュー, リンカンの「少年」聖者 228
ヒュパパント 229
ヒョウ 272
ヒョウタン 205
ビルギッタ, スウェーデンの聖 79
ヒワ 203
瓶 77, 239, 344

フ

フィアクル, 聖 170
フィデス, 聖 167
フィリポ, 聖 338
フィリッポ・ネリ, 聖 339
風車 462
フォア, 聖 167
フォスター, 聖 440
福音書記者 165
フクロウ 320
不死鳥 340
巫女 381

ブタ　341
復活　354
ブドウ　206
ブドウ酒　462
ブドウの木　446
舟　72
船　381
フベルトゥス，聖　227
ブラシオス，聖　70
フラスコ　174
フランチェスコ，アッシジの聖　185
ブリギッド，アイルランドの聖　79
プロコロ　346
プロコロス　346
プロタシウス，聖　196
プロドロモス　347
フロリアヌス，聖　176
憤怒　36, 351, 464

ヘ

兵士　388
ベケット，聖トマス　409
ヘティマシア　221
ペトロ，聖　334
ペトロク，聖　338
ベネディクトゥス，聖　67
ヘビ　374, 386
ペリカン，「献身の」　332
ベルナルディーノ，シエナの聖　68
ベルナルドゥス，クレルヴォーの

聖　67
ヘレナ，聖　220
ペン　332

ホ

帯　80
帽子　217
宝珠　319
放蕩息子　346
望徳　225
炮烙　209
牧羊杖　114
戈槍　212
輔祭　131
輔佐聖人　57
星　392
ホスチア　226
ホタテガイの貝殻　368
ホデゲトリア　223
ボナ，聖　73
ボナヴェントゥラ，聖　74
ボニファティウス，聖　74
骨　74
ホモボヌス，聖　225, 317
本　75

マ

マウリキウス，聖　301
マエスタ　284
魔王　138
マギ　284
巻き上げ機　462
巻き物　59, 370

マタイ，聖　298
マティア，聖　300
マドンナ　284
マリア，エジプトの　294
マリア，3人の　298
マリア，聖母　294, 448
マリア，マグダラの聖　295
マリナ，アンティオキアの聖　286
マルガレータ，アンティオキアの聖　286
マルコ，聖　287
マルタ，聖　290
マルティヌス，トゥールの聖　292
マンディリオン　284
マント　104
マンドルラ　284
卍　398
まんじ　398

ミ

ミカエル，聖　302
三日月　112
御子キリスト　98
水　458
ミトラ　304
身振り　196
ミュロフォロイ　308
ミルク　303

ム

無原罪の御宿り　231

無辜聖嬰児　224, 232
鞭　369, 461

メ

目　165
目隠し　71
眼鏡　391
雌ジカ　140
メナス，聖　302
メルキゼデク　301

モ

燃える柴　82
黙示録の4人の騎手　182
模型　305
モーセ　306
森の野蛮人　463
門　143, 189

ヤ

矢　50
ヤギ　203
ヤコブ，聖（小）　237
ヤコブ，聖（大）　236
野生人　461
やっとこ　342, 420
ヤヌアリウス，聖　238
山　308
槍　265, 390

ユ

ユスティナ，聖　258
ユダ，イスカリオテの　253

ユダ，聖　255
ユダ・タダイ　255
ユニコーン　436
指　171
指輪　356
ユリ　274
ユリアヌス，看護者聖　256

ヨ

ヨアヒム　241
ヨアンネス・クリュソストムス，
　聖　247
ヨアンネス・クリマクス　248
善いサマリア人　204
善い羊飼い　205
預言者　347
ヨセフ，アリマタヤの聖　250
ヨセフ，聖　248
4つの生き物　183
4人の戴冠殉教者　179
4人の福音書記者　182
4人の福音書記者の動物　181
ヨハネ，神学者　244
ヨハネ，洗礼者聖　241
ヨハネ，福音書記者　244
鎧　49

ラ

ライオン　275
ラウレンティウス，聖　269
ラクダ　85
ラザロ　270
ラザロの蘇生　351

ラッパ　433
ラテン教会四大博士　183
ラバルム　262
ラファエル　351
ランタン　265
ランプ　265

リ

リーキ　272
力天使　140，452
竜　149
リュート　283
猟犬　208，226
リンゴ　45

ル

ルカ，聖　281
ルチア，聖　280

レ

霊魂　389
霊魂の計量　458
レオナルドゥス，聖　272
レビヤタン　273

ロ

炉　187
ロウソク　85
ロザリオ　360
ロト　278
ロバ　52
ロムアルドゥス，聖　360

ワ

若者　465

ワシ　152
ワタリガラス　352
ワニ　114

本書は一九九七年六月、大修館書店より刊行された。

ちくま学芸文庫

キリスト教美術シンボル事典

二〇二四年五月十日　第一刷発行

著　者　ジェニファー・スピーク

訳　者　中山　理（なかやま・おさむ）

発行者　喜入冬子

発行所　株式会社　筑摩書房
　　　　東京都台東区蔵前二―五―三　〒一一一―八七五五
　　　　電話番号　〇三―五六八七―二六〇一（代表）

装幀者　安野光雅

印刷所　株式会社精興社

製本所　加藤製本株式会社

© Osamu NAKAYAMA 2024　Printed in Japan
ISBN978-4-480-51233-8　C0171